И эхо летит по горам

Мастерски написанный роман, охватывающий более полувека афганской истории, начинается как притча о жертве во благо, но затем оборачивается реалистичной историей о времени и судьбе. Эта печальная книга так и сияет любовью, которой пронизаны все отношения героев: разлученные брат и сестра; связанные братством кузены; господин и слуга, ближе которых нет людей. Центральный герой романа — любовь, подчас скрытая, почти невидимая, словно подернутая дымкой — как пейзаж на старом, ставшем хрупким от времени фото.

Los Angles Times

Книга Хоссейни — как афганский ковер, сотканный вручную: тончайшие нити сплетаются в сложный и прекрасный рисунок человеческих ошибок и побед, вины и прощения, сексуальности и невинности, братства и дружбы, радости и грусти, красоты людей и уродства нищеты. И при том в книге нет и намека на сладкую сентиментальность, здесь истинная поэзия укрывает столь же истинную жестокость реальной жизни. Хоссейни словно пропускает жизнь через призму своего мастерства, и мы любуемся потрясающим спектром, которым разворачивается его роман.

Austin Chronicle

Новый мощный и эмоциональный роман Халеда Хоссейни похож и не похож на два предыдущих. Автор поднимает те же темы, что и прежде, — связь между родителями и детьми, семья, прошлое, предательство и верность, искупление. Но сделано это уже на другом литературном уровне. Книга уверенно балансирует между яркой красочностью притчи и черно-белыми тонами реализма.

New York Times

Очень трудно написать об этом романе коротко. Он вызывает слишком много мыслей, слишком много чувств, он слишком обширен и объемлющ. Хоссейни показал себя не только мастером драматического сюжета, но виртуозным писателем. Рифмующиеся пары героев, отзывающиеся эхом ситуации, зеркально перетекающие друг в друга эмоции. Это очень-очень хорошая книга.

Washington Post

Третий роман автора «Бегущего за ветром» — удивительная по драматической силе сага о предательстве, жертвенности и жертвах, о власти семейных уз. Эта книга шире во всех отношениях, чем «Бегущий за ветром» и «Тысяча сияющих солнц». Роман охватывает три поколения, немало стран и множество персонажей. Это настоящее полотно, главная тема которого: готовы ли мы отвергнуть самое дорогое ради его блага.

People

Новый роман Хоссейни возвышается и сильным притчевым флером, и детальной прорисовкой персонажей, и изяществом устройства: у повествования много голосов, и женских, и мужских, и широкая география — от Кабула и Парижа до Сан-Франциско. Честно сказать, третья книга Хоссейни, если не считать двух предыдущих его романов, — возможно, самая интересная из всех, какие мне приходилось читать даже и не в последнее время. Хоссейни не поэт (хотя и хороший прозаик), однако мир, который ему удается создать, и чувства, до которых он неустанно докапывается, вас непременно покорят.

Esquire

Первые два романа Хоссейни совокупно провели в списке бестселлеров 171 неделю. Этот писатель знает, чем порадовать публику, а главный ингредиент его романа — сильные переживания. Меня за здорово живешь литературой не пронять, однако на новый роман Хоссейни «И эхо летит по горам» я роняла слезы уже к сорок пятой странице. Писатели вроде Халеда Хоссейни знают, как вплести жесткое морально-этическое волокно в изысканную литературную ткань.

Washington Post

Эта история о разрыве семейных уз и его более чем полувековых последствиях могла случиться лишь в таком месте, как Афганистан, однако эмоциональность и психологизм происходящего — универсальны и никак не привязаны к конкретным декорациям, ведь территории Хоссейни — это в первую очередь география сердца.

USA Today

KHALED HOSSEINI

And the Mountains Echoed

ХАЛЕД ХОССЕЙНИ

И эхо летит по горам

phantom press

МОСКВА

ББК 84.4
Х84

Халед Хоссейни

Х84   И эхо летит по горам. Роман. — Пер. с англ.
Ш. Мартыновой. — М.: Фантом Пресс, 2015. — 448 с.

1952 год, звездная ночь в пустыне, отец рассказывает афганскую притчу сыну и дочери. Они устроились на ночлег в
горах, на пути в Кабул. Затаив дыхание, Абдулла и маленькая
Пари слушают историю о том, как одного мальчика похи-
тил ужасный дэв и бедняге предстоит самая страшная участь
на свете... Но жизнь не раскрашена в черно-белые тона — даже
в сказках... Наутро отец и дети продолжат путь в Кабул,
и этот день станет развилкой их судеб. Они расстанутся,
и, возможно, навсегда. Разлука брата и сестры даст начало
сразу нескольким сплетающимся и расплетающимся историям.
И в центре этой паутины — Пари, нареченная так вовсе не в
честь французской столицы, а потому что так зовут на фарси
фей. Пять поколений, немало стран и городов будут вовлече-
ны в притчу жизни, которая разворачивается через войны,
рождения, смерти, любови, предательства и надежды. Новый
роман Халеда Хоссейни, прозрачный, пронзительный, много-
голосый, о том, что любое решение, принятое за другого
человека, — добра ради или зла — имеет цену, и судьба
непременно выставит за него счет. Это роман о силе дешевых
слов и дорогих поступков, о коварстве жизненного предназна-
чения, о неизбежности воздаяния, о шумном малодушии и
безмолвной преданности.

Эта книга посвящается Харису и Фаре,
они оба — нур очей моих,
и моему отцу — он бы мной гордился.

Для Элейн

За пределами знания
о злодеянии и добродетели
есть поле.
Я жду тебя там.
Джалаладдин Руми, XIII век

Глава первая

Осень 1952-го

Ну ладно. Хотите историю — расскажу одну. Но только одну. И не просите добавки. Уже поздно, а у нас с тобой, Пари, завтра дальняя дорога. Тебе надо выспаться. И тебе, Абдулла. Я на тебя рассчитываю, малец, покуда нас с твоей сестрой не будет. И мать тоже рассчитывает. Ну что ж. Одна история. Слушайте оба, хорошенько слушайте. И не перебивайте.

Давным-давно, в те поры, когда бродили по земле *дэвы, джинны* и великаны, жил-был крестьянин по имени Баба Аюб. Жил он со своей семьей в маленькой деревне Майдан-Сабз. Большую семью надо было кормить, и Баба Аюб все дни проводил в тяжком труде. Каждый день работал он от зари до зари, пахал поле, копал землю и ходил за чахлыми своими фисташковыми деревьями. Во всякое время видали его в поле, склоненным в пояс, сгорбленным, как серп, каким он весь день махал. Руки у него были в мозолях и часто кровили, и всякую ночь сон забирал его, стоило донести щеку до подушки.

Скажу вам, в тех местах не один он такой был. В Майдан-Сабз трудно жилось всем обитателям. Селя-

11

нам с севера, из долины, повезло больше — там фруктовые деревья, цветы и воздух сладок, в ручьях вода студеная, чистая. А Майдан-Сабз было селеньем бессчастным и нисколько не совпадало с картинкой, что представляется, когда слышишь ее название: Зеленое поле. На плоской равнине деревня лежала в кольце крутых гор. Ветер веял жаром и задувал пыль в глаза. Воду искать приходилось каждый день, потому что деревенские колодцы — даже самые глубокие — часто пересыхали. Да, река была, но к ней полдня пути, а вода круглый год текла в ней мутная. Через десять лет засухи и та река обмелела. Одним словом, люди в Майдан-Сабз работали вдвое тяжелее, а труды их давали половину того, что потребно для жизни.

И все же Баба Аюб считал, что ему повезло: была у него семья, которой дорожил он превыше всего. Он любил свою жену и ни разу голоса на нее не повысил, не то что руку поднял. Он ценил ее советы и от души радовался ее обществу. И детьми их благословило: было их столько, сколько пальцев на руке, — трое сыновей и две дочери, и каждое дитя он любил всем сердцем. Дочери его были прилежные, добрые, милого нрава и на хорошем счету у всех. Сыновей же он научил честности, отваге, дружбе и безропотному трудолюбию. Они слушались его, как и положено хорошим сыновьям, и помогали отцу на поле.

Но, хоть и любил он всех своих детей, сильнее остальных Баба Аюб втихаря обожал одного, младшего, по имени Кайс, — ему тогда исполнилось три года. Были у Кайса темно-синие глаза. Он очаровывал любого, кто видел его, своим бесовским смехом. А еще был он из тех мальчиков, у кого силы через край, но они и из других ее всю выпивают. Едва научившись ходить, он так полюбил это занятие, что день-деньской, пока не спал, носился — а потом, вот незадача, еще и ночью, во сне. Не просыпаясь, выходил из глинобитного дома, где жила семья его, и брел в залитую луной тьму. Ясное дело, родители беспокоились. А вдруг в колодец упадет, или потеряется, или того хуже — нападет на него тварь из тех, что шныряют по равнине в ночи? Все перепробовали — ничто не помогает. В конце концов Баба Аюб нашел решение — самое простое, как оно частенько и бывает с лучшими затеями: снял маленький колокольчик с одной своей козы и повесил Кайсу на шнурке. Если Кайс проснется среди ночи, колокольчик разбудит кого-нибудь. Ночные блужданья вскоре прекратились, но Кайсу понравился колокольчик, и он расставаться с ним отказался. Вот так, хоть больше и не приносил задуманной пользы, колокольчик остался висеть на шее у мальчика. Когда Баба Аюб возвращался после целого дня трудов, Кайс несся навстречу отцу и утыкался лицом ему в живот, а колокольчик позвякивал при каждом его шажке. Баба Аюб вскидывал чадо на руки и нес в дом, а Кайс смотрел не отрываясь, как отец умывается, затем усаживался рядом с Бабой Аюбом ужинать. После еды Баба Аюб потягивал чай, глядел на свою семью и представлял, что придет день и все его дети женятся и заведут своих детей, и станет он гордым отцом еще большего семейства.

Увы, Абдулла и Пари, счастливые деньки Бабы Аюба подошли тогда к концу.

Однажды в Майдан-Сабз пришел *дэв*. Надвигался на деревню от гор, и земля содрогалась с каждым его шагом. Селяне побросали мотыги, топоры да лопаты и разбежались кто куда. Заперлись по домам, забились в углы. Оглушительный топот *дэва* умолк, и тень его затмила небеса над Майдан-Сабз. Говорили, что на голове у него росли рога, жесткая черная шесть покрывала его плечи и мощный хвост. Говорили, что глаза у него горели красным. Никто не знал наверняка, понятное дело, — по крайней мере, никто из живых: *дэв* пожирал на месте любого, кто осмеливался хотя бы взглянуть на него. Селяне помнили об этом и предусмотрительно держали глаза долу.

Все знали, зачем *дэв* пришел к ним. Они слыхали рассказы о его налетах на другие деревни и все изумлялись, как же повезло Майдан-Сабз, что *дэв* до сих пор обходил ее вниманием. Может, рассуждали они, нищая, скромная жизнь, какую они вели в Майдан-Сабз, сослужила им службу: детей удавалось кормить хуже, чем в других местах, и мяса у них на костях было меньше. Но увы, удача наконец отвернулась и от них.

Затрепетала Майдан-Сабз и затаила дыхание. Семьи молились, чтобы *дэв* обошел их дом стороной, ибо знали они: если постучится *дэв* к ним в крышу, придется отдать одного ребенка. *Дэв* сунет его в мешок, закинет на плечи и уйдет восвояси. Никто больше не увидит несчастное дитя. А если семья откажется отдать одного, *дэв* заберет всех отпрысков.

Куда же *дэв* утаскивал детей? К себе в крепость, что стояла на вершине крутой горы. Крепость его находилась очень далеко от Майдан-Сабз. Долы, несколько пустынь и два горных кряжа надо преодолеть, прежде чем там окажешься. Да и кто в своем уме пошел бы — на верную-то смерть? Говорили, что в крепости полно подземелий, где по стенам развешены мясницкие ножи. С потолка спускаются крюки для туш. Говорили, там ямы с огнем, а над ними вертела. Говорили, что если *дэв* ловил чужака в своих

14

владениях, он мог и преодолеть свое отвращение к мясу взрослых.

Наверное, вы поняли, в чью крышу страшно постучал *дэв*. Услышав его, Баба Аюб страдальчески закричал, а жена лишилась чувств. Дети заплакали от ужаса — и от тоски, потому что знали: одного средь них неминуемо потеряют. Семье предстояло до рассвета принести жертву.

Как описать мне мученья, что пережили той ночью Баба Аюб и жена его? Ни одному родителю да не придется делать такой выбор. Подальше от детских ушей Баба Аюб и жена его судили-рядили, как им быть. Говорили да плакали, говорили да плакали. Всю ночь ходили они взад-вперед по дому, рассвет близился, и пора уж было им принять решение: *дэв* так все подстроил, наверное, для того, чтобы их сомнения позволили ему отнять не одного, а всех пятерых детей. Наконец собрал Баба Аюб у крыльца пять камней одинаковой формы и размера. На каждом написал имя одного ребенка, а потом засунул все в джутовый мешок. Протянул его жене, та отшатнулась, будто держал он в руках ядовитую змею.

— Не могу, — сказала она мужу, помотав головой. — Я не могу выбирать. Не вынесу.

— И я, — начал было Баба Аюб, но посмотрел в окно и понял, что солнце того и гляди появится из-за восточных холмов. Времени оставалось мало. Горестно взирал он на своих пятерых детей. Чтоб спасти руку, придется отсечь палец. Закрыл он глаза и вытянул камень из мешка.

Наверное, вы поняли и то, какой именно камень вытащил Баба Аюб. Как увидал имя на нем, воздел он лицо к небесам и взвыл. Разбилось сердце его, и взял он на руки младшего, а Кайс, слепо веря отцу,

15

радостно обвил ручонками его шею. И лишь когда Баба Аюб вынес его из дома и закрыл за ним дверь, понял мальчик, что произошло, а Баба Аюб стоял зажмурившись, и слезы текли у него из глаз, и любимый сын его молотил кулачками в дверь, плакал и просил впустить его, и Баба Аюб шептал: «Прости меня, прости меня», — и земля содрогалась от поступи *дэва*, и завизжал ребенок, а земля все тряслась, покуда *дэв* уходил из Майдан-Сабз, но вот все стихло, и в тишине этой рыдал Баба Аюб и все просил Кайса о прощении.

Абдулла, твоя сестра уснула. Прикрой ей ноги одеялом. Вот так. Хорошо. Может, хватит на сегодня? Нет? Хочешь дальше слушать? Ты уверен, малец? Ну ладно.

На чем я остановился? Ах да. Сорок дней скорби. И каждый день соседи готовили еду всей их семье и ухаживали за ней. Люди несли что могли: чай, сласти, хлеб, миндаль, а еще — сочувствие и сострадание. Баба Аюб даже благодарить их мог с трудом. Сидел в углу и рыдал, и слезы катились из глаз его, словно хотел он прекратить деревенскую засуху. Таких мучений и злейшему из людей не пожелаешь.

Прошло несколько лет. Засуха не кончалась, и Майдан-Сабз погрязла в еще большей нищете. Несколько младенцев померло от жажды прямо в колыбелях. Колодцы совсем обмелели, и высохла река — но не страдания Бабы Аюба: эта река все набухала, с каждым прожитым днем. Семье от него не стало никакого проку. Он не работал, не молился, почти не ел. Жена и дети умоляли его прийти в себя, но все без толку. Оставшимся сыновьям пришлось трудиться вместо него, потому что Баба Аюб ничего не делал, лишь сидел на краю своего поля, одинокий, несчастный, и глядел на горы. Он перестал разговаривать с соседями — уверился, что они сплетничают за его спиной. Мол, трус он и по своей воле отдал сына. Негодный он, дескать, отец. Настоящий отец стал бы биться с *дэвом*. Сгинул бы, защищая семью.

Как-то вечером он поделился этим с женой.

— Не говорят ничего такого они, — ответила жена. — Никто не считает тебя трусом.

— Я же слышу, — сказал он.

— Это ты свой голос слышишь, муж мой, — ответила жена. Однако не сказала ему, что селяне и *впрямь* болтали за его спиной. Но говорили они, что он, быть может, умом тронулся.

И вот однажды он сам подтвердил эти слухи. Встал на рассвете. Жене и детям ничего не сказав, сложил сколько-то хлебных корок в джутовый мешок, натянул башмаки, заткнул за пояс косу и ушел.

Шел он много-много дней. Шел, покуда не гасло и блеклое красное сияние солнца вдали. Ночами спал в пещерах, а снаружи свистел ветер, — или у рек под деревьями, или скрывался меж валунов. Ел хлеб, а потом все, что мог найти, — дикие ягоды, грибы, рыбу, какую ловил руками в ручьях, а иногда и ничего не ел. И все шел да шел. Бывало, какой-нибудь путник спрашивал, куда он идет, он отвечал, и кто-то принимался смеяться, кто-то спешил прочь, боясь, что встретил безумного, а кто-то молился за него — если и у них *дэв* отнял ребенка. Баба Аюб головы не поднимал, а все шагал вперед. Когда башмаки его сносились, он привязал их к ногам веревками, а когда веревки порвались, отправился дальше босым. И так прошел он пустыни, долы и горы.

Наконец добрался он к той горе, где на вершине стояла крепость *дэва*. Так жаждал он свершить заду-

17

манное, что не стал отдыхать, а сразу взялся лезть вверх, одежда — в лохмотья, ноги — в кровь, волосы спеклись от пыли, но решимость его была непоколебима. Острые камни рвали ему пятки. Ястребы клевали ему щеки, когда он карабкался мимо их гнезд. Жестокие ветры чуть не сбили его с горного склона. А он все лез и лез, с камня на камень, пока не оказался перед здоровенными крепостными воротами.

Кто посмел? — прогремел голос *дэва*, когда Баба Аюб швырнул камень в ворота.

Баба Аюб назвал свое имя.

— Я пришел из деревни Майдан-Сабз, — сказал он.

Ищешь себе погибели? Уж наверняка, раз тревожишь меня в жилище моем! Чего тебе надо?

— Я пришел убить тебя.

По ту сторону ворот воцарилось молчание. Затем они со скрежетом открылись и показался *дэв*. Он навис над Бабой Аюбом во всем своем адском величии.

Ой ли? — сказал он голосом, что громовые раскаты.

— Точно, — ответил Баба Аюб. — Одному из нас сегодня погибнуть, верное дело.

На миг показалось, что *дэв* сметет Бабу Аюба с лица земли, — тот *дэву* на один укус, зубы у чудища острые, как стилеты. Но отчего-то медлило чудище. *Дэв* прищурился. Может, безумные слова старика поразили его. Может, сам вид его — лохмотья, лицо в крови, пыль, что покрывала его с головы до пят, раны по всему телу. А может, *дэв* не увидел в глазах этого человека и следа страха.

Откуда, говоришь, ты?

— Майдан-Сабз, — ответил Баба Аюб.

Далеко этот Майдан-Сабз, должно быть, — судя по твоему виду.

— Я не затем сюда пришел, чтоб ты мне зубы заговаривал. Я пришел, чтобы...

Дэв вскинул когтистую лапу. Да, да. Ты пришел меня убить. Знаю. Но ты же позволишь мне сказать несколько слов, прежде чем прикончить меня.

— Ладно, — сказал Баба Аюб. — Но лишь несколько.

Благодарю тебя. *Дэв* осклабился. Могу я спросить, что же за зло такое я тебе причинил, что смерть на себя накликал?

— Ты забрал моего младшего сына, — ответил Баба Аюб. — Он был самое дорогое для меня на всем свете.

Дэв хмыкнул и почесал подбородок. Я многих детей отнял, у многих отцов, — промолвил он.

Баба Аюб в гневе схватился за серп:

— Тогда я отомщу за них всех.

Должен сказать, твоя храбрость пробуждает во мне восхищенье.

— Ничего ты не знаешь о храбрости, — ответил Баба Аюб. — Чтоб быть храбрым, нужно иметь что терять. А мне терять нечего.

У тебя есть жизнь, — сказал *дэв*.

— Ты уже отнял ее у меня.

Дэв снова хмыкнул и задумчиво оглядел Бабу Аюба. А чуть погодя сказал: Ну что ж, будь по-твоему. Сразимся. Но сначала пойдем со мной.

— Шевелись, — сказал Баба Аюб, — у меня иссякает терпение.

Но *дэв* уже шагал к громадному входу в крепость, и Бабе Аюбу пришлось двинуться за ним. Он проследовал за *дэвом* по лабиринтам коридоров, и своды каждого почти доставали до облаков и возлежали на великанских колоннах. Они миновали многие лестницы и залы — в любом поместилась бы вся Майдан-Сабз. Так шли они, покуда *дэв* не привел их в обширную залу, а дальнюю стену ее загораживал занавес.

Иди ближе, — позвал *дэв*.

Баба Аюб встал рядом.

Дэв отдернул занавес. За ним оказалось стеклянное окно. В нем Баба Аюб увидел бескрайний сад. Шеренги кипарисов обрамляли его, а земли его усыпали цветы всех оттенков. Были там пруды, выложенные синими плитками, мраморные террасы и сочные зеленые лужайки. Баба Аюб разглядел изящные изгороди и фонтаны, ворковавшие в тени гранатовых дерев. И за три жизни не смог бы он представить места прекраснее.

Но сразило Бабу Аюба, когда увидал он детей — они бегали и резвились в саду. Гонялись друг за дружкой по дорожкам, вокруг деревьев. Баба Аюб поискал глазами — и нашел. Он был там! Его сынок, Кайс, живой и более чем здоровый. Он подрос, и волосы у него теперь стали длинные. На нем была красивая белая сорочка и отличные штаны. Он счастливо смеялся и носился за парой своих друзей.

— Кайс, — прошептал Баба Аюб, и стекло запотело от его дыхания. И закричал он имя своего сына.

Он тебя не слышит, — сказал *дэв*. — И не видит.

Баба Аюб запрыгал, замахал руками, замолотил по стеклу, но *дэв* задернул полог.

— Не понимаю, — сказал Баба Аюб. — Я думал...

Это тебе награда, — сказал *дэв*.

— Растолкуй! — воскликнул Баба Аюб.

Я заставил тебя пройти испытание.

— Испытание.

Испытание твоей любви. Да, жестокая проверка, и чего она тебе стоила, я тоже вижу. Но ты ее прошел. Вот твоя награда. И его.

— А если б я не выбрал его? — закричал Баба Аюб. — А если б я отказался от твоей проверки?

Тогда все твои дети сгинули бы, — ответил *дэв*, — потому что они все равно прокляты — дети слабого человека. Труса, что выбирает смерть для всех своих детей, лишь бы не обременять совесть. Ты сказал, что нет в тебе храбрости, но я вижу ее в тебе. Ты сделал такое — такую ношу принял на себя, а это требует храбрости. И за это я тебя уважаю.

Баба Аюб насилу поднял серп, но тот выпал из рук, громко лязгнул на мраморном полу. Колени у старика подогнулись, и пришлось ему сесть.

Твой сын не помнит тебя, — продолжил *дэв*. — Его жизнь теперь — тут, и ты видел своими глазами, как он счастлив. Его кормят лучшей едой, облачают в лучшие одежды, с ним дружат, его любят. Его учат искусствам и языкам, а также мудрости и велико-душию. Он ни в чем не нуждается. Однажды он вырастет и решит уйти в мир — и будет волен это сделать. Полагаю, многие жизни он осенит своей добротой и принесет счастье тем, кто сражен пе-чалью.

— Я хочу его увидеть, — вымолвил Баба Аюб. — Хочу забрать его домой.

Правда?

Баба Аюб глянул на *дэва*.

Чудище потянулось к комоду, что стоял рядом с занавесом, и достало из ящика песочные часы. Зна-ешь, что это такое, Абдулла, — песочные часы? Знаешь. Хорошо. Так вот... *Дэв* достал песочные часы, перевернул их и поставил к ногам Бабы Аюба.

21

Я разрешу тебе забрать его домой, — сказал *дэв*. Если ты так решишь, он не сможет сюда вернуться. Если решишь не забирать, *ты* никогда не сможешь сюда вернуться. Когда весь песок высыплется, я спрошу, что ты решил.

С этими словами *дэв* ушел из залы, а Баба Аюб остался перед еще одним мучительным выбором.

Заберу его, тут же подумал Баба Аюб. Не этого ли желал он более всего на свете, каждой частицей себя? Не это ли воображал в тысяче своих грез? Прижать малыша Кайса к себе, расцеловать его щечки и ножки, почувствовать мягкость его маленьких рук в своих? И все же... Если возьмет он его домой, какая жизнь ожидает Кайса в Майдан-Сабз? В лучшем случае — тяжкая жизнь крестьянина, как и его собственная, и все. И это еще если Кайс не помрет от засухи, как многие другие сельские дети. Простишь ли ты себя, Баба Аюб, зная, что забрал его — по собственной корысти — из жизни роскошной, многообещающей? С другой стороны, если он оставит Кайса здесь, как переживет он — зная, что сын его жив, зная, где он, — разлуку с ним? Как он это вынесет? Плакал Баба Аюб. И такое к нему пришло отчаяние, что взял он песочные часы и метнул их в стену, и разбились они на тысячу осколков, а мелкий песок рассыпался по всему полу.

Дэв вернулся в залу и увидел Бабу Аюба — тот стоял над разбитым стеклом, плечи поникли.

— Жестокая тварь, — вымолвил Баба Аюб.

Поживи с мое, — ответил *дэв*, — и поймешь, что жестокость и благодеяние — оттенки одного цвета. Ты выбрал?

Баба Аюб вытер слезы, поднял серп, привязал его к поясу. Медленно побрел он к двери, свесив голову.

Ты хороший отец, — сказал *дэв*, когда Баба Аюб проходил мимо.

— Жариться тебе в адском пламени за то, что сотворил ты со мной, — устало промолвил Баба Аюб.

Он вышел из залы и уже направился было вон, как *дэв* окликнул его.

Вот, возьми, — сказал *дэв*. Чудище протянуло Бабе Аюбу маленький стеклянный флакон с темной жидкостью. — Выпей по пути домой. Прощай.

Баба Аюб принял флакон и больше не сказал ни слова.

Много дней спустя его жена сидела на краю их семейного надела и ждала его так же, как Баба Аюб — Кайса. С каждым сгинувшим днем надежды ее вяли. Люди в деревне уже начали говорить о Бабе Аюбе в прошедшем времени. И вот однажды сидела она опять на земле, молитва трепетала у нее на устах, и тут увидела она тощую фигуру, что приближалась к Майдан-Сабз от гор. Сначала приняла она его за бродячего дервиша — иссохшего человека, одетого в тряпье, глаза пусты, виски впали, — и лишь когда подошел он ближе, она узнала своего мужа. Сердце ее забилось от радости, и закричала она с облегченьем.

Когда отмыли его, напоили и накормили, Баба Аюб улегся в своем доме, а селяне столпились вокруг и забросали его вопросами:

— Где ты был, Баба Аюб?

— Что видел?

— Что с тобой приключилось?

Баба Аюб не мог им ответить, потому что не помнил, что приключилось с ним. Ничего не помнил он из своего странствия: как карабкался на гору к *дэву*, как говорил с ним, о его великом дворце, о зале с занавесом. Будто проснулся — а сон уж и забыл. Не помнил он о тайном саде, о детях и, самое главное, не помнил, что видел сына своего, Кайса, как он играет с друзьями средь дерев. Больше того: когда кто-нибудь поминал Кайса, Баба Аюб смаргивал в недоумении.

— Кто? — спрашивал он. Не помнил, что вообще был у него сын по имени Кайс.

Понимаешь, Абдулла, что это было деянье милосердия? То снадобье, оно стирает воспоминания. Такую награду получил Баба Аюб за то, что прошел и вторую проверку *дэва*.

Той весной небеса разверзлись наконец над Майдан-Сабз. И на землю упал не легкий дождик, как много лет до этого, а могучий, великий ливень. Небо исторгало потоки воды, и деревня жадно раскрылась им навстречу. Весь день вода лупила по крышам Майдан-Сабз и заглушила все другие звуки в мире. Тяжкие, набухшие капли скатывались по кромкам листвы. Колодцы наполнились, реки поднялись. Холмы к востоку от деревни зазеленели. Расцвели полевые цветы, и впервые за много лет дети играли в траве, а коровы паслись. Всем радость.

А когда дождь закончился, селянам нашлось работы. Глиняные изгороди размыло, побило несколько крыш, а поля местами превратились в болота. Но после муки убийственной засухи люди Майдан-Сабз не собирались жаловаться. Той осенью у Бабы Аюба народился самый большой урожай фисташек за всю его жизнь, и, конечно, на следующий год, и годом позже, — его урожаи лишь росли и в размерах, и в качестве. В больших городах, где продавал он свое добро, Баба Аюб восседал гордо за пирамидами фисташек и

24

сиял, как счастливейший человек на земле. Засуха больше никогда не вернулась в Майдан-Сабз.

Я тебе вот что еще скажу, Абдулла. Ты может спросишь, не проехал ли в один прекрасный день через деревню красивый молодой человек на коне — на пути своих великих приключений? Не остановился ли напиться воды, которой в деревне было теперь в достатке, и не присел ли преломить хлеб с селянами или даже с самим Бабой Аюбом? Не могу сказать, мальчик. Но одно говорю точно: Баба Аюб дожил до очень преклонных лет. И еще скажу, что всех своих детей он женил, как того и желал, а дети его родили своих, и каждый был Бабе Аюбу великим счастьем.

И вот еще что: в некоторые ночи, без всякой особой причины, Бабе Аюбу не спалось. И хоть был он очень старым человеком, мог сам ходить, пусть и с палкой. Вот в такие бессонные ночи выбирался он из постели — тихонько, чтобы не разбудить жену, — брал палку и уходил из дома. Шел он во тьме, постукивая палкой, а ночной ветерок гладил его по лицу. Лежал на краю его поля плоский валун, и усаживался на него Баба Аюб. Сидел по часу или дольше, смотрел на звезды и на облака, что плыли мимо луны. Думал о своей длинной жизни и возносил благодарности за изобилие и радости, какими награди́ли его. Желать большего, знал он, будет жадностью. И вздыхал счастливо, и слушал, как ветер сбегает с гор, как поют ночные птицы.

Но иногда ему казалось, что слышит он и другой звук. Всегда один и тот же — тоненький звон колокольчика. Он не понимал, откуда этот звон берется здесь, во тьме, когда все овцы и козы спят. Времена́ми говорил себе, что ему мерещится, а иногда звал в темноту:

— Кто там? Есть кто? Покажись.

Но ни разу не слышал ответа. Баба Аюб не понимал. Не понимал он и того, почему вдруг волна чего-то — будто шлейф грустного сна — окатывала его, когда бы ни слышал он этот колокольчик, и всякий раз удивлялся, как неожиданному порыву ветра. Но потом оно проходило, как и все в мире. Проходило.

Так-то, малец. Вот и вся сказка. Нечего мне больше сказать. А теперь и впрямь поздно, я устал, а нам с твоей сестрой просыпаться на заре. Задувай свечу. Клади голову, закрывай глаза. Спи крепко, малец. Утром простимся.

Глава вторая

Осень 1952-го

Отец никогда раньше не бил Абдуллу. И когда первый раз ударил его — влепил затрещину чуть выше уха, наотмашь, внезапно, сильно, — у Абдуллы от неожиданности навернулись слезы. Он быстро сморгнул их.

— Иди домой, — выговорил отец сквозь сжатые зубы.

Абдулла услышал, как впереди заревела Пари.

И тогда отец стукнул его еще, сильнее, на этот раз по правой щеке. У Абдуллы голова мотнулась в сторону. Лицо горело, текли слезы. В левом ухе звенело. Отец склонился к нему — так близко, что его темное лицо в морщинах затмило собой пустыню, горы и небо.

— Я тебе сказал, иди домой, малец, — выговорил он страдальчески.

Абдулла не проронил ни звука. Тяжко сглотнул и сощурился на отца, заморгал ему в лицо, скрывшее солнце от глаз.

Из маленькой красной тачки, что стояла впереди, Пари выкрикнула его имя — высоким голосом, что дрожал от беспокойства:

— Аболла!

Отец пригвоздил его уничтожающим взглядом и поплелся к тачке. Пари потянулась к Абдулле с постеленной ей лежанки. Мальчик дал им уйти вперед. А потом размазал слезы ладонями и двинулся следом.

Чуть погодя отец швырнул в него камнем — так дети в Шадбаге обращались с Шуджей, псом Пари. Только дети хотели попасть в Шуджу, сделать ему больно. А камень отца безобидно плюхнулся в нескольких шагах от Абдуллы. Он подождал, пока отец с Пари тронутся с места, и опять побежал за ними.

Наконец солнце перевалило за полдень, и отец вновь остановился. Повернулся к Абдулле, задумался, поманил его.

— Ты ж не сдашься, — сказал он.

Пари со своей лежанки быстро протянула ручонку Абдулле, взяла его ладонь. Смотрела на него, глаза влажные, а сама улыбалась щербатым ртом, будто ничего плохого с ней не произойдет, покуда он рядом. Он сжал в пальцах ее ладошку — как теми ночами, когда спали они, малышня, в одной кровати, касаясь головами, сплетая ноги.

— Тебе полагалось остаться дома, — сказал отец. — С матерью и Икбалом. Как я тебе велел.

Абдулла подумал: «Она твоя жена. А мою маму похоронили». Но знал, что эти слова лучше придержать, пока наружу не выскочили.

— Ладно. Давай с нами, — сказал отец. — Но чур, никакого рева. Понял?

— Да.

— Я тебя предупредил. Не потерплю.

Пари разулыбалась Абдулле, а он смотрел в ее светлые глаза, на ее розовые круглые щеки и тоже улыбался.

28

Так и пошел рядом с тачкой: та ползла по изрытому дну пустыни, а он держал Пари за руку. Они тайком обменивались счастливыми взглядами — брат и сестра, — но помалкивали, боясь отцова дурного настроения, боясь спугнуть удачу. Подолгу шли они втроем, ничто и никто не попадался на глаза — лишь сплошные медно-красные буераки да нагроможденья песчаника. Пустыня катилась пред ними, распахнутая, широкая, будто создана лишь для них, а воздух стоял недвижим, ослепительно жаркий, небеса — высокие, синие. На истрескавшейся земле посверкивали камни. Абдулла слышал лишь свое дыхание и мерный скрип колес красной тачки, которую отец волок на север.

Чуть погодя они остановились отдохнуть в тени валуна. Отец со стоном бросил рукоятку. Поморщился, распрямляясь, поднял лицо к солнцу.

— А сколько еще до Кабула? — спросил Абдулла.

Отец глянул на него сверху вниз. Отца звали Сабур. Темнокожий, лицо жесткое, угловатое, костлявое, нос крючком, как клюв у пустынного ястреба, глубоко посаженные глаза. Худ, как тростина, но жизнь в тяжком труде закалила его мышцы, стянула их туго, как ротанговые прутья в ручках плетеного кресла.

— Завтра к вечеру, — ответил он, поднося кожаный бурдюк к губам. — Если не терять времени.

Пил он долго, скакал вверх-вниз его кадык.

— А почему дядя Наби нас не повез? — спросил Абдулла. — У него машина есть. — Отец скосил на него глаза. — Не шли бы пешком.

Отец ничего не ответил. Снял измаранную копотью тюбетейку, утер пот со лба рукавом рубахи.

Пари стрельнула пальчиком из тачки.

— Смотри, Аболла! — закричала она восторженно. — Еще одно.

Абдулла проследил глазами за ее пальцем и увидел в тени камня длинное серое перо — будто потухший уголь. Абдулла подошел, поднял его за очин. Сдул пылинки. Наверное, сокол, подумал он, крутя перо. А может, и голубь — или пустынный жаворонок. Он их сегодня видал немало. Нет, все-таки сокол. Подул еще раз на перышко, протянул его Пари, а та радостно выхватила его у Абдуллы.

Дома, в Шадбаге, Пари держала под подушкой старую жестяную коробку из-под чая, которую ей подарил Абдулла. Защелка у нее проржавела, а на крышке был бородатый индиец в тюрбане и длинной красной рубахе, обеими руками он держал чашку с горячим чаем. В коробке Пари хранила свою коллекцию перьев. Они были ее величайшим сокровищем. Темно-зеленые и насыщенно бордовые петушиные, белые хвостовые — голубиные, воробьиные — пыльно-бурые, с темными крапинками, и одно, которым Пари больше всего гордилась, — переливчато-зеленое павлинье, с красивым большущим глазком на конце.

Это последнее ей подарил Абдулла — два месяца назад. Он услыхал о мальчишке из соседней деревни, у них жил павлин. Однажды отец ушел копать канавы в город к югу от Шадбага, и Абдулла отправился в ту деревню, нашел мальчишку и попросил дать одно перышко. Последовал торг, и в итоге в уплату за перо Абдулла согласился отдать свои ботинки. Когда он вернулся в Шадбаг — с пером за поясом, под рубашкой, — пятки у него потрескались и за ним тянулся по земле кровавый след. Колючки и щепки впились ему в ступни. Каждый шаг отдавался болью.

Придя домой, он увидел мачеху, Парвану, во дворе перед домом — склоняясь над *тандыром*, она пекла им *наан*. Он шустро спрятался за могучим дубом и подождал, когда она закончит. Из-за ствола поглядывал, как она трудится, — толстоплечая, длиннорукая женщина, ладони грубые, короткопалые. Женщина с налитым круглым лицом — никаким изяществом мотылька, от которого происходило ее имя, она не располагала.

Абдулла хотел бы любить ее, как любил некогда свою маму. Это она истекла кровью, рожая Пари три с половиной года назад, когда Абдулле было семь. Это ее лица он уже не помнил. Это она брала его лицо в свои руки и прижимала к груди, гладила по щеке каждую ночь перед сном и пела колыбельную:

> Нашла я грустную феечку,
> Под шелковицей нашла.
> Я знаю грустную феечку,
> Ее ветром ночь унесла.

Хотел бы он так же любить эту новую маму. Может, и Парвана, думал он, втайне хотела того же — любить *его*. Так, как любила Икбала, годовалого сына, чье лицо расцеловывала, от чьего каждого кашля и чиха тревожилась. Или как любила своего первого ребенка, Омара. Она его обожала. Но тот умер от простуды позапрошлой зимой. Всего две недели ему было. Абдулла помнил, как Парвана вцепилась в спеленутый трупик Омара, как трясло ее от горя. Помнил день, когда они закопали его на холме: крошечная горка промерзшей земли под оловянным небом, мулла Шекиб читал молитвы, а ветер швырял зерна снега и льда всем в глаза.

Абдулла подозревал, что Парвана взбесится, если узнает, что он обменял свою единственную пару обуви на павлинье перо. Отец надрывался на солнцепеке, чтобы заплатить за них. Вот она ему устроит, когда обнаружит. Может, даже стукнет, подумал Абдулла. Она его уже била несколько раз. У нее сильные, тяжелые руки — еще бы, столько лет таскать свою сестру-инвалида, думал Абдулла, — и руки эти знали, как замахнуться палкой от метлы, как прицельно вмазать.

Однако надо отдать Парване должное: никакого удовольствия от битья она не получала. Да и нежность к пасынкам в ней была. Она как-то раз сшила Пари серебристо-зеленое платье из отреза ткани, что отец привез из Кабула. А еще она учила Абдуллу — с удивительным терпением, — как разбить сразу два яйца и не проколоть при этом желтки. А еще она показала им, как крутить из кукурузных листьев куколок, — они делали таких с ее сестрой, когда были маленькие. Она обучила их делать для этих куколок платья из клочков ткани.

Но то все были просто жесты, ее долг, и черпала она эту заботу из колодца куда мельче того, откуда питала Икбала, и Абдулла это знал. Если б однажды ночью их дом загорелся, Абдулла знал без сомненья, кого Парвана потащит наружу первым. И не задумается ни на миг. Все в итоге сводилось к простому: они с Пари — не ее дети. Люди обычно любят своих. Ничего тут не поделаешь — он и его сестра ей чужие. Объедки другой женщины.

Он дождался, когда Парвана понесла хлеб в дом, потом увидел, как она выходит во двор с Икбалом на одной руке и стиркой — под другой. Глядел, как она ковыляет к ручью, подождал, когда исчезнет из виду, и лишь после этого проник в дом, и пятки его жгло с каждым шагом. Внутри он уселся и сунул ноги в старые пластиковые шлепанцы — другой обуви у него не было. Абдулла знал, что поступил неразумно. Но когда он склонился над Пари, слегка потряс ее за плечо, разбудил от дневного сна и извлек из-под рубашки, будто волшебник, павлинье перо, — понял, что оно того стоило: лицо ее сначала тронуло изумление, потом — восторг, она припечатала ему щеки поцелуями, она хихикала, когда он щекотал ей подбородок мягким кончиком пера, и ноги у него вдруг перестали болеть.

Отец снова утер лицо рукавом. Они пили из бурдюка по очереди. Когда закончили, отец сказал:

— Ты устал, малец.

— Нет, — откликнулся Абдулла, хотя, конечно, устал. Насмерть устал. И ноги болели. Не так-то просто через пустыню в шлепанцах топать.

Отец сказал:

— Полезай в тачку.

В тачке Абдулла сидел за Пари, опершись спиной о дощатый бортик, а сестрины позвонки упирались ему в грудину, в живот. Отец тащил их вперед, Абдулла смотрел в небо, на горы, на тесные ряды округлых вершин, смягченных далью. Он глядел в спину отцу, на его склоненную голову, на облачка красно-бурого песка, что поднимал тот при каждом шаге. Караван кочевников кочи обогнал их по дороге — пыльная процессия звякающих колокольцев и стенающих верблюдов, а женщина с подведенными кайалом глазами и волосами цвета пшеницы улыбнулась Абдулле.

Ее волосы напомнили Абдулле мамины, и он опять затосковал — такая она была нежная, от рождения счастливая и всегда растерянная перед людской жестокостью. Он помнил ее чирикающий смех и ту застенчивость, с какой опускала она голову. Его

33

мама была хрупкой — и статью, и сутью, гибкая, с тонкой талией и облачком волос, вечно выбивавшихся из-под платка. Он когда-то раздумывал, как в таком щуплом маленьком теле держалось столько радости, столько добра. Нет, не держалось. Оно выплескивалось наружу, изливалось из глаз. Отец был другой. В отце была жесткость. Глаза его смотрели на тот же мир, что и мамины, однако видел он там лишь безразличие. Бесконечный тяжкий труд. Отцов мир не щадил. Все хорошее в нем было небесплатно. Даже любовь. За все платишь. А если беден, твоя монета — страданья. Абдулла глянул на шелушащийся пробор в волосах у сестренки, на узкое запястье, свисавшее с бортика тачки, и понял: когда мама умирала, что-то от нее перебралось в Пари. Что-то от ее веселой преданности, ее простодушия, ее умения безудержно уповать. Пари — единственный человек на земле, который никогда не сможет и не будет его обижать. Иногда Абдулле казалось, что она — это по правде вся его семья, какая ни на есть.

Краски дня растворились в сером, и дальние горные вершины стали расплывчатыми силуэтами присевших великанов. До этого отец провез их через несколько деревень — по большей части таких же захолустных и пыльных, как Шадбаг. Маленькие квадратные домики из обожженной глины иногда взбирались на склон горы, иногда нет, ленты дыма вились над крышами. Бельевые веревки, женщины, присевшие на корточки у очагов. Тополя там и сям, немного кур, наперечет коров да коз, всегда мечеть. Последняя деревенька, что они миновали, стояла на краю макового поля, и старик, возившийся с маковыми коробочками, помахал им. Он что-то прокричал, но Абдулла не расслышал. Отец помахал в ответ.

Пари сказала:

— Аболла?

— Да.

— Ты думаешь, Шуджа грустит?

— Я думаю, все у него хорошо.

— Его никто не будет обижать?

— Он большой пес. Может за себя постоять.

Шуджа и *впрямь* был большой собакой. Отец сказал, что в прошлом, наверное, — бойцовый пес, кто-то купировал ему уши и хвост. Другой вопрос, может ли он — и станет ли — стоять за себя. Когда он, блудный, впервые появился в Шадбаге, дети стали кидать в него камнями, тыкать палками и ржавыми велосипедными спицами. Шуджа не огрызался. Со временем деревенским детям надоело его мучить и его оставили в покое, хотя Шуджа по-прежнему вел себя осторожно, подозрительно, будто не забыл, как нехорошо с ним обращались.

Всех в Шадбаге он избегал — кроме Пари. Пред ней растерял он всю бдительность. Свою любовь к ней явил широко и безоблачно. Она стала его мироздáньем. По утрам, завидев, как Пари выходит из дома, Шуджа вскакивал, и все его тело трясло. Обрубок изуродованного хвоста возбужденно метался, пес приплясывал на месте, будто на раскаленных угольях. Он скакал вокруг нее веселыми кругами. День-деньской ходил тенью за Пари, нюхал ее пятки, а по ночам, когда они расставались, укладывался под дверью в тоске, ожидая утра.

— Аболла?

— Да.

— Когда я вырасту, я с тобой буду жить?

Абдулла смотрел, как опускается рыжее солнце, чиркает горизонт.

35

— Если хочешь. Но ты не захочешь.

— А вот и да!

— Ты захочешь свой дом.

— Мы можем рядом.

— Можем.

— Ты же не будешь далеко.

— А если я тебе надоем?

Она ткнула его локтем в бок:

— Нет!

Абдулла разулыбался:

— Ладно, хорошо.

— Ты будешь рядом.

— Да.

— Пока мы не станем старые.

— Очень старые.

— Насовсем.

— Да, насовсем.

Она повернулась к нему:

— Обещаешь, Аболла?

— Насовсем-пресовсем.

Чуть погодя отец пристроил Пари к себе на спину, а Абдулла шел следом, тянул пустую тачку. Они шли, и Абдулла впал в бездумное забытье. Он лишь чуял, как поднимаются и опускаются у него колени, как пот катится из-под тюбетейки. Маленькие ножки Пари прыгали у отца на бедрах. Лишь чуял, когда тень отца и сестры удлинялась на серой пустынной земле, когда они уходили вперед, если он отставал.

Это дядя Наби нашел отцу новую работу; дядя Наби — старший брат Парваны, и поэтому на самом деле Абдулле сводный дядя. Дядя Наби работал поваром и шофером в Кабуле. Раз в месяц приезжал к ним в гости в Шадбаг, и о его прибытии возвещало стаккато гудков и вопли орды деревенских детишек, несшихся вслед за большим голубым автомобилем с откидным верхом и блестящими ободами. Дети шлепали по бортам и окнам, покуда он не выключал двигатель и не вылезал с широкой улыбкой — шикарный дядя Наби, с длинными бакенбардами и вьющимися волосами, зачесанными со лба назад, облаченный в мешковатый оливковый костюм, белую парадную сорочку и коричневые штиблеты. Все выходили поглазеть: он же водил машину, хоть та и принадлежала его хозяину, а также потому, что он носил костюм и работал в большом городе — в Кабуле.

Дядя Наби сказал отцу о той работе в свой последний приезд. Богатые люди, на которых он трудился, решили расширить основной дом — соорудить гостевой флигель в саду, оснащенный своей ванной комнатой, отдельно от хозяйского здания, — и дядя Наби предложил им нанять отца: тот знал, что на стройке к чему. Дядя сказал, что заплатят хорошо, а работы там на месяц — плюс-минус.

Отец и впрямь знал, что к чему на стройке. Порядком их повидал. Сколько Абдулла помнил, отец вечно искал работу, обивал пороги за поденщиной. Однажды Абдулла подслушал, как отец говорит старейшине деревни, мулле Шекибу: *Родись я животным, мулла-сахиб, клянусь, вышел бы мул.* Иногда отец брал Абдуллу с собой на работу. Однажды собирали яблоки в городе, до которого от Шадбага был целый день пути. Абдулла помнил, как отец весь день лазил по лестнице, его ссутуленные плечи, морщинистый загривок, спаленный солнцем, обожженную кожу предплечий, толстые пальцы, что крутили черенки яблок, по одному за раз. В другом городе они лепили кирпичи для мечети. Отец показал Абдулле, как собирать хорошую глину, глубокого светлого оттенка. Они смешивали глину, добавляли солому, и отец терпеливо учил его подливать воду так, чтобы смесь не стала слишком жидкой. Последний год отец ворочал камни. Он кидал землю, попробовал себя за плугом. Он трудился в дорожной бригаде, клал асфальт.

Абдулла знал, что отец винил себя в смерти Омара. Будь у него работы побольше или будь она получше, мог бы купить младенцу лучшую зимнюю одежду, одеяла потеплее, может, даже и путную печь, чтобы обогревать дом. Так думал отец. Он ни слова не сказал Абдулле об Омаре с самых похорон, но Абдулла знал.

Он помнил, что видел отца через несколько дней после смерти Омара под здоровенным дубом. Дуб этот высился над всем Шадбагом и был самым старым существом в деревне. Отец говорил, что не удивился бы, узнай он, что дерево застало императора Бабура и его поход на Кабул. Говорил, что полдетства провел в тени громадной кроны этого дуба, прыгал по его раскидистым сучьям. Отец Сабура, дедушка Абдуллы, привязал длинные веревки к толстому суку и подвесил качели, и это приспособление пережило бессчетные суровые зимы — да и самого старика. Отец еще сказал, что они катались по очереди с Парваной и ее сестрой Масумой, когда были детьми.

Но отец слишком уставал от работы, а Пари тянула его за рукав и просила покачать.

Может, завтра, Пари.

Ну чуть-чуть, баба. Пожалуйста, вставай.

Не сейчас. В другой раз.

Она, конечно, рано или поздно оставляла его в покое, отпускала его рукав и, смирившись, уходила прочь. Иногда отцово узкое лицо будто сминалось, когда он глядел ей вслед. Он валился на свою койку, натягивал одеяло и закрывал усталые глаза.

Абдулла не мог себе представить, что отец когда-то летал на качелях. Не мог представить, что отец когда-то был мальчишкой, как он. Мальчишкой. Беззаботным, легконогим. Бегал по полям с друзьями. Отец, чьи руки иссечены шрамами, чье лицо изрезано глубокими бороздами усталости. Может, он и родился-то с лопатой в руке и грязью под ногтями.

Той ночью им пришлось спать в пустыне. Они доели хлеб и последние вареные картофелины, что Парвана дала им в дорогу. Отец устроил костер и поставил на огонь чайник — заварить чай.

Абдулла лежал у огня, свернувшись под шерстяным одеялом, за спиной у Пари, ее холодные пятки прижимались к его ногам.

Отец склонился к пламени и прикурил сигарету.

Абдулла перекатился на спину, Пари пристроилась рядом, угнездившись щекой в знакомой лунке под его ключицей. Он вдыхал медный запах пустынной пыли и глядел в небо, забитое звездами, будто кристаллами льда, что блестели и мигали. Хрупкая молодая луна укачивала призрачные очертания своей же полноты.

Абдулла вспомнил позапрошлую зиму, когда все погрузилось во мрак, ветер влезал под дверь, свистел низко, протяжно, громко — из каждой щелки в потолке. Снаружи все приметы деревни смазало снегом. Ночи стояли длинные, беззвездные, а дни — краткие, мрачные, солнце показывалось редко и лишь мельком, а затем быстро исчезало. Он помнил трудные крики Омара, затем — его молчание, а потом отец угрюмо вырезáл на деревянной доске серпик луны, точно как тот, что висел над ними сейчас, и забивал эту доску в тугую землю, обожженную морозом, в изголовье маленькой могилы.

И вот уж опять конец осени. Зима уже шныряла по углам, хотя ни отец, ни Парвана не говорили о ней, будто одного слова хватит, чтобы поторопить ее приход.

— Отец? — сказал он.

С другой стороны костра отец тихонько хмыкнул.

— Можно я тебе помогать буду? На стройке флигеля то есть.

От сигареты спиралью вился дым. Отец смотрел в темноту.

— Отец?

Он повозился на камне, на котором сидел.

— Ну, может, сгодишься раствор месить, — ответил он.

— Я не умею.

— Я тебе покажу. Научишься.

— А я? — спросила Пари.

— Ты? — выговорил отец. Затянулся сигаретой и пошевелил в огне палкой. Мелкие искры затанцевали в темноте. — Ты будешь отвечать за воду. Чтоб нам всегда было что попить. Потому что мужчина не может работать, если пить хочет.

Пари примолкла.

— Отец прав, — сказал Абдулла. Он почуял, что Пари хочется перемазаться, влезть в самую глину, и ее разочаровала задачка, которую ей поручил отец. — Если ты не будешь носить нам воду, мы флигель никогда не построим.

Отец подсунул палку под ручку чайника, снял его с огня. Отставил в сторону — остудить.

— Я так скажу, — промолвил он. — Сначала докажи, что справишься с водой, и я тогда тебе еще работу найду.

Пари повела подбородком и глянула на Абдуллу, просияв щербатой улыбкой.

Он помнил ее еще младенцем, когда она спала у него на груди, а он иногда открывал глаза посреди ночи и смотрел, как она молча улыбается ему — вот как сейчас, с тем же выражением.

Растил ее он. По правде. Хоть сам еще был ребенком. В десять лет. Когда Пари только родилась, его она будила по ночам своими писками и бормотаньем, он вскакивал и баюкал ее в темноте. Менял ей запачканные пеленки. Он ее купал. Не отцово это было дело — он мужчина, а к тому же и все время слишком уставал от работы. А Парвана, уже беременная Омаром, не торопилась утолять нужды Пари. На это у нее не хватало ни терпения, ни сил. Так все заботы упали на Абдуллу, но он совсем не роптал. Он все делал с радостью. Был счастлив, что никто другой — он помогал сестре сделать первый шаг, он затаил дыханье, когда она выговорила свое первое слово. Ему думалось, что в этом состояла его цель, за этим Бог его создал — чтоб было кому приглядеть за Пари, когда Он забрал у них маму.

— Баба, — сказала Пари. — Расскажи сказку.

— Уже поздно, — сказал отец.

— Пожалуйста.

Отец по природе своей был человеком закрытым. Редко произносил больше двух фраз подряд. Но иногда по неведомым для Абдуллы причинам что-то отмыкалось в отце и из него изливались сказки. Иногда он усаживал перед собой восторженных Абдуллу и Пари, покуда Парвана гремела котлами на кухне, и рассказывал им истории, какие его бабушка передала ему, когда он еще был мальчишкой, — отправлял их в края, населенные султанами и *джиннами*, злыми *дэвами* и мудрыми дервишами. А иногда сочинял истории сам. Он придумывал их на ходу, в них открывалась его способность фантазировать и мечтать, и это всегда удивляло Абдуллу. Ни в чем больше отец не присутствовал так полно, так живо, так открыто, так правдиво, как в рассказах, будто были они лазейками в его смутный, непостижимый мир.

Но Абдулла мог сказать по отцовскому лицу, что сегодня сказки не будет.

— Поздно уже, — повторил отец. Взялся за чайник, обернув ручку углом покрывала, которое набросил на плечи, и налил себе чай. Сдул пар и отхлебнул; лицо его светилось в пламени костра оранжевым. — Спать пора. Завтра идти долго.

Абдулла натянул им на головы одеяло. Под ним он запел песенку — в шею Пари:

Нашел я грустную феечку,
Под шелковицей нашел.

Сонная Пари подтянула себе под нос свою часть:

Я знаю грустную феечку,
Ее ветром ночь унесла, —

и почти сразу же засопела.

А потом Абдулла проснулся — отца не было. Он испуганно сел. Огонь почти умер, от него ничего не осталось, лишь немного малиновых пятнышек средь углей. Абдулла глянул влево, глянул вправо, но взгляд не пробивал тьму — и просторную, и удушающую одновременно. Он почувствовал, как бледнеет. Сердце заскакало, он напряг слух, задержал дыхание.

— Отец? — прошептал он.

Тишина.

Паника проросла грибом у него в груди. Он сидел совершенно неподвижно, прямой и напряженный, слушал, долго. Ничего не слышно. Они с Пари одни, и тьма смыкается вокруг. Их бросили. Отец бросил их. Абдулла впервые почуял истинную ширь пустыни — и мира. Как легко человеку здесь потеряться. Некому помочь, некому указать дорогу. Но тут и худшая мысль заползла ему в голову. Отец мертв. Кто-то перерезал ему горло. Бандиты. Они его убили, а теперь подкрадываются к нему и Пари, тянут время, упиваются, потешаются.

— Отец? — позвал он опять, на этот раз — крикнул во весь голос.

Нет ответа.

— Отец?

Он звал и звал отца, и когти смыкались у него на горле. Он уж забыл, сколько раз кричал отцу и как долго не слышал ответа из темноты. Он представлял себе лица, скрытые горами, что бугрились из-под земли, как они глядят и злобно ухмыляются ему и Пари. Его накрыло страхом, все нутро съежилось. Он начал дрожать и еле слышно хныкать. Он чувствовал, что еще немного — и заорет.

И вдруг — шаги. Из тьмы проступила фигура.

— Я думал, ты ушел, — еле выговорил Абдулла.

Отец присел у остатков костра.

— Где ты был?

— Спи, малец.

— Ты бы нас не оставил. Ты бы так не сделал, отец.

Отец глянул на него, но тьма растворила выражение его лица, и Абдулла его не понял.

— Сестру разбудишь.

— Не бросай нас.

— Ну хватит уже.

Абдулла прилег, сжал сестру в объятьях, сердце колотилось в самом горле.

Абдулла никогда раньше не бывал в Кабуле. О городе он знал лишь то, что рассказывал дядя Наби. Кое-какие города поменьше он навещал по отцовой работе, но не настоящий, и, конечно, никакие байки дяди Наби не могли подготовить его к сутолоке и гомону самого большого и кипучего из всех городов. Всюду здесь были светофоры, чайные, рестораны, магазины со стеклянными витринами и яркими разноцветными вывесками. Машины грохотали по людным улицам, гудели и виляли мимо автобусов, пешеходов и велосипедов. Конные повозки — *гари* — сновали взад-вперед по бульварам, железные обода скакали по мостовым. На тротуарах, по которым они шагали с Пари и отцом, толпились торговцы сигаретами и жвачкой, высились магазинные прилавки, кузнецы приколачивали лошадям подковы. На перекрестках постовые в плохо сидящих форменных мундирах дули в свистки и властно помавали руками, хотя никто, похоже, не обращал на них внимания.

Абдулла устроился на скамейке рядом с мясницкой лавкой, Пари усадил к себе на колени — поесть тушеной фасоли и чатни с кинзой, что отец купил им на уличном лотке.

— Смотри, Аболла, — сказала Пари, показав на магазин через дорогу.

В витрине стояла молодая женщина в красивом вышитом зеленом платье, и все оно — в зеркальцах и бусинах. А еще на ней был подходящий по цвету

44

платок, серебряные украшения и темно-красные штаны. Она стояла неподвижно и, не моргая вовсе, безразлично взирала на прохожих. Покуда Абдулла и Пари доедали фасоль, она и пальцем не шевельнула, да и потом осталась недвижима. Через квартал Абдулла увидел здоровенный плакат, висевший на фасаде высокого здания. На нем изобразили молодую хорошенькую индианку на тюльпановом поле — она игриво спряталась за какой-то хижиной, и на все это лился проливной дождь. Она застенчиво улыбалась, мокрое сари обнимало изгибы ее тела. Абдулла подумал, что, может, это и есть то самое кино, о котором говорил дядя Наби, куда люди ходят смотреть фильмы, и понадеялся, что в этом месяце дядя Наби сводит их с Пари посмотреть фильм. Абдулла от этой мысли разулыбался.

Дядя Наби подъехал к ним после того, как с синей мечети провыли клич на молитву. Все в том же оливковом костюме он выбрался с водительского сиденья, чуть не сбив дверью юного велосипедиста в *чапане*, но тот успел вовремя проскочить.

Дядя Наби торопливо обошел машину, обнял отца. Увидев Абдуллу и Пари, расплылся в широченной улыбке. Склонился к ним:

— И как вам Кабул, дети?

— Очень громко, — сказала Пари, и дядя Наби рассмеялся.

— Это точно. Ну, полезайте в машину. Из нее увидите гораздо больше. Ноги только вытрите сначала. Сабур, садись вперед.

Заднее сиденье оказалось прохладным и жестким, светло-голубым, под цвет самого автомобиля. Абдулла придвинулся к окну за водительским креслом, усадил Пари к себе на колени. Заметил, с какой завистью зеваки смотрят на машину. Пари повернулась к нему, они ухмыльнулись друг другу.

Машина катилась, город тек мимо. Дядя Наби сказал, что поедет длинным путем, чтобы они повидали побольше Кабула. Указал им на возвышение под названием Тапа-Маранджан, а на вершине его — купол мавзолея, над всем городом. Сказал, что там похоронен Надир-шах, отец короля Захир-шаха. Показал им форт Бала-Хиссар на горе Шер-Дарваза — его, по словам дяди Наби, британцы использовали во второй войне с Афганистаном.

— А это что, дядя Наби? — Абдулла постучал в окно — показалось большое желтое прямоугольное здание.

— Это «Элеватор». Новый хлебозавод. — Держа руль одной рукой, дядя Наби вывернулся назад и подмигнул Абдулле. — Спасибо нашим русским друзьям.

Абдулла вообразил, как это — целый завод, который делает хлеб, — и вспомнил Парвану: вот она лепит шматы теста на стенки их глиняного *тандыра*.

Наконец дядя Наби свернул на чистую широкую улицу, аккуратно обсаженную кипарисами. Дома здесь были красивые и больше тех, что Абдулла видал в своей жизни. Белые, желтые, светло-голубые. По большей части двухэтажные, за высокими стенами и двустворчатыми металлическими воротами. Абдулла приметил вдоль улицы несколько машин, похожих на дядину.

Дядя Наби вкатился на подъездную аллею, по обеим сторонам ее росли заботливо подстриженные кусты. В конце дорожки виднелся белостенный двухэтажный дом — неимоверно громадный.

— У тебя такой большой дом, — прошептала Пари, вытаращив глаза от изумления.

46

Дядя Наби запрокинул голову от смеха.

— Ну ты даешь. Нет, это моего хозяина дом. Вы его увидите. Держите себя как следует.

Когда дядя Наби ввел Абдуллу, Пари и отца внутрь, дом впечатлил их еще сильнее. По прикидкам Абдуллы, здесь поместилась бы половина шадбагских домов. Он будто пришел во дворец к *дэву*. Сад позади здания был прекрасно устроен: кругом цветы всех оттенков, все подстрижено, тут и там кустики по колено, а также фруктовые деревья — Абдулла узнал вишни, яблони, абрикосы и гранаты. Крыльцо с навесом смотрело в сад прямо из дома — дядя Наби сказал, что это называется «веранда», — его обрамляла балюстрада, увитая паутиной зеленых лоз. Пока они шли в залу, где их дожидались господин и госпожа Вахдати, Абдулла углядел ванную с фарфоровым унитазом, о котором рассказывал дядя Наби, а еще — сверкающую раковину с бронзовыми вентилями. Абдулла, тративший по многу часов в неделю, чтоб натаскать воды ведрами из общего шадбагского колодца, поразился жизни, в которой вода — вот она, лишь поверни кран.

Их усадили на пухлый диван с золотыми кистями — Абдуллу, Пари и отца. Мягкие подушки у них под спинами украшали крапины махоньких восьмиугольных зеркалец. Напротив дивана висела одна картина, но занимала она почти всю стену. На ней был изображен пожилой резчик, согбенный над верстаком, — он стучал молотком по камню. Окно прикрывали плиссированные бордовые портьеры, а за ним был балкон с железным парапетом в пояс высотой. Все вокруг — полированное, никакой пыли.

Никогда прежде Абдулла не понимал так ясно, до чего он грязен.

Начальник дяди Наби, господин Вахдати, сидел в кожаном кресле, скрестив руки на груди. На гостей он смотрел не то чтобы недружелюбно, однако все же отстраненно, непроницаемо. Он оказался выше отца — Абдулла заметил это, когда хозяин встал их поприветствовать. Узкие плечи, тонкие губы и высокий блестящий лоб. Одет в белый приталенный костюм и зеленую рубашку с расстегнутым воротом; манжеты скреплялись овальными лазуритами. За все время он не произнес и десятка слов.

Пари глядела на тарелку с печеньем, стоявшую на стеклянном столике перед ними. Абдулла и не подозревал, что их бывает столько разных. Шоколадные пальчики в завихреньях крема, маленькие кругленькие с апельсиновой начинкой, зеленые в форме листьев и всякие другие.

— Хочешь такое? — спросила госпожа Вахдати. В основном говорила она. — Не стесняйтесь, оба. Я их для вас выложила.

Абдулла повернулся к отцу за разрешением, а следом за ним — и Пари. Кажется, это очаровало госпожу Вахдати: она вскинула брови, склонила голову и улыбнулась.

Отец чуть кивнул.

— По одному, — сказал он вполголоса.

— Ну нет, так не пойдет, — сказала госпожа Вахдати. — Я за ними посылала Наби в кондитерскую через полгорода.

Отец вспыхнул, отвел взгляд. Он сидел на краешке дивана, сжав в руках потрепанную тюбетейку. Колени он развернул прочь от госпожи Вахдати и вперил глаза в ее мужа.

Абдулла цапнул два печенья, одно отдал Пари.

— Ой, берите еще. Жалко, если хлопоты Наби пропадут впустую, — сказала госпожа Вахдати с игривым упреком. Она улыбнулась дяде Наби.

— Никаких хлопот, — ответил дядя Наби и зарделся.

Дядя Наби стоял у дверей, подле деревянного буфета с толстыми стеклянными дверцами. Внутри на полках Абдулла увидел фотографии четы Вахдати в серебряных рамках. На одной они вместе с какой-то еще парой стояли у пенной реки, одетые в толстые пальто и шарфы. На другой госпожа Вахдати держала в руке бокал, смеялась и обнимала голой рукой за талию какого-то мужчину, который не был господином Вахдати, — немыслимо для Абдуллы. А еще был свадебный снимок: он — высокий, подтянутый, в черном костюме, она — в струящемся белом платье, и оба улыбаются, не открывая ртов.

Абдулла исподтишка глянул на нее — на хрупкую талию, маленький красивый рот и идеальные дуги бровей, розовые ноготки и помаду в тон. Теперь он вспомнил, что видел ее пару лет назад, когда Пари почти исполнилось два. Дядя Наби привез ее в Шадбаг — она сказала, что хочет познакомиться с его семьей. На ней было персиковое платье без рукавов — он помнил, как оторопел отец, — и темные очки в толстой белой оправе. Она все время улыбалась и задавала вопросы о деревне, об их жизни, как зовут детей и сколько им лет. Вела себя так, будто она — такой же, как они, обитатель глинобитной хижины с низким потолком; она опиралась о стену, черную от копоти, напротив засиженного мухами окна и мутной целлофановой занавески, что отгораживала жилую комнату от кухни, где спали Абдулла и Пари. Она устроила целое представление: подчеркнуто сняла туфли на каблуках при входе и села на пол, хотя отец разумно предложил ей стул. Можно подумать, она тут своя. Ему тогда было восемь, но он видел ее насквозь.

Но ярче всего из той встречи Абдулла запомнил Парвану, тогда беременную Икбалом, — вся закутанная, она просидела всю встречу в углу в напряженном молчании, свернувшись клубком. Ссутулила плечи, ноги упрятала под раздутый живот, будто пыталась слиться со стеной. Лицо ее скрывала грязная накидка — ее комок она придерживала подбородком. Абдулла почти видел, как над ней, словно пар, клубится стыд от того, какой ничтожной она себя чувствует, и внезапно его накрыло состраданием к мачехе.

Госпожа Вахдати потянулась к пачке сигарет, что лежала рядом с тарелкой, прикурила.

— Мы сегодня сделали большой крюк, я им немного показал город, — сказал дядя Наби.

— Отлично! Отлично, — сказала госпожа Вахдати. — Вы бывали в Кабуле, Сабур?

Отец ответил:

— Раз или два, биби-сахиб.

— Можно ли поинтересоваться, как вам?

Отец пожал плечами:

— Очень людно.

— Верно.

Господин Вахдати снял пушинку с рукава пиджака и уставил взгляд в ковер.

— Людно, да, и временами утомительно, — сказала его жена.

Отец кивнул, будто понял.

— Кабул — это остров, ей-ей. Некоторые говорят, передовой, и так оно, может, и есть. Пожалуй, да, но он совсем оторвался от остальной страны.

Отец глянул на свою тюбетейку и сморгнул.

— Поймите меня правильно, — продолжила она. — Я бы от всей души поддерживала любую прогрессивную инициативу, исходящую от города. Бог свидетель, этой стране она бы пригодилась. Но все-таки город иногда чуточку слишком самодоволен. Клянусь, помпезность этого места, — тут она вздохнула, — иногда попросту утомляет. Мне самой всегда нравилась провинция. Я к ней отношусь с большой любовью. Дальние уголки, *карии*, маленькие деревни. *Настоящий* Афганистан, так сказать.

Отец неуверенно кивнул.

— Я, может, и не согласна со всеми или с большинством племенных традиций, но, как мне кажется, люди там живут более подлинной жизнью. В них есть стойкость. Живительное смирение. Гостеприимство. И выносливость. Гордость. Правильное слово, да, Сулейман? *Гордость?*

— Нила, прекрати, — тихо проговорил ее муж.

Повисла плотная тишина. Абдулла смотрел, как господин Вахдати барабанит пальцами по ручке кресла, его жена сдержанно улыбается, фильтр ее сигареты измазан розовым, ноги скрещены в лодыжках, локти покоятся на подлокотниках.

— Наверное, не совсем то слово, — произнесла, нарушив молчание, она. — *Достоинство*, вот что. — Она улыбнулась, показав ровные белые зубы. Абдулла таких отродясь не видывал. — Именно. Гораздо лучше. Люди в провинции имеют чувство собственного достоинства. Несут его на себе, да? Как орден. Я искренне говорю. Я вижу это в вас, Сабур.

— Спасибо, биби-сахиб, — пробормотал отец, ерзая на диване, по-прежнему не сводя глаз с тюбетейки.

Госпожа Вахдати кивнула. Обратила взор на Пари:

— А ты такая красотка, скажу я тебе.

Пари придвинулась поближе к Абдулле. Госпожа Вахдати не спеша продекламировала:

— Ныне узрел я прелесть, красу, непостижимую благость лица, что искал я. — Она улыбнулась. — Руми. Слыхали о таком? Прямо как про тебя писал, моя хорошая.

— Госпожа Вахдати — признанный поэт, — сказал дядя Наби.

На другом конце комнаты господин Вахдати потянулся за печеньем, разломил его пополам и откусил — совсем немножко.

— Наби такой милый, — сказала госпожа Вахдати и взглянула на него с теплом. Абдулла заметил, как по щекам дяди Наби пополз румянец.

Госпожа Вахдати затушила сигарету, несколько раз жестко ткнув окурком в пепельницу.

— Может, мне отвести куда-нибудь детей? — спросила она.

Господин Вахдати раздраженно выдохнул, хлопнул обеими руками по подлокотникам и сделал вид, что собирается встать, хотя остался сидеть.

— Свожу их на базар, — сказала госпожа Вахдати отцу. — Если вы не возражаете, Сабур. Наби нас отвезет. А Сулейман покажет вам рабочую площадку за домом. Сами все посмотрите.

Отец кивнул.

Глаза господина Вахдати медленно закрылись.

Все встали и собрались расходиться.

И вдруг Абдулле захотелось, чтобы отец поблагодарил этих людей за чай и печенье, взял их с Пари за руки и они бы ушли из этого дома, от этих картин, портьер, пухлой роскоши и удобств. Они бы налили воды в бурдюк, купили хлеба и вареных яиц и пошли бы обратно той же дорогой. По пустыне, по валунам, по холмам, а отец рассказывал бы им истории. Они по очереди тащили бы тачку с Пари. И через два или, может, три дня, с пропыленными легкими, усталые, но вернулись бы в Шадбаг. Шуджа увидел бы, что они идут, заскакал бы вокруг Пари. Они были бы дома.

Отец сказал:

— Идите, дети.

Абдулла шагнул к нему, собрался что-то сказать, но тут здоровенная рука дяди Наби легла ему на плечо, развернула, и дядя повел их по коридору, приговаривая:

— Вот сейчас как покажем вам местные базары. Вы такого еще не видывали, оба-два.

Госпожа Вахдати устроилась с ними на заднем сиденье, и воздух тяжко набряк от ее духов и еще от чего-то, что Абдулла не опознал, — чего-то сладкого и немного терпкого. Покуда дядя Наби вел машину, она осыпала их вопросами. С кем они дружат? Ходят ли в школу? Чем занимаются? Кто их соседи? Во что играют? Солнце освещало правую часть ее лица. Абдулла видел пушок у нее на щеке и размытую линию там, где заканчивался макияж.

— У меня есть собака, — сказала Пари.

— Правда?

— Довольно примечательный экземпляр, — вставил дядя Наби с водительского места.

— Его зовут Шуджа. Он знает, когда мне грустно.

— Собаки — они такие, — сказала госпожа Вахдати. — Они в этом смыслят лучше некоторых людей из тех, что я встречала.

Они проехали мимо трех школьниц, прыгавших на тротуаре. На них была черная форма и белые платки, завязанные под подбородками.

— Я помню, что сегодня говорила, но все-таки Кабул не так уж плох. — Госпожа Вахдати рассеянно потеребила ожерелье на шее. Она смотрела в окно, все черты ее набрякли. — Мне больше всего здесь нравится в конце весны, после дождей. Воздух такой чистый. Первый налет лета. Как солнце жжет горы. — Она слабо улыбнулась. — Хорошо, что в доме побудут дети. Хоть немного шума — для разнообразия. Немного жизни.

Абдулла посмотрел на нее и учуял нечто тревожное в этой женщине — там, под макияжем, под духами и потугами на сочувствие, что-то глубоко расколотое. Он вдруг понял, что думает о дымной готовке Парваны, о кухонной полке, заваленной ее банками, разномастными тарелками и перепачканными котелками. Он заскучал по матрасу, который они делили с Пари, хоть и был он грязный, а хаос пружин вечно грозился прорваться наружу. Он скучал по всему этому. Никогда ему так не хотелось домой.

Госпожа Вахдати со вздохом откинулась на спинку, прижав к себе сумочку, как беременная женщина держится за свой набухший живот.

Дядя Наби вырулил к людному тротуару. Через дорогу, рядом с мечетью и взмывающими ввысь минаретами, размещался базар — тугие лабиринты крытых и уличных галерей. Они пошли по коридорам среди лотков, где продавали кожаные пальто, кольца с разноцветными камнями, специи всех мастей: дядя Наби шагал замыкающим, а госпожа Вахдати и они с Пари — впереди. На людях госпожа Вахдати нацепила темные очки, и лицо ее стало до странного кошачьим.

Отовсюду неслись голоса торгашей. Музыка орала у каждого прилавка. Они прошли мимо лавок без внешних стенок — там продавались книги, радиоприемники, лампы и серебристые кастрюли. Абдулла приметил пару солдат в пыльных сапогах и темно-коричневых шинелях: солдаты курили одну сигарету на двоих и разглядывали всех со скучающим безразличием.

Остановились у обувной лавки. Госпожа Вахдати перебрала ряды выставленных в коробках ботинок. Дядя Наби убрел к соседнему лотку, сцепив руки за спиной, и снисходительно разглядывал какие-то старые монеты.

— Как тебе такие? — спросила госпожа Вахдати у Пари. В руках она держала новенькие желтые ботинки.

— Какие красивые, — ответила Пари, глядя на них и не веря глазам своим.

— Давай померяем.

Госпожа Вахдати помогла Пари снять старые туфли — вытянула язычок из пряжки. Глянула на Абдуллу поверх очков:

— Тебе тоже надо бы, по-моему. В голове не помещается, как ты прошел всю дорогу из деревни в этих шлепанцах.

Абдулла помотал головой и отвернулся. В галерее побирался какой-то старик в драной бороде и с культями вместо ног.

— Смотри, Аболла! — Пари задрала одну ногу, потом вторую. Потопала, попрыгала.

Госпожа Вахдати позвала дядю Наби и велела ему пройтись с Пари по галерее, посмотреть, не жмут ли туфли. Дядя Наби взял Пари за руку и повел между лотками.

Госпожа Вахдати глянула на Абдуллу сверху вниз.

— Ты думаешь, я нехороший человек, — сказала она. — По тому, что я сегодня наговорила.

Абдулла смотрел, как Пари и дядя Наби проходят мимо нищего с культями. Старик сказал что-то Пари, она повернулась к дяде Наби и что-то спросила, и дядя Наби бросил старику монетку.

Абдулла неслышно заплакал.

— Ох, милый ребенок, — сказала ошеломленная госпожа Вахдати. — Бедное солнышко.

Она достала из сумочки носовой платок и протянула ему.

Абдулла отмахнулся.

— Пожалуйста, не надо, — сказал он хрипло.

Она присела рядом с ним на корточки, подняла очки на макушку. В глазах у нее тоже стояла влага, она промокнула их платком, и на нем остались черные кляксы.

— Ты меня терпеть не можешь, но я тебя за это не виню. Имеешь право. Но — хоть я и не жду от тебя понимания прямо сейчас — все к лучшему. Правда, Абдулла. К лучшему. Однажды поймешь.

Абдулла вскинул лицо к небу и заревел, но тут прискакала Пари — глаза истекали благодарностью, а лицо сияло счастьем.

Однажды утром в ту зиму отец взял топор и срубил большой дуб. Байтулла, сын муллы Шекиба, и еще несколько мужчин пришли помогать. Никто не пытался вмешиваться. Абдулла и другие мальчишки стояли и смотрели. Отец первым делом снял качели. Залез на дерево и перерезал веревки ножом. А потом он и остальные до самого вечера кромсали ствол, и здоровенное дерево с тяжким стоном наконец рухнуло. Отец сказал Абдулле, что им нужны дрова на зиму. Но на старое дерево он замахивался с ожесточением, сцепив зубы, а лицо его накрыло тучей, будто не мог он больше смотреть на этот дуб.

И вот уж под каменноцветным небом мужчины рубили поваленный ствол, носы и щеки раскраснелись от мороза, стук топоров по дереву отдавался гулким эхом. Абдулла отламывал мелкие ветки от тех, что побольше. Первый снег выпал два дня назад. Немного — пока что, но в обещание грядущего. Вскоре зима опустится на Шадбаг, — зима с ее сосульками и недельными снежными наметами, ветрами, от которых кожа на руках трескалась в одну минуту. А пока лишь слегка забелило, и отсюда до крутых горных отрогов виднелись бледно-бурые прогалины земли.

Абдулла сгреб охапку тонких веток и отнес их к растущей общей куче. На нем были новые зимние ботинки, перчатки и зимнее пальто. С чужого плеча, но — кроме сломанной молнии, которую отец починил, — почти как новенькое, утепленное, темно-синее, с оторочкой из рыжего меха внутри. На пальто — четыре глубоких кармана, которые закрывались и открывались, и тканевый капюшон, который можно стянуть вокруг лица, если дернуть за шнурки. Абдулла сбил капюшон назад и длинно, мглисто выдохнул.

Солнце падало к горизонту. Абдулла все еще мог разглядеть старую серую мельницу, окоченело нависавшую над глинобитными стенами деревни. Мельницу обжили голубые цапли, но это летом, а сейчас, зимой, цапли улетели и вселились вороны. Каждое утро Абдулла просыпался под их вяканье и хриплый грай.

Что-то зацепило его взгляд, справа, на земле. Он подошел и опустился на колени.

Перо. Маленькое. Желтое.

Он снял перчатку и поднял его.

Вечером они идут на праздник — он, его отец и его сводный брат Икбал. У Байтуллы родился сын. *Мотреб* будет петь собравшимся мужчинам, кто-нибудь — стучать в бубен. Будет чай, теплый свежий хлеб и шорва с картошкой. А потом мулла Шекиб макнет палец в чашку с подслащенной водой и даст ребенку его пососать. Достанет блестящий черный камень и бритву, подымет тряпицу с торса мальчика. Обычный ритуал. Жизнь в Шадбаге продолжается.

Абдулла покрутил перо в руке.

Никаких слез не потерплю, сказал тогда отец. *Не реветь. Не потерплю.*

Их и не было. Никто в деревне не спрашивал о Пари. Никто не произносил ее имени. Абдуллу поразило, насколько вчистую она исчезла из их жизни.

И лишь в Шудже находил Абдулла отраженье своих горестей. Каждый день пес приходил к ним под дверь. Парвана швыряла в него камнями. Отец бросался с палкой. Но собака все равно возвращалась. Каждую ночь Абдулла слышал, как пес тоскливо скулит, а каждое утро находил его под дверью: морда на лапах, моргает своим обидчикам печально, прощающе. Прошли недели, и как-то утром углядел Абдулла, что пес трусит к горам, повесив голову. Больше его в Шадбаге не видели.

Абдулла сунул желтое перышко в карман и зашагал к мельнице.

По временам он заставал отца врасплох, когда лицо его заволакивало тучами — путаными тенями чувств. Отец будто уменьшился, будто растерял что-то главное. Вяло вышагивал он по дому или сидел с малышом Икбалом на коленях, в тепле их новенькой чугунной печки, и незряче глядел в огонь. Голос его теперь влекся тяжко, будто на каждом слове висел груз, — не помнил такого раньше Абдулла. Отец умолкал надолго, лицо захлопывалось. Он больше не рассказывал историй — ни одной с тех пор, как они с Абдуллой вернулись из Кабула. Может, думал Абдулла, отец продал чете Вахдати и свою музу тоже.

Нет ее.

Исчезла.

Ничего не осталось.

Ничего не сказано.

Если не считать слов Парваны: *Пришлось ее. Прости, Абдулла. Пришлось именно ее.*

Отсечь палец, чтобы спасти руку.

Он встал на колени за мельницей, у основания каменной башни-развалюхи. Снял перчатки и принялся копать землю. Он думал о ее густых бровях, о широком круглом лбе, о щербатой улыбке. Он слышал, как тренькает у него в голове ее смех — как звенел он когда-то у них дома. Думал о потасовке, что завязалась, когда они вернулись с базара. Пари испугалась. Кричала. Дядя Наби быстро утащил ее куда-то. Абдулла рыл, пока пальцы не уперлись в металл. Он повозился еще и вынул из ямки жестяную коробку. Смахнул с крышки холодную землю.

Потом уж он много думал над той историей, что отец рассказал им ночью перед поездкой в Кабул, — про старого крестьянина Бабу Аюба и *дэва*. Абдуллу не раз приносило в места, где, бывало, стояла Пари, где ее отсутствие, словно запах, сочилось из земли у него под ногами, и ноги его подкашивались, а сердце схлопывалось внутри, и тогда он мечтал глотнуть волшебного зелья, какое *дэв* дал Бабе Аюбу, чтобы и он, Абдулла, мог все забыть.

Но нет ему никакого забвенья. Пари витала над ним невозбранно — на краю зрения Абдуллы, куда бы он ни шел. Она была как пыль, что цеплялась к его рубашке. Она была в тишине, что постоянно возникала у них дома, тишине, что подымалась меж их слов, иногда холодная, пустая, а иногда набрякшая от всего несказанного, словно туча, полная дождя, что никак не прольется. Бывало, ночами ему снилось, что он опять в пустыне, один, вокруг горы, а вдали мигает крошечный всплеск света — то есть, то нет, то есть, то нет, будто шлет ему весточку.

Он открыл жестяную коробку. Все на месте — перья Пари, сброшены петухами, утками, голубями; павлинье тоже тут. Опустил желтое перо в коробку. Придет день, подумал он.

Понадеялся.

Дни его в Шадбаге сочтены, как и у Шуджи. Он уже это понял. Ничего ему тут не осталось. Он подождет, пока минет зима, придет весенняя оттепель, и тогда он встанет однажды утром до рассвета и шагнет за порог. Выберет направление — и ходу. Отправится от Шадбага прочь, куда понесут его ноги. И если наступит день, когда будет он шагать по широкому полю, накатит на него отчаянье, он замрет на месте, закроет глаза и вспомнит о соколином пере, что Пари нашла в пустыне. Представит, как это перо отрывается от птицы, там, высоко в облаках, в полумиле над миром, как оно крутится и вертится в яростных потоках, как носят его порывы неистового ветра — мили и мили над пустынями и горами — и как оно опускается наконец не где-нибудь, а по чудесному случаю к подножью того валуна, где нашла его сестра. И так его это поразит, что воскреснет надежда: бывает и такое. И хоть он все понимает, он скрепит сердце, откроет глаза и пойдет дальше.

Глава третья

Весна 1949-го

Парвана чует запах еще до того, как отдергивает одеяло и видит причину. Все размазалось по ягодицам Масумы, по бедрам, по простыням и матрасу — и по одеялу. Масума взглядывает через плечо с робкой мольбой о прощенье, со стыдом — до сих пор со стыдом, после всех этих лет.

— Прости меня, — шепчет Масума.

Парване хочется взвыть, но она заставляет себя слабо улыбнуться. В такие минуты на это нужно усилие — не забывать, не терять из виду непоколебимую правду: все это безобразие — ее рук дело. Все, что ссудила ей судьба, — справедливо, не чрезмерно. Она заслужила. Вздыхает, осматривает перепачканные простыни, страшась предстоящих трудов.

— Сейчас я тебя обмою, — говорит.

Масума принимается беззвучно плакать, даже не меняясь в лице. Лишь слезы наливаются в глазах, текут по щекам.

Снаружи, на холодке раннего утра, Парвана разводит огонь в очаге. Когда занимается пламя, набирает в бадью воды из сельского колодца, ставит греть.

Держит руки над огнем. Ей видна мельница и сельская мечеть, где мулла Шекиб учил их с Масумой читать, когда они были маленькие, виден и дом муллы Шекиба у подножия покатого склона. Позже, когда выйдет солнце, крыша этого дома обратится идеальным ослепительно ярким красным квадратом среди пыли — то помидоры, что жена муллы выложила сушить. Парвана смотрит на утренние звезды, гаснущие, бледные, — они мигают ей безразлично. Собирает себя в кулак.

Вернувшись в дом, она переворачивает Масуму на живот. Макает в воду тряпку и отмывает Масуме ягодицы, вытирает испражнения с ее спины и увядших ног.

— Зачем теплой? — спрашивает Масума в подушку. — Зачем беспокоиться? Не надо. Я не почувствую разницы.

— Может, и так. Зато я почувствую, — говорит Парвана, морщась от вони. — Так, ну-ка хватит болтать, дай мне закончить.

А дальше день течет как всегда — с тех пор, как четыре года назад умерли их родители. Парвана кормит кур. Рубит дрова, таскает воду из колодца. Месит тесто, печет хлеб в *тандыре* во дворе перед глинобитным домом. Метет пол. Ближе к вечеру сидит на корточках у ручья вместе с другими деревенскими женщинами, стирает белье на камнях. А потом — пятница же — навещает могилы родителей на кладбище, кратко молится за каждого. И весь день, между другими заботами, ворочает Масуму с боку на бок, подтыкает подушку то под одну ягодицу, то под другую.

Дважды в тот день замечает она Сабура.

Видит, как сидит он у своего дома, раздувает огонь в очаге, щурится от дыма, рядом — Абдулла, его сын. Позже он говорит с другими мужчинами, у которых, как и у Сабура, свои семьи, но когда-то были они деревенскими ребятишками, с которыми Сабур враждовал, гонял воздушных змеев, дразнил собак, играл в прятки. Бремя лежит на Сабуре, пелена трагедии: мертвая жена и двое детей-сирот, один — младенец. Говорит он теперь устало, еле слышно. Ходит по деревне изношенной, иссушенной тенью себя.

Парвана смотрит на него издали — и с таким желанием, что оно почти увечит. Пытается отвести взгляд, когда он идет мимо. А если взгляды их случайно встречаются, он просто кивает, а у нее кровь приливает к лицу.

Той ночью Парвана ложится спать едва в силах руку поднять. Голова кружится от усталости. Устраивается на койке, ждет сна.

И тут, в темноте:

— Парвана?

— Да.

— Помнишь, как мы вместе на велосипеде катались?

— Угу.

— Так быстро ехали! Вниз с холма. А за нами собаки.

— Помню.

— И обе вопили. И налетели на камень... — Парвана почти слышит, как сестра улыбается во тьме. — Мама так рассердилась. И Наби. Разбили мы ему велосипед.

Парвана зажмуривается.

— Парвана?

— Да.

— Можешь со мной сегодня поспать?

Парвана откидывает одеяло, пробирается через всю комнату к Масуме, ныряет к ней. Масума укладывает щеку Парване на плечо, обхватывает сестру через грудь.

Шепчет Масума:

— Ты заслуживаешь больше, чем меня.

— Не начинай, — шепчет в ответ Парвана. Перебирает сестрины волосы долгими, терпеливыми движениями, как Масума любит.

Они болтают о том о сем, тихо, о всяких мелочах, дыханье одной — на лице у другой. И это довольно счастливые минуты — для Парваны. Они напоминают ей о тех временах, когда были они девчонками, сворачивались нос к носу под одеялом, нашептывали секреты и сплетни, беззвучно хихикали. Скоро Масума засыпает, язык ее шумно ворочается вокруг какого-то сна, а Парвана глядит в темноту за окном, в небо, выжженное дочерна. Сознание прыгает от одной случайной мысли к другой и в конце концов плывет к картинке, которую она видела в старом журнале: пара мрачных братьев из Сиама, а между торсами у них толстый шмат плоти. Два существа, связанные неразрывно, кровь, творимая костным мозгом одного, бежит в венах другого, и союз их вечен. Она чувствует, как теснит ее отчаяние, будто рука сдавила грудь. Парвана вздыхает. Пытается думать о Сабуре — и понимает, что на ум приходит сплетня: в деревне судачат, Сабур ищет новую жену. Парвана выталкивает его лицо из головы. Давит глупую эту мысль на корню.

Парвану совсем не ждали.

Масума уже родилась и извивалась тихонько на руках у повитухи, и тут ее мать закричала, и макуш-

64

ка другой головы раздвинула ее вторично. Рождение Масумы обошлось без происшествий. *Ангел, сама себя родила*, — скажет потом повитуха. Роды Парваны обернулись для матери долгой агонией, а для младенца — коварством. Повитухе пришлось высвобождать ее из пуповины, что намоталась вокруг Парваниной шеи, будто в убийственном припадке ужаса разлуки. В худшие времена, когда Парвану затапливает поток отвращения к себе, она думает, что, быть может, пуповина знала, что делала. Знала, какая половина — лучшая.

Масума кормилась по расписанию, спала вовремя. Плакала, лишь если просила покормить или помыть. Когда не спала, была игрива, добродушна, легко радовалась — словом, спеленутый кулек смешков и счастливого писка. Любила посасывать погремушку.

Какое разумное дитя, говорили вокруг.

Парвана же была тираном. На мать она обратила всю мощь своей деспотии. Отец же, ошарашенный истеричностью дитяти, забрал Наби, старшего брата младенцев, и сбежал ночевать к своему брату. Для матери девочек ночи превратились в мученье эпических масштабов, прерываемое краткими мгновеньями нервного сна. Она качала Парвану и ночи напролет расхаживала с нею на руках. Баюкала ее, пела ей. Морщилась, когда Парвана драла ей натертую, распухшую грудь и впивалась деснами в сосок так, будто желала добраться до молока в самых костях материных. Но корми не корми, все без толку: даже на полный желудок Парвана билась и орала, глухая к мольбам матери.

Масума наблюдала за всем этим из своего угла комнаты задумчиво, бессильно, будто с жалостью к матери и ее тяготам.

С Наби все было совсем иначе, — сказала как-то мать отцу.

Со всяким ребенком иначе.

Этот меня убивает.

Пройдет, — сказал отец. — *Как дурная погода.*

И прошло. То были, может, колики или еще какая безобидная хворь. Но поздно. Парвана уже заработала свою славу.

Как-то вечером в конце лета, когда близнецам было по десять месяцев, шадбагские селяне собрались вместе после чьей-то свадьбы. Женщины лихорадочно сооружали на тарелках горы воздушного белого риса, припудренного шафраном. Резали хлеб, соскребали рисовую корку со дна котлов, передавали блюда с жареными баклажанами, заправленными йогуртом и сушеной мятой. Наби играл на улице с мальчишками. Мать двойняшек восседала вместе с соседями на ковре, постеленном под великанским сельским дубом. Время от времени поглядывала на дочерей, как те спят рядышком в тени.

За чаем после трапезы младенцы пробудились от дневного сна, и почти тут же кто-то подхватил Масуму на руки. Весело передавали ее по кругу — от двоюродной сестры к тетке, а от той — к дяде. Качали на коленях, усаживали так и эдак. Множество рук щекотали ей мягкий животик. Множество носов терлось о ее носик. Все захохотали, когда она схватила игриво за бороду муллу Шекиба. Восхищались, какая она веселая да общительная. Поднимали ее кверху, радовались розовым щечкам, сапфировым голубым глазам, изящному разлету бровей — предвестникам ослепительной красоты, какой отмечена будет она, не пройдет и нескольких лет.

Парвана осталась лежать у матери на коленях. Масума блистала, а Парвана молча смотрела, словно бы изумленно, как зритель среди восхищенной толпы, не понимающий, с чего вдруг такая суматоха. Временами мать поглядывала на нее и нежно сжимала ее крошечную ножку, почти извиняясь. Когда кто-то заметил, что у Масумы режутся два зуба, мать Парваны робко вставила, что у Парваны уже три. Но никто не обратил внимания.

Когда девочкам было по девять, семья собралась в доме Сабура — на ранневечерний *ифтар*, разговляться после Рамадана. Взрослые уселись кру́гом на подушках и загалдели. Чай, добрые пожелания и сплетни передавали друг другу равной мерой. Старики перебирали четки. Парвана сидела тихонько, счастливая мыслью, что дышит одним с Сабуром воздухом, что на виду она у его темных совиных глаз. Не раз в тот вечер бросала она взгляды на него. Глядела на него, когда он грыз сахар, почесывал гладкий склон лба или оживленно смеялся над словами пожилого дядюшки. А если перехватывал ее взгляд — однова или дважды, — отводила она глаза и вся деревенела от смущения. Коленки у нее тряслись. Рот пересыхал так, что еле могла говорить.

Парвана думала о блокноте, что спрятала дома, под грудой своих вещей. Сабур вечно рассказывал истории — сказки, густо населенные *джиннами*, феями, демонами и *дэвами*; частенько сельские дети собирались вокруг и слушали в полной тишине, как он выдумывает им сказки. И вот, примерно полгода назад, Парвана подслушала, как Сабур сказал Наби, что надеется когда-нибудь записать свои истории. Сразу после этого Парвана оказалась с матерью на базаре в другом городе, и там, на лотке со старыми книгами, нашла красивый блокнот с хрустящими линованными страницами, в толстой темно-коричне-

67

вой коже с тисненой кромкой. Взяла его в руки, зная, что мать не сможет его купить. А потом улучила миг, когда торговец отвернулся, — и быстро засунула блокнот себе под свитер.

Но с тех пор прошло полгода, а Парвана все никак не отваживалась подарить блокнот Сабуру. Ее охватывал ужас при мысли, что он может обсмеять ее или углядеть в подарке его истинный смысл и вернуть подношение. Поэтому каждую ночь, лежа на койке, тайком сжимала она блокнот под одеялом, водила кончиками пальцев по тиснению на коже. И каждую ночь обещала себе: *Завтра, завтра подойду к нему.*

В тот вечер после *ифтара* дети выбежали на двор играть. Парвана, Масума и Сабур по очереди качались на качелях, которые отец Сабура подвесил к могучей ветви громадного дуба. Пришел Парванин черед, но Сабур все забывал ее раскачивать, потому что был занят — рассказывал очередную историю. На сей раз — о великанском дубе, который, по его словам, обладал волшебной силой. Если есть у тебя желание, надо встать перед дубом на колени и нашептать его. И если дерево согласится его выполнить, оно сбросит тебе на голову ровно десять листьев.

Когда качели почти остановились, Парвана повернулась к Сабуру и собралась попросить его качать еще, но слова умерли у нее в глотке. Сабур и Масума улыбались друг другу, а у Сабура в руках Парвана увидела блокнот. *Ее* блокнот.

Я его нашла у нас дома, — сказала потом Масума. — *Это твой? Я тебе отплачу как-нибудь, честное слово. Тебе же не жалко, правда? Я просто подумала, что он Сабуру отлично подойдет. Для его историй. Видела, какое у него лицо сделалось? Видела, Парвана?*

Парвана сказала, что нет, ей не жалко, но внутри у нее все рухнуло. Опять и опять представляла она, как Сабур и ее сестра улыбались друг другу, наши ми взглядами обменялись. Парвана могла раствориться в воздухе, как дух из Сабуровых сказок, настолько они оба не обращали на нее внимания. Это поразило ее до печенок. Той ночью рыдала она тайком, лежа на своей койке.

Когда им с сестрой исполнилось одиннадцать, до Парваны не по годам рано дошел смысл странного поведения мальчиков, когда те рядом с девочками, которые им втайне любы. Она замечала это особенно ясно, когда они с Масумой ходили из школы домой. Школа на самом деле была задней комнатой сельской мечети, и, кроме слов Корана, мулла Шекиб учил каждого ребенка в деревне читать и писать, а также наказывал зубрить стихи. Шадбагу повезло на *малика*, говорил девочкам отец. По дороге с уроков близнецы частенько нарывались на мальчишек, которые сидели на стене. Девочки проходили мимо, а мальчишки то выкрикивали гадости, то кидались камешками. Парвана обычно орала в ответ и отвечала на их камешки булыжниками, а Масума всегда тянула ее за локоть и говорила разумно, что лучше бы им поскорее пройти и не злиться. Однако Масума понимала неверно. Парвана сердилась не потому, что мальчишки швыряют камни, а потому, что швыряют их лишь в Масуму. Знала Парвана: все это показ-ное зубоскальство тем разнообразнее, чем глубже их страсть. Знала, что за грубыми шутками и похотли-выми ухмылками таится ужас перед Масумой.

И вот однажды кто-то метнул не камешек, а булыжник. Он подкатился к сестриным ногам. Масу-ма подняла его, и мальчишки заржали и принялись тыкать друг друга локтями. Каменюка была обернута бумажкой, а ее держала резинка. Отошли близнецы на безопасное расстояние, и Масума развернула бумажку. Обе прочли записку:

Клянусь, с тех пор, как увидал Твой лик,
весь мир — подделка, измышленье.
Сад растерялся — где бутон, где лист.
И смута среди птах — где семя, где силки.

Стих Руми, из тех, что преподал им мулла Шекиб.
Ты смотри, умнеют, — хихикнула Масума.

Ниже, под стихотворением, мальчишка написал: *«Хочу на тебе жениться»*. А еще ниже нацарапал постскриптум: *«У меня есть двоюродный братец, подойдет твоей сестре. Идеальная пара. Оба могут пастись на дядином поле»*.

Масума порвала записку надвое. *Не обращай внимания, Парвана*, — сказала она. — *Они придурки.*

Недоумки, — согласилась Парвана.

Каких же усилий потребовала ее приклеенная ухмылка. Сама по себе записка была мерзкой с избытком, но больно-то стало от Масуминого ответа. Мальчишка не указал, кому из них двоих это послание, однако Масума походя решила, что стихи — это ей, а двоюродный братец — Парване. Впервые увидела себя Парвана глазами сестры. Увидела, во что ставит ее сестра. И так же — все остальные. Опустошили ее слова Масумы. Размозжили.

Ну и вдобавок, — добавила Масума, пожав плечами и улыбнувшись, — *я уж отдана*.

Наби прибыл с ежемесячным визитом. Он выбился в люди — один из всей семьи, а может, и из всей деревни: работает в Кабуле, приезжает в Шадбаг на сверкающей голубой машине своего начальника, а на капоте блестит голова орла, все собираются поглядеть на его прибытие, и деревенские дети орут и бегут рядом с авто.

— Как дела? — спрашивает.

Сидят они втроем дома, пьют чай с миндалем. Наби такой красивый, думает Парвана, изящные скулы, светло-карие глаза, бакенбарды, а волосы — плотной черной стеной ото лба и назад. Облачен в свой привычный оливковый костюм, что смотрится на размер-другой больше нужного. Наби гордится этим костюмом, и Парвана об этом знает: то он рукава одернет, то лацканы пригладит, то стрелку на брюках поправит, хоть так и не смог он вытравить из костюма душок пригоревшего лука.

— Нас тут навещала королева Хумайра, — отвечает Масума. — Хвалила наш утонченный вкус к интерьерам.

Добродушно улыбается брату, показывает желтеющие зубы, и Наби смеется, глядя в чашку. До того как нашел работу в Кабуле, Наби помогал Парване ухаживать за сестрой. Ну или пытался, недолго. Но не смог. Чересчур для него оказалось обременительно. Наби сбежал в Кабул. Парвана завидует брату, но не слишком на него дуется за его бегство — знает, что не просто повинность эти его ежемесячные наличные, что привозит он ей.

Масума причесалась и обвела глаза *кайалом*, как она это всегда делает к приезду Наби. Парвана знает, что делает она это лишь отчасти для него: больше потому, что он — ее Кабул. В сознанье Масумы он — ее связь с роскошью и блеском, с городом автомобилей, огней, шикарных ресторанов и царских дворцов, и не важно, что связь эта призрачна. Парвана помнит,

71

как давным-давно Масума говаривала, что она — городская девушка, запертая в деревне.

— А ты? Нашел себе жену? — спрашивает Масума игриво.

Наби машет рукой и отшучивается, как в те времена, когда родители задавали ему тот же вопрос.

— Так когда ты меня снова повозишь по Кабулу, брат? — вопрошает Масума.

Наби однажды возил их в Кабул — год назад. Подобрал их в Шадбаге и привез в город, прокатил по улицам. Показал им мечети, торговые кварталы, кинотеатры, рестораны. Потыкал пальцем в купола дворца Баг-и-Балла, что стоял на вершине холма, над всем городом. В садах Бабура поднял Масуму с переднего сиденья машины и отнес на руках к гробнице императора Моголов. Они помолились втроем в мечети Шахджахани, а потом, сидя у бассейна, выложенного синей плиткой, закусили тем, что Наби им припас. Может, то был самый счастливый день в жизни Масумы после случившейся беды, и за него Парвана благодарна старшему брату.

— Скоро, *иншалла*, — говорит Наби, барабаня пальцем по чашке.

— Можешь поправить подушку у меня под коленями, Наби? Ах, так-то лучше. Спасибо. — Масума вздыхает. — Мне так полюбился Кабул. Если б могла, я бы прямо завтра туда пешком пошла.

— Может, как-нибудь, — говорит Наби.

— Что, я стану ходить?

— Н-нет, — запинаясь, отвечает он. — В смысле... — Тут он улыбается, а Масума хохочет.

На дворе Наби отдает Парване деньги. Опирается плечом о стенку, прикуривает сигарету. Масума внутри, дремлет после обеда.

— Я тут видал Сабура, — говорит он, пощипывая заусенец. — Кошмар какой. Сказал, как девочку назвали. Я забыл.

— *Пари*, — говорит Парвана.

Он кивает.

— Я не спрашивал, но он сказал, что собирается снова жениться.

Парвана отводит взгляд, старается сделать вид, что ей все равно, однако сердце колотится у нее в ушах. Она чует, как проступает на коже испарина.

— Я ж говорю — не спрашивал. Сабур сам завел этот разговор. Отвел в сторонку. Отвел и сказал.

Парвана подозревает: Наби знает о ее чувстве к Сабуру, которое она таскает в себе все эти годы. Масума — ее сестра-близнец, но понимал ее всегда Наби. И все равно невдомек Парване, почему брат сообщает ей эту новость. Что в ней проку? Сабуру нужна женщина непривязанная, женщина, которую ничто не держит, которая вольна посвятить себя ему, его сыну, его новорожденной дочери. А время Парваны уже отдано. Учтено. Как и вся ее жизнь.

— Наверняка найдет себе кого-нибудь, — говорит Парвана.

Наби кивает.

— Я приеду в слсдующсм месяце.

Давит окурок ботинком, уходит.

Вернувшись в дом, Парвана с удивлением видит, что Масума не спит.

— Думала, ты дремлешь.

Масума взглядом указывает ей на окно и смаргивает — медленно, устало.

Когда девочкам было тринадцать, они время от времени ходили на базары в соседние городки —

помогали матери. От немощеных улиц поднимался дух свежеразбрызганной воды. Вдвоем шли они по рыночным проходам, мимо лотков с кальянами, шелковыми шалями, медными котлами, старыми часами. Куриные тушки, подвешенные за ноги, описывали плавные круги над оковалками баранины и говядины.

В каждом проходе Парвана замечала, как глаза мужчин исполняются вниманием, когда Масума шагает мимо. Видела: они стараются вести себя как ни в чем не бывало, — но взгляды их цеплялись за сестру, никак глаз не отвести. Если смотрела Масума в их сторону, они, идиоты, считали, что их наградили. Воображали, будто она уделит им свой миг. На полуфразе прерывала она говорящих, курильщиков — на полузатяжке. От нее трепетали колени, расплескивались чайные чашки.

Бывало, Масуме всего этого становилось слишком много, словно ей было почти стыдно, и она тогда говорила Парване, что лучше останется на весь день дома, чтобы никто на нее не смотрел. В такие дни, думала Парвана, ее сестра где-то в глубине души смутно догадывалась, что ее красота — оружие. Заряженное ружье, а дуло упирается в голову ей самой. Но чаще внимание, казалось, ей нравится. Чаще она применяла свою власть, чтобы пускать под откос мысли мужчин одной мимолетной, но продуманной улыбкой, чтобы языки запинались на словах.

Она обжигала взоры — ее красота.

А рядом с ней плелась Парвана — с плоской грудью, бледная. С курчавыми волосами, с тяжелым, унылым лицом, с широкими запястьями и мужицкими плечами. Жалкая тень, раздираемая завистью и восторгом: ее видят рядом с Масумой; они делили внимание людское так же, как водоросли жадно глотают воду, предназначенную лилии выше по течению.

Всю свою жизнь Парвана старательно избегала вставать перед зеркалом вместе с сестрой. Свое лицо рядом с сестриным отбирало у нее всякую надежду — ей являлось впрямую, чем она обделена. Но на людях глаза всякого незнакомца — зеркало. Не сбежишь.

Она выносит Масуму наружу. Садятся вдвоем на раскладушку, что Парвана поставила. Она подтыкает под Масуму подушки, чтоб той удобно было опираться о стену. Ночь тиха, слышно лишь чириканье сверчков, и темна — озаряется немногими лампами, все еще мерцающими в окнах, да бумажно-белым светом трех четвертей ущербной луны.

Парвана заполняет колбу кальяна водой. Берет два катышка опия, каждый размером со спичечную головку, добавляет щепоть табака, кладет смесь в кальянную чашечку. Поджигает уголь на металлической сетке, вручает кальян сестре. Масума глубоко затягивается через чубук, откидывается на подушки и спрашивает, можно ли положить ноги на колени Парване. Парвана поднимает бессильные ноги, укладывает поперек своих.

Когда Масума курит, лицо ее обмякает. Веки тяжелеют. Голова клонится набок, а в голосе появляется вязкость, отстраненность. Уголки ее рта трогает шепот улыбки — скорее капризной, своенравной, самодовольной, нежели удовлетворенной. Когда Масума такая, они почти не разговаривают. Парвана слушает легкий ветер и воду, что булькает в кальяне. Парвана смотрит на звезды и на дым, который стелется над нею. Тишина приятна, и ни ей, ни Масуме не хочется без нужды заполнять ее словами.

Пока Масума не говорит:

— Можешь кое-что для меня сделать?

Парвана смотрит на нее.

— Отвези меня в Кабул.

Масума выдыхает медленно, дым крутится, кудрявится, обращается в фигуры, и они меняются, стоит сморгнуть.

— Ты серьезно?

— Хочу увидеть дворец Дар-уль-Аман. Мы в прошлый раз не успели. А может, навестить еще разок гробницу Бабура.

Парвана склоняется к Масуме — разобрать выражение ее лица. Ищет в нем следы игривости, но в лунном свете видит лишь спокойный, немигающий блеск сестриных глаз.

— Туда два дня пешего пути, не меньше. Может, все три.

— Представь, какое будет у Наби лицо, когда мы явимся к нему на порог.

— Мы даже не знаем, где он живет.

Масума вяло отмахивается:

— Он же нам сказал, в каком районе. Постучим там к кому-нибудь да спросим. Ничего особенного.

— Как же мы доберемся, Масума, — в твоем состоянии?

Масума вытаскивает чубук изо рта.

— Когда ты сегодня работала во дворе, заходил мулла Шекиб, и я с ним долго разговаривала. Сказала ему, что собираюсь на несколько дней в Кабул — с тобой вдвоем. Он дал мне благословение. И мула. Так что, видишь, я все устроила.

— Ты спятила, — говорит Парвана.

— Ну так вот я хочу. Такое мое желанье.

76

Парвана садится, опирается о стену, качает головой. Взгляд ее скользит вверх, во мглу, рябую от облаков.

— Мне скучно до смерти, Парвана.

Парвана опорожняет грудь одним выдохом и взглядывает на сестру.

Масума подносит чубук к губам.

— Пожалуйста. Не откажи.

Как-то ранним утром, когда сестрам было по семнадцать, сидели они высоко на дубовой ветке, болтали ногами. *Сабур собирается свататься ко мне!* — сказала Масума тонким шепотом.

Он — к тебе? — переспрашивает Парвана и не понимает — по крайней мере, пока.

Ну, не лично он, конечно. — Масума смеется в ладошку. — *Конечно, не он. Его отец будет свататься.*

И вот теперь Парвана поняла. Сердце ушло в пятки. *Откуда ты знаешь?* — спросила она онемевшими губами.

Масума заговорила, слова полились из ее рта лихорадочно, однако Парвана едва слышала их. Она представляла свадьбу сестры и Сабура. Детишки в новой одежде несут плетеные корзинки, переполненные цветами, а за ними — игрецы на *шахнаях* и *дохолах.* Сабур раскрывает ладонь Масумы, кладет ей в горсть хну, повязывает ей руку белой лентой. Читают молитвы, благословляют союз. Подносят дары. Двое смотрят друг на друга под вуалью, расшитой золотой нитью, кормят друг друга с ложки сладким шербетом и *малидой.*

А она, Парвана, будет среди гостей — смотреть, как все это происходит. Все будут ждать, что она улыбнется, захлопает, будет счастлива — даже если сердце ее расщепилось и растрескалось.

Ветер пробежал по ветвям, и закачались они, а листья зашелестели. Парване пришлось вцепиться покрепче.

Масума умолкла. Она улыбалась, кусала нижнюю губу. *Ты спрашивала, откуда я узнала, что он собирается свататься. Я тебе расскажу. Нет. Покажу.*

Она отвернулась от Парваны, полезла в карман.

А дальше произошло то, о чем Масума ничего не знала. Покуда сестра не смотрела на нее, рылась в кармане, Парвана уперлась ладонями в ветку, приподняла зад, а затем плюхнула его обратно. Ветка сотряслась. Масума охнула и потеряла равновесие. Неистово забилась. Завалилась вперед. Парвана смотрела на движенья своих рук. И не то чтобы они и впрямь *толкнули*, но коснулись спины Масумы — подушечками пальцев, и случился краткий миг незаметного толчка. Всего мгновение — и вот уж Масума звала ее по имени, а Парвана — ее. Парвана схватила сестру за сорочку, и на миг показалось, что это спасет Масуму. Но тут ткань порвалась и выскользнула из ее пальцев.

Масума упала с дерева. Казалось, падение длилось вечность. Ее тело билось о ветки, распугивая птиц, сбивая листья, крутилось, отскакивало, обламывало мелкие побеги, покуда нижняя толстая ветвь — та самая, на которой висели качели, — не врезалась ей в спину с отвратительным громким треском. Масума сложилась назад, почти пополам.

Через несколько минут вокруг нее собрался целый круг. Наби и отец девочек звали Масуму, пытались привести ее в чувство. Лица склонялись к ней.

Кто-то взял ее за руку. Масума по-прежнему сжимала кулак. Когда ей разжали пальцы, нашли в ее ладони в точности десять смятых древесных листочков.

Масума говорит, а голос у нее слегка вздрагивает:

— Давай сейчас. Если станешь ждать утра, тебе не сдюжить.

Окрест, за пределами тусклого света костра, что Парвана сложила из веток кустарников и ломкой травы, — унылая нескончаемая ширь песков и гор, заглоченных темнотой. Почти два дня шли они по неряшливой равнине к Кабулу — Парвана шагала рядом с мулом, Масума ехала верхом, привязанная к седлу, держала Парвану за руку. Брели крутыми тропами, те изгибались, ныряли и петляли по каменистым хребтам, земля под ногами заросла изжелтаржавыми травами, иссеченная трещинами, словно паучьими лапами, что разбегались во все стороны.

Парвана стояла у огня, смотрела на Масуму — плоский холм под одеялом по ту сторону от пламени.

— А как же Кабул? — спрашивает Парвана.

— Ой, ты же из нас двоих умная.

Парвана говорит:

— Ты не можешь меня просить о таком.

— Я устала, Парвана. Это не жизнь — как у меня. Мое существование — наказанье нам обеим.

— Давай вернемся, — говорит Парвана, и глотка у нее смыкается. — Я не могу так. Я не могу тебя отпустить.

— Да не ты меня отпускаешь! — выкрикивает Масума. — Это я *тебя* отпускаю. Я освобождаю тебя.

Парвана думает о том далеком вечере: Масума на качелях, она, Парвана, качает. Масума на пике взлета вперед выпрямляет ноги и откидывает голову, и длинные хвосты ее волос плещутся, как белье на веревках. Парвана вспоминает всех махоньких куколок, что выпростали они из кукурузных листьев, одели их в свадебные платья, сделанные из старой тряпицы.

— Скажи что-нибудь, сестра.

Парвана смаргивает слезы, что застят ей взор, вытирает нос тыльной стороной руки.

— Сынка его, Абдуллу. И малышку. Пари. Думаешь, смогла бы ты их любить, как своих?

— Масума.

— Смогла бы?

— Могла бы попробовать, — отвечает Парвана.

— Хорошо. Тогда выходи за Сабура. Ухаживай за его детьми. Заведи своих.

— Он любил тебя. А меня не любит.

— Полюбит, дай время.

— Это все я, — говорит Парвана. — Я виновата. Во всем.

— Я не знаю, о чем ты, и знать не желаю. Сейчас я хочу одного. Люди поймут, Парвана. Мулла Шекиб им скажет. Скажет, что дал на это свое благословение.

Парвана воздевает лицо к темному небу.

— Будь счастлива, Парвана, — пожалуйста, будь счастлива. За меня.

Парвана чувствует, что расскажет того и гляди сестре все, — расскажет Масуме, как та не права, как мало знает она сестру свою, с которой делила материнскую утробу, как все эти годы жизнь Парваны — одно сплошное долгое раскаяние. И тогда что? Ей станет легче — за Масумин счет? Она проглатывает слова. Она и так причинила сестре достаточно боли.

— Хочу курить, — говорит Масума.

Парвана начинает было противиться, но Масума обрывает ее.

— Время пришло, — говорит она жестче, категоричней.

Из мешка, притороченного к луке седла, Парвана извлекает кальян. Трясущимися руками начинает готовить обычную смесь для кальянной чашечки.

— Больше, — говорит Масума. — Клади гораздо больше.

Парвана шмыгает носом, щеки у нее мокры, добавляет еще щепотку, потом еще и еще. Поджигает уголек, ставит кальян рядом с сестрой.

— А теперь, — говорит Масума, а оранжевое сияние пламени пляшет у нее на щеках, в ее глазах. — Если ты когда-нибудь любила меня, Парвана, если была ты мне настоящей сестрой, — уходи. Никаких поцелуев. Никаких прощаний. Не заставляй меня умолять.

Парвана собирается что-то сказать, но у Масумы из горла вырывается болезненный удушенный вздох, и она отворачивает голову.

Парвана медленно подымается на ноги. Идет к мулу, затягивает седельные ремни. Берется за поводья. И вдруг понимает, что, может, и не знает, как ей жить без Масумы. Не знает, сможет ли. Как вынесет дни, когда отсутствие Масумы ляжет на нее бременем куда более тяжким, нежели ее присутствие когда бы то ни было? Как научится она ступать по краю громадной зияющей дыры на том месте, где когда-то была Масума?

Сдюжишь, почти слышит она голос Масумы.

Парвана тянет за поводья, поворачивает мула кругом и отправляется в путь.

Она идет, рассекая тьму, прохладный ночной ветер рвет ей лицо. Головы Парвана не поднимает. Лишь раз она оборачивается, нескоро. Сквозь влагу в глазах костер далек, блекл — крошечное желтоватое пятнышко. Она представляет, как сестра ее лежит у костра, одна, в темноте. Вскоре огонь догорит и Масума замерзнет. Инстинкт зовет Парвану вернуться, укрыть сестру одеялом, лечь рядом с ней.

Парвана заставляет себя развернуться и идти дальше.

И вот тогда-то она что-то слышит. Далекий, приглушенный звук, будто плач. Парвана замирает. Склоняет голову и слышит вновь. Сердце начинает долбить ей в грудь. Парвана гадает с ужасом, не зовет ли ее Масума, не передумала ли. А может, это просто лиса или шакал воет во тьме. Парвана ни в чем не уверена. Думает, не ветер ли это.

Не бросай меня, сестра. Вернись.

Но узнать наверняка можно, лишь вернувшись тем же путем, и Парвана так и собирается поступить: поворачивает и делает несколько шагов к Масуме. Останавливается. Масума права. Если она сейчас вернется, с восходом солнца ей не собрать мужества. Не сдюжит и останется. Останется навсегда. Это ее единственный шанс.

Парвана зажмуривается. Ветер хлопает платком ей по лицу.

Никому не надо знать. Никто и не узнает. Это ее тайна, и разделит она ее лишь с горами. Вопрос в том, сможет ли она с этой тайной жить, — и Парвана думает, что ответ известен. Она жила с тайнами всю свою жизнь.

Опять она слышит плач в отдалении.

Все любили тебя, Масума.

А меня — никто.

А за что так, сестра? Что я сделала?

Парвана долго стоит в темноте без движенья. Наконец она делает выбор. Разворачивается, опускает голову и шагает к незримому горизонту. И после уже не оборачивается. Она знает: стоит обернуться — воля ее поколеблется. Она потеряет решимость, потому что увидит, как летит с горы старый велосипед, скачет на камнях и щебне, как бьет их обеих по задам, поднимая облака пыли на каждом ухабе. Она сидит на раме, а Масума — в седле, это она закладывает виражи на полной скорости, швыряет велосипед вбок почти плашмя. Но Парвана не боится. Она уверена, что сестра не перебросит ее через руль, не сделает ей больно. Мир плавится в вихре восторга, ветер свистит в ушах, и Парвана смотрит через плечо на сестру, сестра смотрит на нее, и обе смеются, когда за ними увязываются бродячие собаки.

Парвана шагает навстречу новой жизни. Она идет и идет, а темнота вокруг — будто утроба матери, и, когда она рассеивается, Парвана вглядывается в рассветный сумрак и высматривает полоску бледного света с востока, что озаряет бок валуна; Парвана как будто родилась.

Глава четвертая

Во имя Аллаха милостивого, милосердного, я знаю, что меня уже не будет в живых, когда прочтете вы это письмо, господин Маркос, ибо когда я вам его передал, попросил не вскрывать его до самой моей смерти. Позвольте отметить, какое удовольствие мне было знать вас все последние семь лет, господин Маркос. Пишу эти строки и с любовью вспоминаю о нашем ежегодном ритуале посадки в саду помидоров, ваши утренние визиты в мои скромные владенья на чай и приятную беседу, наши импровизированные уроки фарси и английского. Благодарю вас за вашу дружбу, заботу и за работу, которую вы проделали в этой стране, и, надеюсь, вы передадите мою благодарность вашим добросердечным коллегам, особенно моему другу, госпоже Амре Адемович, в которой столько сострадания, а также и Роши, ее отважной милой дочери.

Должен сказать, что письмо это — не только вам, господин Маркос, но и еще одному человеку, которому, надеюсь, вы его передадите, я чуть погодя все объясню. Простите меня — я повторю кое-что из того, что вы и так, быть может, знаете. Я повторяю это из необходимости — для ее блага. Вы увидите, что это письмо содержит не только элемент исповеди, господин Маркос, но и дела практические, кои подтолкнули меня написать его. Именно в отношении их, опасаюсь, мне придется воззвать к вашей помощи, друг мой.

Я долго думал, с чего начать. Непростая задачка для человека, которому должно быть за восемьдесят. Мой точный возраст для меня загадка, как и для многих афганцев моего поколения, но я уверен в сделанном приближении, поскольку довольно живо помню драку с одним моим другом, а позднее — шурином, Сабуром, в тот день, когда узнали о том, что Надир-шаха застрелили насмерть, и о том, что сын его, юный Захир, взошел на трон. Это было в 1933 году. Я мог бы начать с тех времен. Или с других. История — она как поезд в пути: неважно, когда ты вскочил в него, рано или поздно доберешься до нужной станции. Но, думаю, стоит начать этот сказ с того, чем он закончится. Да, думаю, есть смысл подпереть эту историю Нилой Вахдати.

Мы познакомились в 1949-м, в тот год, когда она вышла замуж за господина Вахдати. Тогда я уже два года проработал на господина Сулеймана Вахдати, переехав в Кабул в 1946-м из Шадбага, деревни, где я родился: я работал год на другую семью, в том же районе. Обстоятельства моего отъезда из Шадбага — не повод для гордости, господин Маркос. Будем считать это моим первым покаянием: скажу, что душила меня жизнь, какую я вел в деревне с двумя моими сестрами, одна из них была инвалидом. Это никак меня не обеляет, но я был юн, господин Маркос, жаден до мира, полон мечтаний, пусть скромных и расплывчатых, и я представлял, как юность моя утекает, а перспективы все более сужаются. Вот и уехал. Чтобы помочь сестрам материально, да, правда. Но и чтобы сбежать.

Поскольку господин Вахдати нанял меня на полный рабочий день, я поселился у него в доме. В те дни состояние дома никак не походило на то плачевное, что вы застали, прибыв в Кабул в 2002 году, господин Маркос. Был он тогда красив и величествен. Сверкающе белый, будто усыпан алмазами. От въездных ворот вела широкая заасфальтированная аллея. Посетители попадали в прихожую с высокими потолками, украшенную высокими глиняными вазами и круглым зеркалом, вставленным в резную раму орехового дерева, — в точности на том месте, где вы ненадолго повесили старую домашнюю фотографию вашей подруги детства на пляже. Мраморный пол гостиной блестел и частично был застелен темно-красным туркменским ковром. Нет теперь того ковра, нет и кожаных диванов, кофейного столика ручной работы, шахмат из лазурита и высокого буфета красного дерева. Мало что уцелело из той шикарной мебели, и, опасаюсь, она вся не в том состоянии, что была некогда.

Впервые войдя в отделанную камнем кухню, я прямо рот разинул. Подумал, что такой кухни хватит, чтоб накормить всю мою отчую деревню Шадбаг. В моем ведении оказались: плита на шесть конфорок, холодильник, тостер, уйма кастрюль, сковородок, ножей и всяких приспособлений. Ванные комнаты — все четыре — облицованы были затейливо вырезанным мрамором и фаянсовыми раковинами. Помните такие квадратные углубления в умывальной столешнице, господин Маркос? Когда-то в них были вставлены лазуриты.

А еще был задний двор. Как-нибудь устройтесь у себя в кабинете наверху, господин Маркос, посмотрите вниз и попытайтесь представить такое. В сад можно было попасть с полукруглой веранды, огражденной балюстрадой, увитой зелеными лозами. Лужайка в те дни была сочно-зеленой, украшали ее цветочные клумбы — жасмин, шиповник, герань, тюльпаны — и окружали два ряда фруктовых деревьев. Можно было улечься под любое вишневое дерево, господин Маркос, закрыть глаза, слушать, как ветер протискивается меж листьев, и думать, что нет на земле места лучше.

Сам я обитал в хижине на задах сада. В ней было окно, чистые стены, покрашенные в белый, и молодому неженатому человеку со скромными нуждами вроде моих пространства хватало. У меня была кровать, стол и стул и в достатке места, чтобы расстилать молельный коврик пять раз в день. Меня все устраивало тогда — и устраивает теперь.

Я готовил для господина Вахдати — этому навыку я научился, сначала наблюдая за моей покойной матерью, а позднее — у престарелого узбекского повара, трудившегося в кабульской семье, где я сам работал год его помощником. К тому же я — к моему удовольствию — служил шофером господина Вахдати. Он владел моделью «шевроле» середины 1940-х, голубой, с открытым верхом, в ней были голубые виниловые сиденья в тон и хромированные колпаки, — красивая машина, притягивала взгляды, куда бы я ни ехал. Он разрешил мне водить, потому что я зарекомендовал себя осмотрительным опытным шофером, и к тому же он принадлежал к той редкой разновидности мужчин, которым не нравится управлять самим.

Пожалуйста, не подумайте, что я хвастаю, господин Маркос, когда говорю, что был хорошим слугой. Внимательным наблюдением я постиг предпочтения и неприятия господина Вахдати, его пунктики и любимые мозоли. Также я узнал его привычки и ритуалы. К примеру, каждое утро после завтрака ему нравилось прогуливаться. Однако гулять в одиночку он не любил, и от меня требовалось сопровождать его. Я, разумеется, подчинялся его желаниям, хотя и не видел смысла в своей компании. Он за всю прогулку перемолвливался со мной едва ли одним словом и будто целиком погружался в собственные мысли. Шагал он быстро, руки смыкал за спиной, кивал прохожим, и каблуки его начищенных штиблет щелкали по мостовой. А поскольку его длинные ноги отмеряли шаги, какие мне были не под силу, я все время отставал и вынужден был догонять. Остаток дня он в основном проводил наверху за чтением или игрой в шахматы с самим собой. Он обожал рисовать, хотя оценить его умений я не мог, — по крайней мере, в те времена, поскольку свои работы он мне никогда не показывал, но я частенько заставал его в кабинете у окна или на веранде, когда лоб его сосредоточенно хмурился, а угольный карандаш сновал и кружил над блокнотом для набросков.

Раз в несколько дней я возил его по городу. Раз в неделю он навещал свою мать. Бывали и семейные сборища. И хотя господин Вахдати в основном их избегал, иногда по случаю все же посещал, и я возил его на похороны, дни рождений, свадьбы. Раз в месяц мы ездили с ним в магазин художественных товаров, где он пополнял запасы пастельных карандашей, угля, ластиков, точилок и альбомов для рисования. Иногда ему нравилось забираться на заднее сиденье и просто кататься. Я спрашивал: *Куда поедем, сахиб?* — а он пожимал плечами, и тогда я говорил: *Будь по вашему, сахиб*, — переключал скорость и стартовал. Я часами кружил по городу — без цели, без причины, от одного района к другому, вдоль реки Кабул, наверх к Бала-Хиссару, иногда — ко дворцу Дар-уль-Аман. Иногда мы выезжали из Кабула и добирались до озера Карга, там я останавливал машину у воды. Глушил мотор, и господин Вахдати сидел на заднем сиденье совершенно неподвижно, не говоря мне ни слова, будто его это вполне устраивало — открутить вниз окно и смотреть на птиц, что сновали с дерева на дерево, и на прожилки солнечного света, пронизывавшие озеро и разбегавшиеся по воде тысячами крошечных прыгучих пятен. Я глядел на него в зеркальце заднего вида, а он смотрел на меня так, будто был самым одиноким человеком в мире.

Раз в месяц господин Вахдати — вполне щедро — позволял мне взять машину и съездить в Шадбаг, мою родную деревню, повидаться с Парваной и ее мужем Сабуром. Когда бы ни приезжал я в деревню, меня встречали орды вопящих детишек, они скакали вокруг машины, шлепали ее по бортам, стучали в окно. Кое-кто из этих маленьких сорванцов даже пытался забраться на крышу, и приходилось их отгонять — еще поцарапают краску или помнут бока. *Смотри-ка, Наби*, — говаривал Сабур. — *Ты у нас знаменитость.*

Поскольку его дети — Абдулла и Пари — остались без матери (Парвана — их мачеха), я старался быть с ними внимательным, особенно с мальчиком постарше, ибо он в этом, кажется, нуждался сильнее всего. Я предлагал ему лично покататься на машине, но он всегда настаивал, что поедет с крошкой-сестрой, держа ее на коленях, покуда мы кружили по дороге вокруг Шадбага. Я позволял ему включать дворники, гудеть в клаксон. Показал, как включать фары и переводить их с ближнего света на дальний.

После того как весь этот ажиотаж вокруг автомобиля утихал, я пил чай с сестрой и Сабуром, рассказывал им про жизнь в Кабуле. Старался не слишком много вещать про господина Вахдати. Я, по правде сказать, очень его любил, потому что он хорошо со мной обращался, и говорить о нем за его спиной казалось мне предательством. Будь я менее сдержанным наймитом, я бы рассказал им, что Сулейман Вахдати — загадочное существо, человек, вроде бы довольный перспективой прожить остаток дней на богатое наследство, человек без профессии, без видимых увлечений и, судя по всему, без желания оставить по себе какой бы то ни было след в мире. Я бы рассказал им, что он проводил дни своей жизни без направления или назначения. Вроде тех бесцельных поездок, что мы с ним предпринимали. Жизнь на заднем сиденье, наблюдаемая в размазанном движении. Безразличная жизнь.

Вот что я бы им поведал — но не стал. И правильно сделал. Ибо сильно ошибся бы.

Однажды господин Вахдати вышел на двор в шикарном костюме в тонкую полоску — я у него такого раньше не видел — и распорядился отвезти его в один богатый район города. Когда мы прибыли, он велел оставить машину рядом с прекрасным домом за высокой оградой, и я видел, как он позвонил в ворота, слуга открыл ему и он вошел. Дом был огромен, больше, чем у господина Вахдати, и еще красивее. Высокие стройные кипарисы украшали подъездную аллею, а также и густые цветочные кусты, кои я не признал. Двор был в два с лишним раза больше, чем у господина Вахдати, а стены вокруг него так высоки, что даже если один человек встанет на плечи другому, вряд ли сможет заглянуть внутрь. Я догадался, что тут богатство другого масштаба.

Стоял погожий день начала лета, небеса сияли солнцем. Теплый воздух вплывал в открытые мною окна. Хоть работа шофера — вести машину, большую часть времени он проводит в ожидании. На улице рядом с магазином, на холостом ходу; рядом с залом свадьбы, слушая приглушенную музыку. Чтобы убить время, я сыграл в пару карточных игр. Потом карты меня утомили и я вышел из машины, прошелся в одну сторону, потом в другую. Опять сел внутрь и подумал, что, может, удастся вздремнуть, но тут вернулся господин Вахдати.

И вдруг ворота распахнулись и появилась черноволосая молодая женщина. На ней были очки от солнца и оранжевое платье с короткими рукавами, что оканчивалось чуть выше колен. Ноги у нее были голы, а также и босые. Не знаю, заметила ли она, что я сижу в машине, но если и заметила, никак этого не показала. Она уперлась пяткой в стену, подол ее платья чуть задрался и явил часть бедра под ним. Я почувствовал, как у меня от щек к шее растекается жар.

Позвольте сделать еще одно признание, господин Маркос, — оно отвратительного свойства и не оставляет мне пространства для антимоний. В те времена мне было к тридцати — мужчина в расцвете потребностей в женском обществе. В отличие от многих мужчин, с которыми я вырос в деревне, — молодых людей, что отродясь не видали обнаженное бедро взрослой женщины и женились отчасти ради позволения наконец обозреть эдакие виды, — у меня коекакой опыт был. В Кабуле я нашел и иногда посещал заведения, где нужды молодых людей утолялись и конфиденциально, и с удобством. Я упоминаю это лишь для того, чтобы заявить: ни одна шлюха, с которой я когда-либо возлегал, не могла сравниться с этим прекрасным изящным существом, кое появилось из большого дома.

Опершись о стену, она зажгла сигарету и закурила — неспешно и с чарующей грацией, держа ее кончиками двух пальцев и прикрывая ладонью всякий раз, когда подносила сигарету к губам. Я завороженно вперивался в нее. Изгиб ее изящного запястья напомнил мне иллюстрацию, что я раз видал в одной глянцевой поэтической книжке: женщина с длинными ресницами и волнистыми темными волосами лежит с возлюбленным в саду и бледными хрупкими пальцами протягивает ему чашу с вином. Вдруг что-то захватило внимание женщины дальше по улице в противоположном направлении, и я воспользовался краткой паузой и причесал пальцами волосы, которые от жары уже начали слипаться. Когда она вновь обернулась, я опять замер. Она сделала еще несколько затяжек, раздавила окурок о стену и неспешно ушла внутрь.

Я наконец смог перевести дух.

Тем вечером господин Вахдати позвал меня в гостиную и сказал:

— У меня новости, Наби. Я женюсь.

Похоже, я все-таки переоценил его склонность к уединению.

Весть о его помолвке распространилась стремительно. Равно как и сплетни. Я слышал их от других работников, что посещали дом господина Вахдати. Самым говорливым оказался Захид, садовник, приходивший трижды в неделю ухаживать за лужайкой и подстригать кусты и деревья, — неприятный тип с отвратительной привычкой прицокивать языком после каждой фразы, — тем самым языком, каким он метал сплетни так же походя, как бросал горстями удобрения. Он был из тех вечных трудяг, что, как и я, работали в округе поварами, садовниками и посыльными. Один или два вечера в неделю, по окончании трудового дня, они втискивались ко мне в хижину попить чаю после ужина. Не помню, как этот ритуал возник, но, стоило ему завестись, я уже не мог его пресечь — не желал показаться грубым, или негостеприимным, или, того хуже, зазнайкой по отношению к себе подобным.

И вот однажды за таким чаем Захид сообщил остальным, что семья господина Вахдати не одобрила его брак, потому что у невесты дурной нрав. Он сказал, всем известно, что в Кабуле у нее нет ни *нанга*, ни *намуза* — нет уважительной репутации то есть, — и хоть ей всего двадцать, над ней уже «весь город потешается», как над машиной господина Вахдати. Но хуже всего вот что: он сказал, что она и не пыталась опровергать эти обвинения — она писала о них стихи. После этих слов по комнате пронесся неодобрительный ропот. Один из этих болтунов сказал, что у него в деревне за такое ей бы уже глотку перерезали.

Тут-то я встал и сказал им, что с меня хватит. Я выбранил их за то, что они сплетничают, как старухи за шитьем, и напомнил, что без таких людей, как господин Вахдати, мы и нам подобные торчали бы в своих деревнях и собирали коровий навоз. *Где ваша преданность, ваше уважение?* — спросил я.

На миг наступила тишина, и я решил, что произвел впечатление на этих недоумков, но тут раздался смех. Захид сказал, что я лижу господскую задницу и, может, новоявленная хозяйка дома напишет обо мне стих и назовет его «Ода Наби, лизуну многих задов». Под их рев и гогот я возмущенно вышел вон.

Но ушел я недалеко. Их сплетни и отвращали меня, и завораживали. Вопреки выказываемой праведности, вопреки всем моим разговорам об уместности и конфиденциальности, я все ж расположился так, чтобы все слышать. Не пожелал упустить ни одной мерзкой подробности.

Помолвка длилась всего какие-то дни и увенчалась не помпезной церемонией с живыми музыкантами, танцорами и всеобщим увеселением, а кратким визитом муллы и свидетеля и росписями на бумаге. И менее чем через две недели с того дня, как я впервые ее увидел, госпожа Вахдати вселилась в дом.

Позвольте мне прервать мой рассказ ненадолго, господин Маркос, и сообщить, что буду в дальнейшем именовать жену господина Вахдати Нилой. Излишне говорить, что подобных вольностей мне тогда было не дозволено, да я бы и сам их не допустил, даже если бы мне предложили. Я всегда обращался к ней «биби-сахиб», с почтением, как и полагалось. Но для целей этого письма я отставлю этикет и стану звать ее так, как всегда о ней *думал*.

Итак, с самого начала я знал, что этот брак — несчастливый. Редко видел я нежные взгляды в этой паре или слышал любовное слово. Эти двое жили в одном доме, но пути их, похоже, не пересекались вовсе.

По утрам я подавал господину Вахдати его традиционный завтрак — поджаренный *наан*, полчашки грецких орехов, зеленый чай с чуточкой кардамона без сахара, и одно вареное яйцо. Ему нравилось, чтобы желток вытекал, когда протыкаешь яйцо, и поначалу я никак не мог уловить точное время варки для такой консистенции и очень поэтому переживал. Пока я сопровождал господина Вахдати на ежеутренней прогулке, Нила спала, частенько до полудня или далее. К ее пробуждению у меня для господина Вахдати уже был готов обед.

Работая все утро, я мучительно ждал мига, когда Нила толкнет сетчатую дверь из гостиной на веранду. Я проигрывал в уме, как она будет выглядеть в тот или иной день. Будут ли у нее волосы подобраны кверху, гадал я, стянуты в пучок у шеи или я увижу их распущенными, ниспадающими ей на плечи? Будет ли она в очках от солнца? Выберет ли сандалии? Облачится в синюю шелковую рубаху с поясом или в малиновую с большими круглыми пуговицами?

Когда же наконец она появлялась, я находил себе занятие во дворе — делал вид, что капот автомобиля нуждается в полировке, или обнаруживал куст шиповника, который требовалось полить, — и все время глазел на нее. Смотрел, как она вздевает очки — протереть глаза — или стаскивает резинку с волос и отбрасывает назад голову — чтобы рассыпались ее блестящие темные кудри; смотрел, как она усаживается, уперев подбородок в колени, глядит в сад, вяло потягивает сигарету или закидывает ногу на ногу и болтает ступней вверх-вниз, — жест, для меня означавший скуку или беспокойство, а может, и едва сдерживаемое беззаботное лукавство.

Господин Вахдати временами сиживал с ней, но чаще нет. Большую часть дня он, как и прежде, проводил за чтением у себя в кабинете, за рисованием; его повседневных привычек женитьба почти никак не изменила. Нила обычно писала — либо в гостиной, либо на веранде: карандаш в руке, листы бумаги соскальзывают к ней на колени, всегда с сигаретой. Вечерами я подавал ужин, и ели они оба в подчеркнутой тишине, опустив глаза в тарелки с рисом, и молчание прерывалось лишь тихими «спасибо» да звяканьем вилок и ложек по фарфору.

Раз-два в неделю я возил Нилу, когда ей требовались пачка сигарет или свежий набор ручек, новый блокнот, косметика. Если знал заранее о нашем с ней выезде, я непременно причесывался и чистил зубы. Умывался и натирал резаным лимоном пальцы, чтобы вытравить запах лука, выбивал из костюма пыль и надраивал ботинки. Мой костюм — оливкового цвета — достался мне от господина Вахдати, и я надеялся, что он не сообщил этого Ниле, хотя, подозревал я, мог. Не из зловредности, а потому, что люди такого положения, как господин Вахдати, частенько не догадываются, как маленькие, обыденные вещи вроде этой могут опозорить человека вроде меня. Иногда я даже надевал каракулевую шапку, принадлежавшую моему покойному отцу. Вставал перед зеркалом и то так ее набекрень надену, то эдак, очень уж мне хотелось выглядеть представительно в глазах Нилы — настолько, что даже сядь мне оса на нос, ей пришлось бы меня ужалить, чтоб я обратил на нее внимание.

Стоило нам выехать на дорогу, как я начинал искать небольшие объездные пути до точки назначения, чтобы по возможности продлить нашу поездку, пусть на минуту или две, не более, иначе Нила бы что-нибудь заподозрила, — лишь бы побыть с ней подольше. Я вел машину, вцепившись обеими руками в руль, вперив взгляд в дорогу. Применял жесткий самоконтроль и не глядел на нее в зеркальце — кроме тех случаев, когда она обращалась ко мне сама. Я довольствовался самим фактом ее присутствия на заднем сиденье, дыханьем многих ее ароматов — дорогого мыла, лосьона, духов, жвачки, сигаретного дыма. Этого обычно хватало, чтобы меня окрылить.

В автомобиле и произошла наша первая беседа. Наша первая настоящая беседа — если не считать тот миллион раз, когда она просила притащить то или отвезти ее. Я вез ее в аптеку забрать лекарство, и она сказала:

— Какая она, твоя деревня, Наби? Как она, бишь, называется?

— Шадбаг, биби-сахиб.

— Шадбаг, точно. И какая она? Расскажи.

— Да немного чего есть рассказать, биби-сахиб. Деревня, как другие.

— Ой, ну наверняка же есть какая-нибудь особенность.

Я сохранял спокойствие, хотя внутри запаниковал, пытаясь вспомнить что-нибудь эдакое — занятную странность, которая могла бы ее заинтересовать, развлечь ее. Без толку. Что мог кто-то вроде меня, деревенщина, маленький человек с маленькой жизнью, сказать исключительного, чтобы поразило такую женщину, как она?

— Виноград у нас отменный, — сказал я, но не успел я выговорить эти слова, как пожелал отхлестать по щекам себя самого. *Виноград?*

— Да ну, — промолвила она без выражения.

— Очень сладкий.

— А.

Изнутри я умирал тысячей смертей. Почуял, как влага начинает скапливаться у меня подмышками.

— Есть один особый сорт, — вытолкнул я из внезапно пересохшего рта. — Говорят, растет только в Шадбаге. Очень нежный, знаете ли, очень уязвимый. Если попробовать вырастить его в другом месте, хоть бы и в соседней деревне, он зачахнет и погибнет. Умрет. Он умирает от печали, говорят люди из Шадбага, но это, разумеется, неправда. Все дело в почве и воде. Но люди говорят, биби-сахиб. От печали.

— Это и впрямь мило, Наби.

Я украдкой глянул в водительское зеркало и увидел, что она смотрит в окно, а еще я обнаружил, к своему вящему облегчению, что уголки ее рта чуть приподнялись — тенью улыбки. Воодушевившись, я выпалил:

— Можно я вам еще одну историю расскажу, биби-сахиб?

— Само собой.

Щелкнула зажигалка, ко мне с заднего сиденья поплыл дым.

— У нас в Шадбаге есть мулла. В любой деревне есть, конечно. Нашего звать мулла Шекиб, и он великий рассказчик. Сколько он знает историй — уму непостижимо. Но одну он нам все время рассказывал, дескать, если взглянуть на ладони любого мусульманина — где угодно в мире, — увидишь нечто совершенно поразительное. На всех — одинаковые линии. Что это означает? Это означает, что на левой руке мусульманина линии образуют число восемьдесят один, а на правой — восемнадцать. Вычитаем восемнадцать из восьмидесяти одного и что получаем? Шестьдесят три. Возраст смерти Пророка, да пребудет он в мире.

Я услышал тихий смешок с заднего сиденья.

— Так вот, однажды шел через деревню путник и, конечно, присел с муллой Шекибом отужинать, все как полагается. Путник выслушал эту историю, поразмыслил над ней и сказал: «Мулла Шекиб, при всем уважении, я как-то встретил еврея, и, клянусь, у него на ладонях были те же линии. Как вы это истолкуете?» А мулла Шекиб отвечает: «Значит, этот еврей в душе — мусульманин».

Ее внезапный взрыв хохота заворожил меня до конца дня. Будто — да простит меня Господь за такое богохульство — этот смех спустился ко мне прямо с Небес, из сада праведных, как гласит Книга, где текут реки и вечны цветы и тень в нем.

Поймите, не одна лишь краса ее, господин Маркос, так меня чаровала, хотя и ее одной было бы достаточно. Не встречал я никогда в жизни такой девушки, как Нила. Все, что она делала, ее речи, походка, облаченья, улыбка — все для меня было в новинку. Нила шла наперекор каждому представленью, какое имел я о том, как женщина должна вести себя, и черта эта встречала стойкое неодобрение у людей вроде Захида и, конечно, Сабура, да и любого мужчины в моей деревне, и любой женщины, однако, по мне, это лишь добавляло ей шарма и загадочности.

Вот так смех ее звенел у меня в ушах, я продолжил выполнять свою работу, а позже, когда другие батраки собрались на чай, я улыбался и заглушал их гогот сладостным звоном ее смеха и гордился тем, что моя байка слегка отвлекла ее от неудовольствия, что имела она в браке. Нила — необычайная женщина, и я отправился спать той ночью, ощущая, что, быть может, и я сам не такой уж обычный. Вот какое действие она производила на меня.

Вскоре мы с Нилой уже беседовали ежедневно — как правило, поздним утром, когда она усаживалась попить кофе на веранде. Я под каким-нибудь предлогом забредал во двор и вот уж стоял, опираясь на лопату или с чашкой зеленого чая, и разговаривал с ней. Она выбрала меня, и я почел это за честь. Я не просто слуга, стало быть. Я уже поминал эту бессовестную жабу, Захида, а была еще Хазара, женщина с вытянутым лицом, прачка, приходившая дважды в неделю. Но Нила выбрала меня. Думаю, я был тот единственный человек из всех, включая ее супруга, с кем хоть немного облегчалось ее одиночество. Обычно говорила в основном она, и меня это вполне устраивало: я счастлив был служить сосудом, что принимал в себя ее истории. Она, к примеру, поведала мне об охотничьей вылазке в Джелалабад, которую предприняла вместе с отцом, и как ее неделями преследовали кошмарные виденья остекленевших глаз убитого оленя. Она рассказала, что посещала с матерью Францию, когда была ребенком, до Второй мировой. Чтобы туда добраться, они ехали на поезде и плыли на корабле. Она описала, каково это — ощущать ребрами перестук колес. А еще ей запомнились занавески, что висели на крючках, и раздельные купе, и ритмичное пыхтенье и шипенье паровоза. Рассказала мне о шести неделях, что провела год назад в Индии с отцом, когда очень болела.

По временам, когда она отвлекалась, чтобы стряхнуть пепел в блюдце, я украдкой смотрел на красный лак у нее на пальцах ног, золотистый глянец ее бритых икр, высокий свод стопы, а еще, каждый раз, — на ее полные, идеальной формы груди. Есть же на этой земле мужчина, грезил я, кто касается этих грудей и целует их, занимаясь с ней любовью. Что еще делать тебе в жизни, если достиг такого? Куда идти мужчине после того, как добрался он до вершины мира? Великим волевым усилием отводил я взгляд в безопасное место, когда она ко мне поворачивалась.

Все более обвыкаясь, во время этой нашей утренней болтовни она принялась высказывать жалобы на господина Вахдати. Однажды сказала, что считает его холодным, а временами — высокомерным.

— Он был со мной щедр, — заметил я.

Она пренебрежительно махнула рукой:

— Наби, прошу тебя. Не надо вот этого.

Я вежливо потупился. Сказанное ею не было полной неправдой. Господин Вахдати, к примеру, и впрямь имел привычку поправлять мою речь с видом превосходства, которое можно было принять — вероятно, безошибочно — за высокомерие. Иногда я входил в комнату с блюдом сладостей, ставил его перед сахибом, доливал ему чаю, сметал со стола крошки, но он обращал на меня не больше внимания, чем на муху, ползущую по сетчатой двери, и тем низводил меня до полной незначительности — не поднимая взгляда. Впрочем, если вдуматься, это все мелочи, если учесть, что знавал я людей, живших по соседству, на которых я когда-то работал, — они били своих слуг палками и ремнями.

— В нем нет никакой веселости, никакого авантюризма, — сказала она, уныло помешивая кофе. — Сулейман — угрюмый старик в силках юного тела.

Я слегка опешил от такой внезапной прямоты.

— Это правда, что господину Вахдати поразительно уютно его уединение, — сказал я, выбрав в пользу осторожной дипломатичности.

— Может, ему лучше жить с матерью. Как думаешь, Наби? Они отличная пара, ей-ей.

Мать господина Вахдати была грузной, довольно чопорной женщиной, обитала в другой части города — с непременной свитой слуг и двумя обожаемыми собаками. Над этими собаками она тряслась и обращалась с ними не как с равными ее слугам, а ставила их рангом выше — и не одним. Собаки те были маленькими, лысыми, отвратительными существами, пугливыми, беспокойными, и их постоянно сносило на дребезжащий визгливый лай. Я терпеть их не мог, потому что не успевал войти в дом, как они прыгали мне на ноги и бестолково пытались по ним взобраться.

Мне *было* ясно, что всякий раз, когда отвозил я Нилу и господина Вахдати в дом к старухе, воздух на заднем сиденье тяжелел от напряжения, и я видел по обиженной нахмуренности Нилы, что они ссорились. Помню, когда мои родители ругались, они не успокаивались, пока не объявится бесспорный победитель. Таким способом они закупоривали размолвки, законопачивали их приговором, чтобы те не просачивались в спокойное течение следующего дня. У Вахдати было иначе. Их ссоры не заканчивались, а, скорее, рассасывались, будто капля чернил в чаше с водой, но поволока оставалась.

Не нужно никакой интеллектуальной акробатики, чтобы предположить, что старуха союз не одобрила, а Нила об этом знала.

Мы с Нилой вели эти разговоры, а у меня в голове раз за разом всплывал один и тот же вопрос.

Почему она вышла замуж за господина Вахдати? Чтобы задать его вслух, мне недоставало храбрости. Подобный переход границы приличий был моей натуре противен. Я мог лишь предположить, что для некоторых людей, особенно для женщин, брак — даже такой несчастливый, как этот, — побег от еще большего несчастья.

Однажды, осенью 1950-го, Нила призвала меня к себе.

— Отвези меня в Шадбаг, — сказала она. Сказала, что хочет проведать мою семью, повидать места, откуда я родом. Сказала, что я подаю ей еду и вожу ее по Кабулу уже год, а она обо мне почти ничего не знает. Ее просьба, мягко говоря, смутила меня — столь необычно для человека ее положения просить отвезти ее куда-то и познакомить с семьей слуги. В равной мере меня воодушевил столь острый интерес Нилы ко мне, однако я с тревогой ожидал, сколько переживу неловкости и стыда, когда покажу ей нищету моей родины.

И вот в одно пасмурное утро мы отправились в путь. На ней были шпильки и персиковое платье без рукавов, но я не счел возможным для себя что-либо ей советовать. По дороге она спрашивала про деревню, о знакомых мне людях, о моей сестре и Сабуре, об их детях.

— Назови мне их имена.

— Ну, — начал я, — есть Абдулла, ему почти девять. Его родная мать умерла в прошлом году, он пасынок моей сестры Парваны. У него есть сестра Пари, ей почти два. Парвана родила мальчика прошлой зимой, звали его Омар, но он умер двухнедельным.

— Что случилось?

— Зима, биби-сахиб. Она сходит на деревни и забирает одного-двух детей каждый год. Остается лишь надеяться, что в этом году твой дом она не тронет.

— Боже, — пробормотала она.

— Если же о радостном, — сказал я, — сестра опять беременна.

В деревне нас по традиции встретила ватага босоногих детей, понесшихся за машиной, однако стоило Ниле выбраться с заднего сиденья, как дети умолкли и сдали назад — может, испугавшись, что она их сейчас отругает. Но Нила проявила великое терпение и доброту. Присела на корточки, улыбнулась, поговорила с каждым, пожала им руки, потрепала по замурзанным щекам, поворошила немытые патлы. К моему смущению, вокруг начали собираться люди. Байтулла, друг детства, смотрел с края крыши, присев на корточки вместе со своими братьями, точно стая ворон, и все жевали *насвай*. А отец его, сам мулла Шекиб, и трое других белобородых мужчин сидели в тени под стеной, лениво перебирали четки и с неудовольствием вперяли в Нилу и ее голые руки свои безвозрастные взоры.

Я представил Нилу Сабуру, и мы в сопровождении толпы зевак двинулись к их с Парваной глинобитной хижине. На пороге Нила настояла на том, что снимет туфли, хотя Сабур сказал ей, что в этом нет нужды. Когда вошли в комнату, я увидел Парвану — она молча сидела в углу, свернувшись в застывший клубок. Она поприветствовала Нилу еле слышно, почти шепотом.

Сабур вскинул брови на Абдуллу:

— Неси чай, малец.

— Нет-нет, что вы, — сказала Нила, усаживаясь на пол рядом с Парваной. — Это лишнее.

Но Абдулла уже исчез в соседней комнате, что, я знал, служила и кухней, и спальней ему и Пари. Полог мутного целлофана, прибитый к дверному косяку, отделял ее от той, где мы собрались. Я сидел, теребил ключи от машины и жалел, что не было возможности предупредить сестру об этом визите, дать ей время хоть немного прибраться. Растрескавшиеся глинобитные стены почернели от сажи, драный матрас под Нилой покрыт пылью, одинокое окно в комнате обсижено мухами.

— Милый ковер, — сказала Нила жизнерадостно, ведя по нему пальцами. Ярко-красный, с узором из отпечатков слоновьих ног. То был единственный предмет из всего, чем владели Сабур с Парваной, имевший хоть какую-то ценность, но и его продадут, как потом окажется, той же зимой.

— Это моего отца, — сказал Сабур.

— Туркменский?

— Да.

— Я так люблю овечью шерсть, которую они используют. Потрясающее мастерство.

Сабур кивнул. Он ни разу не взглянул в ее сторону — даже когда говорил с ней.

Зашуршал целлофан: Абдулла вернулся с подносом, уставленным чашками, опустил его на пол перед Нилой. Налил ей и сел, скрестив ноги, напротив. Нила попыталась с ним заговорить, подбросив несколько простых вопросов, но Абдулла лишь кивал бритой головой, бормотал одно- или двухсложные ответы и насупленно пялился на нее. Я сделал в уме зарубку: поговорить с мальчиком, мягко укорить его за такое поведение. Скажу по-дружески, он мне очень нравился — такой был серьезный и самостоятельный.

— На каком вы месяце? — спросила Нила Парвану.

Сестра склонила голову и ответила, что ожидает ребенка зимой.

— Такая благодать вам, — сказала Нила, — вы ждете ребенка. И такой у вас вежливый пасынок. — Она улыбнулась Абдулле, но у того лицо ничего не выразило.

Парвана пробормотала нечто, смахивавшее на «спасибо».

— А есть ведь еще и малышка, если я правильно помню? — спросила Нила. — Пари?

— Она спит, — буркнул Абдулла.

— А. Я слыхала, она прелесть.

— Иди за сестрой, — сказал Сабур.

Абдулла помялся, переводя взгляд с отца на Нилу, после чего встал и с очевидной неохотой пошел за Пари.

Если б было у меня хоть какое-то желание — даже в этот поздний час — как-то оправдать себя, я бы сказал, что связь между Абдуллой и его младшей сестренкой была обыкновенной. Но это не так. Никому, кроме Господа, неведомо, отчего эти двое выбрали друг друга. Загадка. Такого притяжения между людьми я не видал никогда. По правде сказать, Абдулла для Пари был в той же мере отцом, в какой и братом. Во младенчестве, когда она плакала по ночам, он соскакивал с койки и укачивал ее. Он сам взял на себя обязанность менять ей испачканные простынки, пеленать ее, убаюкивать. Его терпение с нею не имело границ. Он носил ее с собой по деревне и показывал всем, будто она — самая желанная в мире награда.

Когда он принес еще сонную Пари в комнату, Нила попросила разрешения взять ее на руки. Абдулла вручил сестру, состроив подозрительную мину, будто сработал в нем какой-то инстинктивный сигнал тревоги.

— Ах, какая лапочка — воскликнула Нила, а ее неловкие покачивания выдали в ней неопытность обращения с малышами.

Пари изумленно поглядела на Нилу, перевела взгляд на Абдуллу и заплакала. Он быстро забрал сестру у Нилы.

— Какие глаза! — сказала Нила. — А какие щечки! Ну не милашка ли, Наби?

— Это точно, биби-сахиб, — сказал я.

— И имя у нее идеальное — Пари. Она и впрямь красавица — как фея.

Абдулла смотрел на Нилу, качал Пари на руках, лицо у него затуманилось.

На пути в Кабул Нила развалилась на заднем сиденье, упершись головой в стекло. Долго она молчала. И вдруг зарыдала.

Я съехал на обочину.

Не скоро она заговорила. Плечи у нее тряслись, она всхлипывала в ладони. Наконец высморкалась в платок.

— Спасибо, Наби, — сказала она.

— За что, биби-сахиб?

За то, что свозил меня. Это большая честь — познакомиться с твоей семьей.

— Это им честь. И мне. Вы нас почтили.

— Чудесные у твоей сестры дети.

Она сняла очки и промокнула глаза.

Я мгновенье раздумывал, что делать дальше, поначалу решив помолчать. Но она же плакала при мне, и эта доверительность требовала теплых слов. Я тихонько сказал:

— У вас будет сын, биби-сахиб. *Иншалла*, Господь о том позаботится. Подождите.

— Вряд ли Он позаботится. Даже Он не может.

— Конечно, сможет, биби-сахиб. Вы так юны. Если будет на то Его желание, все случится.

— Ты не понимаешь, — сказала она устало. Никогда я не видел ее такой утомленной, опустошенной. — Все исчезло. Они все из меня выцарапали в Индии. Я порожняя внутри.

Нечего мне было на это ответить. Я мечтал перелезть к ней на заднее сиденье, обнять, успокоить поцелуями. Сам не зная, что делаю, я потянулся к ней и взял за руку. Подумал, она выдернет ладонь, но ее пальцы благодарно сжали мои, и так мы сидели в авто, глядя не друг на друга, а лишь на равнины вокруг, желтые, чахлые, по всему окоему, насупившиеся дренажными канавами, проткнутые кустами да камнями, с возней какой-то жизни там и сям. Я держал Нилу за руку и смотрел на горы и столбы электропередач. Проследил глазами за грузовиком, тащившимся вдали, за хвостом его выхлопа — я счастлив был бы сидеть так до самой темноты.

— Отвези меня домой, — наконец сказала она, выпуская мою руку. — Хочу лечь сегодня пораньше.

— Да, биби-сахиб.

Я откашлялся и слегка неверной рукой включил первую передачу.

Она отправилась к себе в спальню и не выходила оттуда несколько дней. Такое случалось и раньше. Временами она подтаскивала кресло к окну своей спальни наверху, усаживалась, курила, болтала ногой и равнодушно глазела наружу. Не разговаривала. Не вылезала из ночной рубашки. Не мылась, не чистила зубы, не причесывалась. На сей раз она даже не ела, и вот это вызвало у господина Вахдати не свойственную ему тревогу.

На четвертый день раздался стук в ворота. Я открыл высокому пожилому человеку в безупречно отутюженном костюме и сияющих штиблетах. Было нечто внушительное и довольно отталкивающее в его манере угрожающе нависать и в его взгляде, что проницал насквозь, а также в том, как он держал полированную трость двумя руками, будто скипетр. Он не успел произнести и слова, а я уже почуял, что передо мной человек, привыкший повелевать.

— Насколько я понимаю, дочь моя приболела, — сказал он.

Вот, значит, ее отец. Мы прежде никогда не встречались.

— Да, сахиб. Боюсь, что так, — ответил я.

— Тогда прочь с дороги, молодой человек.

Он протиснулся мимо меня.

Я нашел себе занятие в саду — взялся колоть дрова для плиты. С того места, где я работал, отлично просматривалось окно Нилиной спальни. За стеклом показался ее отец, согнутый в талии, склонившийся к Ниле, одной рукой он сжал Ниле плечо. На лице у нее возникло такое выражение, какое бывает у людей, если их вдруг пугает внезапный громкий звук — вроде петарды или двери, хлопнувшей от порыва встра.

В тот вечер она поела.

А несколько дней спустя Нила призвала меня в дом и сообщила, что собирается закатить гулянку. Когда господин Вахдати был холост, мы почти никогда не устраивали сборищ у себя. Нила же, переехав, устраивала их два-три раза в месяц. За день до празднества Нила выдавала мне подробные инструкции, какие закуски и блюда мне предстоит готовить, и я отправлялся на рынок за всем необходимым. Главным среди этого необходимого был алкоголь, и я его никогда раньше не приобретал, поскольку господин Вахдати не пил — отнюдь не по религиозным соображениям, а просто потому, что ему не нравились последствия. Нила же, напротив, хорошо знала некие заведения — «аптеки», как она их шутливо именовала, — где за двойной эквивалент моей месячной зарплаты можно было купить из-под полы бутылку «лекарства». У меня по поводу этого поручения были смешанные чувства: получалось, что я — пособник греховодства, но, как всегда, возможность порадовать Нилу перевешивала все остальное.

Важно понимать, господин Маркос, что гулянья у нас в Шадбаге — хоть свадьбу мы праздновали, хоть обрезание — происходили в двух раздельных домах, один для женщин, другой для мужчин. На праздниках у Нилы мужчины и женщины общались вперемешку. Большинство женщин одевались, как Нила, — в платья, обнажавшие руки целиком и значительную часть ног. Эти женщины курили и пили, и в бокалах у них плескались напитки бесцветные, или красные, или медного оттенка; женщины рассказывали анекдоты, смеялись и касались рук мужчин, женатых, насколько я знал, на других женщинах, тоже присутствовавших в комнатс. Я носил маленькие блюда с *болани* и *люля-кебабами* с одного конца прокуренной комнаты до другого, от одной группки гостей до другой, а проигрыватель крутил пластинки. Не афганскую музыку, а нечто, называемое Нилой «джазом», — такая музыка, узнал я много лет спустя, нравится и вам, господин Маркос. На мой слух эти случайные треньканья пианино и странный вой труб казались мешаниной, лишенной гармонии. Но Ниле нравилось, и я не раз слышал, как она говорит гостям, что им просто необходимо послушать ту или иную запись. Весь вечер она не расставалась с бокалом и уделяла ему куда больше внимания, чем еде, которую я подносил.

Господин Вахдати для развлечения гостей прикладывал довольно скромные усилия. Делал вид, что светски общается, но чаще сидел в углу с отстраненным выражением лица, крутил в стакане минералку, а если кто-нибудь к нему обращался, улыбался вежливо, но зубов не обнажал. Имел привычку удаляться, когда гости начинали просить Нилу почитать ее стихи.

Я особенно любил эту часть вечера. Стоило ей начать, я всегда находил, чем себя занять, лишь бы оставаться поблизости. Я замирал с полотенцем в руке и напрягал слух. Стихи Нилы не походили ни на что из того, на чем я вырос. Как вам хорошо известно, мы, афганцы, обожаем свою поэзию; даже самые необразованные из нас могут прочесть наизусть из Хафиза, Хайяма или Саади. Помните, господин Маркос, вы говорили мне в прошлом году, как сильно любите афганцев? И когда я спросил, за что, вы рассмеялись и ответили: *Потому что даже ваши уличные граффитисты разбрызгивают по стенам Руми.*

Но стихи Нилы пренебрегали традицией. Они не следовали никакому заданному размеру или рисунку рифмы. Не живописали они и привычных вещей — деревья, весенние цветы или бюльбюлей. Нила писала о любви, и под любовью я не имею в виду суфийские алканья Руми или Хафиза, а вполне физическую любовь. Она писала, как шепчутся любовники на одной подушке, прикасаясь друг к другу. Она писала об удовольствии. Я никогда не слышал, чтобы

111

женщины так выражались. Я стоял и слушал, как хрипловатый голос Нилы вплывает в прихожую, закрывал глаза, а уши у меня горели: я представлял, что она читает их мне и это *мы* — любовники из ее стихов, — покуда кто-нибудь не просил чаю или яичницы, и лишь тогда развеивались чары, Нила звала меня, и я бежал на ее зов.

Той ночью стих, который она выбрала прочесть, поймал меня врасплох. Он был о человеке и его жене, деревенских, о том, как оплакивают они младенца, коего отняла зимняя стужа. Гостям, похоже, стихотворение понравилось — судя по их кивкам и одобрительному бормотанию, а также по сердечным аплодисментам после того, как Нила оторвала взгляд от страницы текста. И все же я почувствовал удивление и разочарование: горе моей сестры использовали для развлечения гостей, и я никак не мог стряхнуть некое смутное чувство совершенного предательства.

Через пару дней после гулянки Нила сказала, что ей нужна новая сумочка. Господин Вахдати читал газету за столом, где я сервировал для него обед из чечевичного супа и *наана*.

— Тебе что-нибудь нужно, Сулейман? — спросила Нила.

— Нет, *азиза*. Спасибо, — ответил он.

Редко слышал я, чтобы он обращался к ней как-то иначе, нежели *азиза*, что означает «любимая», «дорогая», и все же никогда эти двое не были так далеки друг от друга, как в тех случаях, когда он произносил это слово, и ни у кого это ласковое обращение не получалось таким холодным, как у господина Вахдати.

По дороге в магазин Нила сказала, что хочет взять с собой подругу, и объяснила, как к ней ехать.

Я остановил авто на улице и смотрел, как она прошла квартал до двухэтажного дома с ярко-розовыми стенами. Поначалу я не стал выключать мотор, но прошло пять минут, Нила не вернулась, и я его заглушил. Правильно сделал — миновало не менее двух часов, прежде чем я вновь увидел ее стройную фигуру на тротуаре, что вел к машине. Я открыл заднюю дверь, она скользнула внутрь, и я услышал под ее знакомыми духами другой аромат — что-то, напоминающее кедр и, быть может, ноту имбиря, — и вспомнил, что уже вдыхал его на вечере у Нилы два дня назад.

— Не нашла по вкусу, — сказала Нила с заднего сиденья, нанося свежий слой помады на губы.

Она засекла недоумение у меня на лице — в водительском зеркале. Она отняла помаду от губ и поглядела на меня сквозь ресницы:

— Ты отвез меня в два разных магазина, однако я не смогла найти сумочку себе по вкусу.

Ее взгляд сомкнулся с моим и какое-то время не отпускал, выжидал, и я понял, что меня посвятили в тайну. Она проверяла мою преданность. Она предлагала мне выбор.

— По-моему, вы были в трех магазинах, — промямлил я.

Она ухмыльнулась:

— *Parfois je pense que tu es mon seul ami*, Наби.

Я сморгнул.

— Это означает «Иногда мне кажется, что ты — мой единственный друг».

Она просияла улыбкой, но это не помогло моему поникшему духу.

Остаток дня я выполнял свою работу вполовину обычной скорости и лишь с частицей обычной увлеченности. Когда работники собрались вечером на чай, один взялся нам спеть, но его песня меня не развеселила. Мною завладело чувство, что это мне наставили рога. Я был уверен, что теперь-то ее власть надо мной ослабнет.

Но утром я проснулся, а она осталась прежней, и вновь подчинились ей мои владенья, от пола до потолка, просачиваясь сквозь стены, словно паром напитывая воздух, которым я дышал. Все втуне, господин Маркос.

Не могу сказать, когда именно окреп этот замысел.

Может, тем ветреным осенним утром, когда я подавал Ниле чай, склонился, отрезая ей кусок *роата*, а радио у нее на подоконнике сообщило, что грядущая зима 1952 года окажется, вероятно, даже суровее предыдущей. А может, и раньше — в тот день, когда я возил ее в дом с ярко-розовыми стенами, или, может, еще прежде — когда я держал ее за руку в автомобиле, а она плакала.

Как бы то ни было, стоило этой мысли прийти мне в голову, как ее оттуда уже было не выкинуть.

Позвольте отметить, господин Маркос, что совершил я все это. с почти чистой совестью и с убеждением, что мое предложение порождено доброй волей и честными побужденьями. Пусть поначалу будет больно — недолго, — зато потом это приведет к долгосрочному большему благу. Но были у меня и менее достойные, эгоистичные мотивы. Главный из них: я дам Ниле то, что ни один мужчина — ни ее муж, ни хозяин большого розового дома — не смог бы.

114

Сперва я поговорил с Сабуром. В свою защиту скажу следующее: если бы я думал, что Сабур примет у меня деньги, я с радостью отдал бы их вместо своего предложения. Я знал, деньги ему нужны — он рассказывал мне, с каким трудом находит работу. Я бы попросил у господина Вахдати свою зарплату авансом, чтобы Сабур смог обеспечить семью на зиму. Но Сабур, как и многие мои соотечественники, страдал гордыней — недугом презренным и непобедимым. Он ни за что не принял бы у меня деньги. Женившись на Парване, он положил конец даже тем небольшим вспоможеньям, которые я ей предоставлял. Он — мужчина и сам обеспечит свою семью. От этого и помер, не дожив до сорока, — свалился на поле сахарной свеклы, собирал ее где-то под Багланом. Говорят, помер с резаком в покрытых волдырями, кровоточивших руках.

Сам я отцом не был и не претендую на понимание, сколь мучительные размышления привели Сабура к решению. Не ведал я и о его переговорах с четой Вахдати. Раскрыв замысел Ниле, я лишь попросил ее, чтобы в обсуждениях с господином Вахдати она представила эту идею как свою, а не мою. Я знал, что господин Вахдати воспротивится. Я никогда не видел в нем и проблеска отцовского инстинкта. Я вообще полагал, что его решение жениться на Ниле укрепилось именно ее неспособностью рожать детей. Как бы то ни было, я держался подальше от напряженностей, что существовали меж ними. Ложась спать, вспоминал лишь внезапные слезы, просочившиеся у Нилы из глаз, когда я все ей рассказал, и как она взяла обе мои руки в свои и смотрела на меня с благодарностью и — не сомневался — с чем-то вроде любви. Я думал лишь о том, что предложил

115

ей дар, какой мужчины с куда большими возможностями не смогли бы. Размышлял лишь о том, как полно отдался ей — и как счастливо. А еще воображал, надеялся — глупо, разумеется, — что, может, она сумеет увидеть во мне большее, нежели просто верного слугу.

Когда господин Вахдати наконец поддался, — что не удивило меня, поскольку Нила была женщиной колоссального упорства, — я уведомил Сабура и предложил привезти его и Пари в Кабул. Никогда я не смогу постичь, почему он решил идти с дочерью из Шадбага пешком. Или почему разрешил Абдулле пойти с ними. Может, Сабур желал побыть с дочерью еще хоть немного. А может — наказать себя тяготами пути. Или же, может, то была гордыня Сабура: не поедет он в машине человека, собравшегося купить у него дочь. Но в конце концов все трое, пропыленные, ждали меня у мечети, где мы условились. Пока вез их к дому Вахдати, старался выказывать приветливость — ради детей, не ведавших о своей судьбе и об ужасной сцене, что ожидала своего часа.

Нет особой нужды пересказывать ее подробно, господин Маркос, все произошло *в точности* так, как я опасался. Но все эти годы я чувствую, как сжимается мое сердце, когда память о тех событиях прорывается наружу. А как иначе? Я этих двух беспомощных детей, в ком выражалась любовь простейшего и чистейшего свойства, отнял друг у друга. Никогда не забуду, какой воцарился хаос чувств. Перепуганная Пари вцепилась мне в плечо, брыкалась и орала: *Аболла! Аболла!* — а я утаскивал ее прочь. Абдулла выкрикивал имя сестры, пытался вырваться из рук отца. Нила с вытаращенными глазами прикрыла рот обеими ладонями — возможно, пыталась сдержать собственный крик. Все это тяготит меня. Столько времени прошло, господин Маркос, а оно все еще тяготит.

Пари тогда было почти четыре, но, несмотря на юный возраст, кое-какие силы, действовавшие на ее жизнь, потребовали пересмотра. Например, ей велели не называть меня больше *кака* Наби, а просто Наби. Ее ошибки деликатно поправляли, в том числе и я сам, до той поры, пока она не уверилась, что между нами нет никакой связи. Я стал для нее поваром Наби и шофером Наби. Нила стала «маман», а господин Вахдати — «папа́». Нила взялась учить Пари французскому — родному языку ее матери.

Прохладца, с какой встретил Пари господин Вахдати, длилась недолго, до того как — вероятно, к его собственному изумлению, — девочкина слезная тревожность и тоска по дому не обезоружили его. Вскоре Пари уже гуляла вместе с нами по утрам. Господин Вахдати сажал ее в коляску и катал по округе. Или брал к себе на колени в автомобиле и терпеливо улыбался, пока Пари жала на клаксон. Он нанял плотника, чтоб тот соорудил для Пари кроватку на колесиках, с тремя выдвижными ящиками, кленовый сундук для игрушек и маленький гардероб. Всю мебель в ее комнате покрасили в желтый — как только господин Вахдати узнал, что это любимый цвет Пари. А однажды я увидел, как он сидит, скрестив ноги, перед гардеробом, рядом — Пари, и с замечательной искусностью рисует на дверках жирафов и мартышек. Это столь о многом говорит применительно к его замкнутой особе, господин Маркос, — все эти годы я наблюдал, как он делает наброски, но впервые воочию зрил его работы.

Благодаря появлению Пари дом Вахдати впервые, среди прочего, стал смахивать на приличный семейный. Связанные любовью к Пари, Нила и ее муж теперь ели только вместе. Они гуляли с Пари в парке по соседству, вместе сидели на скамейке и смотрели за ее играми. Подав вечером чай и убрав со стола, я частенько глядел, как тот или другая читают Пари детские книжки, а та устраивается у них на коленях, с каждым днем все больше забывая о своей прошлой жизни в Шадбаге и о тамошних людях.

Но не ожидал я другого следствия прибытия Пари: я отошел на второй план. Не судите строго, господин Маркос, и помните, что был я молод, но, признаюсь, питал надежды — пусть и глупые. А с моей помощью Нила стала матерью. Я обнаружил источник ее несчастья и доставил противоядие. Думал ли я, что мы теперь станем любовниками? Хотел бы я сказать, что настолько глуп не был, господин Маркос, но сие оказалось бы не совсем честным. Подозреваю, правда в том, что все мы ждем, когда, невзирая ни на что непреодолимое, с нами произойдет нечто исключительное.

Однако предположить, что померкну совсем, я не мог: Пари поглотила время Нилы. Занятия, игры, сон, прогулки, снова игры. Наши ежедневные разговоры съехали на обочину. Если они с ребенком играли в кубики или складывали мозаику, Нила едва замечала, что я принес ей кофе, что я все еще в комнате, стою, вытянувшись во фрунт. Когда же мы все-таки разговаривали, она будто становилась рассеянной и всегда торопилась сократить беседу. В машине сидела с отстраненным видом. Из-за этого, признаюсь, хоть мне и стыдно, я чувствовал тень обиды на племянницу.

Часть соглашения с Вахдати состояла в том, что семье Пари не разрешили посещений. Им запретили какие бы то ни было контакты с ней. Однажды, вскоре после того как Пари переехала к Вахдати, я навестил Шадбаг. Привез по небольшому подарку Абдулле и малышу моей сестры, Икбалу.

Сабур сказал мне напряженно:

— Подарки ты раздал. Тебе пора уезжать.

Я сказал ему, что не понимаю причин столь холодного приема и его грубости со мной.

— Еще как понимаешь, — сказал он. — И не надо считать, что ты должен сюда ездить и навещать нас.

Он был прав, я понимал. Между нами усиливалось охлаждение. Мой визит оказался неловким, напряженным, почти ссорой. Противоестественно было нам теперь сидеть вместе, потягивать чай и болтать о погоде или хороший ли в этом году уродился виноград. Мы с Сабуром изображали нормальность, а ее более не было. Как ни крути, я — орудие раскола семьи. Сабур не желал меня видеть, и я его понимал. Я прекратил свои ежемесячные посещения. Никого из них я с тех пор не видел.

Однажды ранней весной 1955-го, господин Маркос, произошло то, что навсегда изменило жизни всех обитателей нашего дома. Помню, шел дождь. Не такой отвратительный, что выгоняет лягушек квакать, а нерешительная морось, она то начиналась, то прекращалась все утро. Я помню это оттого, что садовник Захид, неизлечимый лодырь, оперся на грабли и сказал, что на сегодня хватит — погода паршивая для работы. Я уже собрался к себе в хижину, лишь бы подальше от его чепухи, и тут услышал, как Нила кричит мое имя из дома.

Я бросился через двор. Голос доносился сверху, из хозяйской спальни.

Нила забилась в угол, вжавшись в стену, прикрыв рот ладонью.

— С ним что-то не так, — сказала она, не отнимая руки ото рта.

Господин Вахдати в белой нательной сорочке сидел на постели. Издавал странные утробные звуки. Лицо его побледнело и вытянулось, волосы взъерошены. Он тщетно пытался произвести некое действие правой рукой, и я с ужасом заметил, что из угла рта у него текут слюни.

— Наби! Сделай что-нибудь!

Пари, которой тогда уже было шесть, вошла в комнату и бросилась к господину Вахдати, потянула его за сорочку:

— Папá? Папá? — Он взглянул на нее вытаращенными глазами, рот у него то открывался, то закрывался. Пари закричала.

Я быстро вскинул ее на руки и передал Ниле. Велел ей унести ребенка в другую комнату, потому что не следует дочери видеть отца в таком состоянии. Нила сморгнула, словно вышла из транса, перевела взгляд с меня на Пари, прежде чем потянуться к ней. Она все спрашивала и спрашивала, что стряслось с ее мужем. Все говорила и говорила, что я должен что-нибудь сделать.

Я из окна позвал Захида, и в кои-то веки этот бездельник наконец пригодился. Он помог мне натянуть на господина Вахдати пижамные брюки. Мы подняли его с кровати и отнесли вниз, уложили на заднее сиденье машины. Нила уселась рядом. Я велел Захиду оставаться дома и приглядывать за Пари. Он начал было возражать, и я его стукнул наотмашь по голове — со всей силы. Сказал ему, что он осел и чтоб делал, что ему говорят.

После чего я выкатился на улицу и погнал.

Лишь через две полные недели мы привезли господина Вахдати обратно. Воцарился хаос. Семейство наводнило дом. Я заваривал чай и готовил еду почти круглосуточно — кормил дядюшку, или двоюродного брата, или пожилую тетушку. Дни напролет звенел колокол над воротами, по мраморным полам гостиной цокали каблуки, а в прихожей бубнили голоса — люди все текли и текли в дом. Бо́льшую часть я у нас видел редко и понимал, что все они толпятся тут в основном из почтения к громоздкой мамаше господина Вахдати, нежели чтоб навестить замкнутого больного человека, с которым имели крайне поверхностную связь. Сама она — мать, — разумеется, тоже прибыла. Без собак, к счастью. Она ворвалась в дом с носовым платком в каждой руке — промокать покрасневшие глаза и мокрый нос. Она угнездилась у постели и принялась реветь. К моему ужасу, вся она была одета в черное, будто сын ее уже умер.

В некотором смысле так оно и было. По крайней мере, умер он прежний. Половина лица господина Вахдати обратилась в застывшую маску. Ноги почти не слушались. Он мог двигать левой рукой, а правая превратилась в рыхлое мясо на кости. Изъяснялся он теперь невнятными хриплыми рыками и стонами.

Врач сказал нам, что господин Вахдати переживает все эмоции, как и до инсульта, и все понимает, но действовать в связи с этими чувствами и мыслями не может — по крайней мере, пока.

Так-то оно так, да не вполне. Уже через неделю с небольшим он вполне отчетливо проявил свои чувства к посетителям, включая мать. Даже так сильно болея, он остался глубоко уединенным существом. И не было ему прока от их жалости, горестных мин и удрученных качаний головой о том, сколь жалкое зрелище он теперь представляет. Они входили к нему, а он махал действующей левой рукой — сердито гнал их вон. Они заговаривали с ним, а он воротил лицо. Присаживались у его постели, а он стискивал простыни, рычал и колотил кулаком по бедру, покуда они не убирались вон. Пари он прогонял столь же настойчиво, однако нежнее. Она приходила играть в куклы у его постели, а он умоляюще смотрел на меня влажными глазами, подбородок у него трясся, и я выводил ее из комнаты; он даже не пытался с ней разговаривать, ибо знал, что его речь ее расстраивает.

Великий наплыв посетителей оказался для Нилы спасением. Когда дом кишел людьми, Нила пряталась наверху, в спальне Пари, вместе с дочерью — к негодованию свекрови, которая, несомненно, ожидала, и тут ее не в чем упрекнуть, что Нила обязана оставаться у постели ее сына, хотя бы ради приличия. Разумеется, Ниле было начхать на приличия и на то, что о ней могут подумать. А подумать было много чего. «Что она за жена?» — не раз слышал я от ее свекрови. Она жаловалась всем подряд, кто желал слушать, что Нила — бессердечная, у нее вместо души пустое место. Муж нуждается в ней, а она что? Что же это за жена такая, если бросает своего преданного, любящего мужа?

Часть из того, что старуха говорила, было правдой. Конечно, у постели господина Вахдати с наибольшей вероятностью можно было застать меня — я давал ему лекарства, встречал посетителей. Больше всего врач беседовал именно со мной, а значит, меня, а не Нилу люди спрашивали о состоянии господина Вахдати.

Пренебрежение посетителями, выказанное господином Вахдати, избавило Нилу от одних неудобств, но явило другие. Сидя у Пари в комнате, она оставалась вдалеке не только от сварливой свекрови, но и от того, во что превратился ее муж. Наконец дом опустел и возник супружеский долг, к исполнению которого она оказалась поразительно не готова.

Она не смогла.

И не стала.

Я не говорю, что она была жестока или черства. Я прожил долгую жизнь, господин Маркос, и вот что понял: лишь тогда в достатке у человека смирения и сострадательности, когда судит он о внутренних трудах чужого сердца. Но говорю я вот о чем: однажды зашел я в комнату к господину Вахдати и обнаружил, что Нила плачет ему в живот, в руке у нее по-прежнему ложка, а протертый чечевичный *даал* капает у него с подбородка на слюнявчик, повязанный вокруг шеи.

— Позвольте мне, биби-сахиб, — сказал я мягко. Взял у нее ложку, начисто вытер ему рот и взялся было кормить, однако он застонал, зажмурился и отвернулся.

Вскоре я уже спустил по лестнице пару чемоданов и вручил их таксисту, а тот уложил их в багажник машины, работавшей вхолостую. Помог Пари, облаченной в ее любимое желтое пальто, забраться на заднее сиденье.

— Наби, а ты привезешь папа́ навестить нас в Париже, как маман говорит? — спросила она, одарив меня своей щербатой улыбкой.

Я сказал, что, конечно же, так и сделаю, когда ее отец поправится. Поцеловал тыльную сторону обеих ее ладошек.

— Биби Пари, я желаю тебе удачи, и я желаю тебе счастья, — сказал я.

Я встретил Нилу на входных ступенях, глаза у нее распухли, тушь потекла. Она заходила к господину Вахдати попрощаться.

Я спросил, как он себя чувствует.

— Мне кажется, полегчало, — сказала она, а потом добавила: — Хотя, быть может, я обольщаюсь.

Она застегнула молнию на сумочке, перекинула ремешок через плечо.

— Никому не говори, куда я уехала. Так лучше.

Я пообещал, что не буду.

Она сказала, что скоро напишет. А потом долго глядела на меня, и мне показалось, что я увидел в ее глазах подлинную любовь. Она коснулась моего лица рукой:

— Я счастлива, Наби, что ты с ним.

И тут она приблизилась вплотную и обняла меня, прижавшись щекой к моей щеке. Я вдохнул запах ее волос, ее духов.

— Это был ты, Наби, — сказала она мне на ухо. — Это с самого начала был ты. Не знал?

Я не понял. Но она выпустила меня из объятий прежде, чем я успел спросить. Склонила голову и, цокая каблуками по асфальту, поспешила по аллее к воротам. Скользнула на заднее сиденье такси рядом с Пари, взглянула на меня еще раз, прижав ладонь к стеклу. Ее белая ладонь в окне отъезжающего такси — вот и все, и больше мы не виделись.

Я смотрел, как она уезжает, подождал, когда машина свернет в конце улицы, и лишь после этого закрыл ворота. Затем оперся на них и заплакал, как дитя.

Вопреки желанию господина Вахдати кое-какие посетители все же просачивались в дом — по крайней мере, еще какое-то время. В конце концов из навещающих осталась лишь его мать. Она приходила где-то раз в неделю. Щелкала мне пальцами, я придвигал кресло, и не успевала она плюхнуться у сыновней постели, как начинался монолог, состоявший из оскорблений, которыми она поливала его отбывшую теперь жену. Шлюха. Врушка. Пьяница. Трусиха, сбежавшая невесть куда, когда ее муж так в ней нуждается. Эту часть господин Вахдати выслушивал в молчании, безразлично взирая через ее плечо в окно. Далее следовал непрерывный поток новостей, в основном банальных до боли. Двоюродная сестра поссорилась со своей сестрой, потому что ей, ее сестре, хватило наглости купить в точности такой же кофейный столик, как у нее. У кого спустило колесо по дороге домой из Пагмана в прошлую пятницу. У кого какая новая прическа. Без конца. Временами господин Вахдати что-то хрипел, и его мать поворачивалась ко мне:

— Эй. Что он сказал? — Она всегда обращалась ко мне в такой манере, и слова ее были резки и угловаты.

Я проводил у его постели почти весь день и постепенно выучился разбираться в таинствах его речи. Приблизив к нему ухо, я мог разобрать то, что для остальных было нечленораздельными стонами или бормотаньем, как просьбу напоить его, или подать судно, или перевернуть с боку на бок. Я фактически стал его переводчиком.

— Ваш сын говорит, что хотел бы поспать.

Старуха вздыхала: дескать, вот и ладно, ей и самой тоже пора. Склонялась к нему, целовала в лоб и обещала вскоре прийти снова. Проводив ее до ворот, где ожидал ее шофер, я возвращался к господину Вахдати, усаживался на табурет рядом с кроватью, и

125

мы вместе упивались молчанием. Иногда его взгляд перехватывал мой, он качал головой и криво улыбался.

Поскольку работы, на которую меня наняли, стало совсем немного — я ездил лишь за продуктами раз-два в неделю, а готовить приходилось всего на двоих, — я не видел смысла платить другим слугам за работу, которую сам мог проделать. Я высказал это соображение господину Вахдати, и он махнул мне рукой. Я склонился к нему.

— Ты вымотаешься.

— Нет, сахиб. Буду счастлив все делать.

Он спросил, уверен ли я, и я подтвердил, что да.

Глаза его намокли, пальцы слабо сомкнулись у меня на запястье. Никогда я не знал большего стоика, чем он, но после инсульта даже самые обыденные вещи выводили его из себя, тревожили, вызывали слезы.

— Наби, послушай.

— Да, сахиб.

— Плати себе какую хочешь зарплату.

Я сказал, что нам нет нужды об этом говорить.

— Ты же знаешь, где я храню деньги.

— Отдохните, сахиб.

— Наплевать сколько.

Я сказал, что подумываю сделать на обед *шорву*.

— Как вам *шорва*? Я бы и сам, честно говоря, с удовольствием.

Я положил конец вечерним сборищам работников. Мне теперь было все равно, что они обо мне подумают, — не приходить им в дом господина Вахдати и не развлекаться за его счет. Я с огромным удовольствием уволил Захида. К тому же избавился от Хазары, прачки. Отныне я сам стирал белье и

126

вешал его на веревки сушиться. Я ухаживал за деревьями, стриг кусты и траву, сажал цветы и овощи. Следил за домом, подметал ковры, полировал мебель, выбивал пыль из портьер, мыл окна, чинил потекшие краны, заменял ржавые трубы.

Однажды я сметал паутину с лепнины в комнате господина Вахдати, покуда он спал. Стояло лето, и жара была злой, сухой. Я стащил одеяла и простыни с господина Вахдати, закатал штанины его пижамы. Открыл все окна; вентилятор на потолке кружился, поскрипывая, но толку от него было мало — жара напирала со всех сторон.

В комнате был довольно большой шкаф, который я давно хотел привести в порядок и вот наконец взялся за дело. Открыл дверцы и принялся перебирать костюмы, стряхивая с каждого пыль, хотя понимал, что хозяин, скорее всего, ни один больше не наденет. Там же нашлись стопки книг, на них тоже собралась пыль, я протер и их. Начистил тряпицей ботинки, выстроил их в аккуратный ряд. А еще я нашел большую картонную коробку, почти скрытую от глаз подолами длинных зимних пальто. Вытащил ее на свет, открыл. Она была битком набита старыми альбомами господина Вахдати, один поверх другого, — печальная память его прежней жизни.

Я открыл верхний альбом на случайной странице. И едва устоял на ногах. Я пролистал его весь. Отложил, взял следующий, а за ним — еще один. Страницы мелькали у меня перед глазами, каждая овевала мое лицо тихим вздохом, и каждая запечатлела одно и то же лицо, нарисованное угольным карандашом. Вот я вытираю крыло машины, если глядеть на меня из спальни на втором этаже. Вот я налегаю на лопату рядом с верандой. На тех листах я завязывал шнурки, рубил дрова, поливал кусты, наполнял чаем чашки, молился, спал. На них была машина, оставленная на берегу озера Каргха, я — за рулем, окно открыто, рука у меня свисает наружу, на заднем сиденье — смутная фигура, а над нами чертят круги птицы.

Это был ты, Наби.

Это всегда был ты.

Не знал?

Я взглянул на господина Вахдати. Он крепко спал, лежа на боку. Я осторожно сложил альбомы обратно в коробку, накрыл ее крышкой и засунул в тот же угол, под зимние пальто. Затем вышел из комнаты, тихонько прикрыв дверь, чтобы не разбудить его. Прошел по сумрачному коридору, спустился по лестнице. Я все шел. Выбрался в жару летнего дня, прошагал по аллее, толкнул ворота, двинулся по улице, завернул за угол и продолжил идти, не оглядываясь.

Как мне теперь оставаться? — думал я. От сделанного открытия не было ни противно, ни лестно, господин Маркос, однако я расстроился. Попытался представить, как останусь, зная то, что теперь знал. На всем теперь лежала пелена того, что я обнаружил в коробке. От такого не убежишь, не отпихнешь в сторону. Но как же я его брошу в таком беспомощном состоянии? Никак — по крайней мере, пока не найду кого-нибудь подходящего для выполнения моих обязанностей. Я должен был господину Вахдати хотя бы это, потому что он всегда был добр ко мне, тогда как я, наоборот, суетился за его спиной, добиваясь благосклонности его жены.

Я вернулся в гостиную и долго сидел там за стеклянным столиком с закрытыми глазами. Не могу сказать, сколько времени я провел без движения, господин Маркос, но услышал, как наверху завозились, открыл глаза, увидел, что свет дня поменялся, и отправился ставить чайник.

Однажды я поднялся к нему и сказал, что у меня есть сюрприз. Случилось это в конце 1950-х, задолго до того, как до Кабула добралось телевидение. Мы коротали дни за картами, а позднее — за шахматами: он обучил меня игре, и, как выяснилось, я имел к ней некоторую склонность. Также мы уделяли довольно много времени урокам чтения. Он оказался терпеливым наставником. Слушая, как я читаю, он закрывал глаза и легонько покачивал головой, когда я ошибался. *Еще раз*, — говорил он. К тому времени его речь довольно заметно улучшилась. *Прочти заново, Наби.* Меня нанимали в 1947 году более-менее обученным грамоте, спасибо мулле Шекибу, однако наставлениями Сулеймана мои навыки чтения действительно развились, а следовательно, и мое письмо. Все это он делал ради меня, разумеется, но была и некоторая корысть в этих уроках: читать ему книги по его выбору. Он и сам мог, естественно, однако лишь понемногу — быстро уставал.

Если меня отвлекали дела и я не мог быть рядом, ему, в общем, мало чем было заняться. Он слушал пластинки. Часто ему приходилось довольствоваться видом из окна — смотреть на птиц, сидевших на деревьях, на облака. На улице играли дети, а торговцы фруктами водили своих ослов и кричали нараспев: *Вишни! Свежие вишни!*

Когда я сказал ему о сюрпризе, он поинтересовался, что же это. Я подсунул руку ему под шею и сказал, что сначала мы спустимся. В те дни я почти без усилий носил его на руках — был молод и крепок. Я легко поднял его и принес в гостиную, где осторожно положил на диван.

— И? — сказал он.

Из коридора в гостиную я вкатил инвалидное кресло. Целый год я подбивал его на это, но он упрямо отказывался. Я решил взять инициативу в свои руки и купил кресло сам. Он немедленно затряс головой.

— Это вы из-за соседей? — спросил я. — Боитесь, что люди болтать будут?

Он велел мне отнести его обратно.

— Значит, так. Мне плевать, что там подумают или скажут соседи, — заявил я. — И поэтому сегодня мы идем гулять. Прекрасный денек, и мы идем гулять вдвоем, вот и весь сказ. Потому что если не выберемся из этого дома, я сойду с ума, и как ты тогда будешь, если я свихнусь? И вот честно, Сулейман, перестань реветь. Как бабка старая.

Теперь уж он плакал *и* смеялся и все повторял: «Нет! Нет!» — хотя я уже поднял его и усадил в кресло, накрыл одеялом и покатил к входной двери.

Стоит отметить, что я и *впрямь* поначалу искал себе замену. Сулейману я об этом ничего не говорил — подумал, что лучше сначала найти подходящего человека, а уж потом сообщать. Много кто приходил и просился на работу. Я встречался с ними вне дома, чтобы у Сулеймана не возникло подозрений. Но поиск оказался гораздо затруднительнее, чем я ожидал. Некоторые претенденты были явно из того же теста, что Захид; благодаря годам общения с этими типами я таких унюхивал с ходу и тут же им отказывал. Другим не хватало необходимых навыков стряпни — как я уже упоминал, Сулейман был едоком довольно раз-

130

борчивым. Или они не водили машину. Многие не умели читать, а это серьезный недостаток: Сулейман уже привык к нашим вечерним чтениям. Кто-то показался нетерпеливым, а это еще одно важнейшее требование к уходу за Сулейманом: он бывал невыносим, а временами по-детски капризен. Были и такие, которых я счел не обладающими выдержкой, потребной для столь многотрудной задачи.

Прошло три года, а я все еще оставался в доме, по-прежнему убеждая себя, что намерен уйти, как только пойму, что судьба Сулеймана в надежных руках. Прошло три года, а я по-прежнему через день обмывал ему тело влажной тряпицей, брил его, стриг ногти и волосы. Кормил, подкладывал под него судно, подтирал его, как младенца, и полоскал замаранные подгузники, которые сам с него снимал, а потом одевал в чистые. За это время между нами возник невыразимый язык, рожденный близостью и заведенным режимом, и — неизбежно — в наши отношения просочилась прежде немыслимая фамильярность.

Уговорив его на кресло-каталку, я восстановил наш старый ритуал утренних прогулок. Я выкатывал его из дома, и мы шли по улице, здоровались с соседями. Одним был юный господин Башири, недавно окончивший Кабульский университет, он работал в Министерстве иностранных дел. Он, его брат и их жены переехали в большой двухэтажный дом через три номера от нашего. Иногда мы сталкивались с ним, когда он прогревал машину, собираясь утром на работу, и я всякий раз останавливался мило поболтать. Частенько я привозил Сулеймана в парк Шари-Нау, мы усаживались в тени вязов и смотрели на несшуюся мимо жизнь: на таксистов, отбивающих ладони о клаксоны, на звонких велосипедистов, на

131

блеющих ослов, на пешеходов, самоубийственно лезущих под автобусы. К нам с Сулейманом привыкли — и в самом парке, и вокруг него. По дороге домой мы часто добродушно беседовали с мясниками и торговцами журналами, перебрасывались парой слов с юными полицейскими, управлявшими потоком машин. Разговаривали с водителями, опиравшимися о борта автомобилей в ожидании пассажиров.

Иногда я усаживал его на заднее сиденье старенького «шевроле», складывал коляску в багажник, и мы ехали в Пагман, и там я всегда находил нам милое зеленое поле и говорливый ручеек под деревьями. После обеда он пробовал рисовать, но давалось трудно — инсульт поразил его правую руку. И все же левой рукой у него получалось набрасывать деревья, горы и букеты полевых цветов куда изящнее, чем выходило у меня, целого и невредимого. Наконец Сулейман уставал и задремывал, карандаш выскальзывал у него из пальцев. Я прикрывал ему ноги одеялом и укладывался на траву рядом с креслом. Слушал, как ветер цепляет деревья, смотрел в небеса, на полосы скользивших надо мной облаков.

Долго ли, коротко ли, мысли мои уплывали к Ниле, отделенной от меня целым континентом. Я представлял мягкий глянец ее волос, как она болтала ногой, а сандалия шлепала ее по пятке под шепот горящей сигареты. Я вспоминал изгиб ее спины и роскошь груди. Я алкал снова быть с ней рядом, окунуться в ее запах, почувствовать знакомый трепет сердца, когда она касалась моей руки. Она обещала написать, но прошли годы, и она, со всей вероятностью, меня забыла, однако врать и говорить, что не ощущал прилив предвкушения всякий раз, когда в дом приносили корреспонденцию, не буду.

Однажды в Пагмане я сидел на траве и изучал комбинацию на шахматной доске. То было много лет спустя, в 1968-м, через год после того, как умерла мать Сулеймана, и ровно в тот год, когда и господин Башири, и его брат стали отцами, а их мальчиков назвали Идрисом и Тимуром соответственно. Я часто замечал малышей в колясках — их матери выбирались на неспешные прогулки по району. В тот день мы с Сулейманом затеяли шахматную партию, он по ходу ее заснул, а я пытался спасти свое положение, возникшее после его агрессивного открывающего гамбита, и тут он сказал:

— Скажи, Наби, сколько тебе лет?

— Ну, за сорок, — ответил я. — Это точно.

— Я тут подумал — тебе надо жениться, — сказал он. — Прежде чем растеряешь всю красу. Ты уже седеешь.

Мы улыбнулись друг другу. Я сказал ему, что моя сестра Масума когда-то говорила то же самое.

Он спросил, помню ли я день, когда он меня нанял в 1947-м, двадцать один год назад.

А как же, само собой. Я работал, хоть и без радости, помощником повара в доме в паре кварталов от резиденции Вахдати. Когда услыхал, что ему нужен повар, — его прежний женился и съехал — тут же отправился к нему, как-то после обеда, и позвонил в ворота.

— Ты был неимоверно плохим поваром, — сказал Сулейман. — Это сейчас ты творишь чудеса, Наби, но твоя первая трапеза! О Господи. А когда ты впервые сел за руль, я думал, меня удар хватит.

Он примолк, а потом хихикнул собственной неумышленной шутке.

Полная неожиданность, господин Маркос, — прямо потрясение, буквально, поскольку Сулейман за все эти годы ни разу не пожаловался ни на мою стряпню, ни на мои водительские навыки.

— Зачем же ты меня тогда нанял? — спросил я.

Он повернулся ко мне:

— Потому что ты вошел, и я подумал, что никогда не видел никого красивее.

Я уперся взглядом в шахматную доску.

— Я знал, когда встретил тебя, что мы с тобой не пара, что я хочу невозможного. И все же у нас были утренние прогулки, совместные поездки, и не скажу, что мне этого хватало, но все лучше, чем быть совсем без тебя. Я выучился обходиться тем, что ты хотя бы рядом. — Он замолчал, потом продолжил: — И, думаю, ты понимаешь, что я пытаюсь сказать, Наби. Уверен, понимаешь.

Я не мог встретиться с ним взглядом.

— Мне нужно тебе сказать кое-что, хоть раз: я люблю тебя уже очень, очень давно, Наби. Пожалуйста, не сердись.

Я покачал головой: нет. Несколько минут мы оба молчали. Оно дышало меж нами — сказанное им, боль задавленной жизни, в которой никогда не случиться счастью.

— И я говорю это тебе сейчас, — сказал он, — чтобы ты понял, почему я попрошу тебя уйти. Иди, найди себе жену. Заведи свою семью, Наби, как все остальные. У тебя еще есть время.

— Ну, — вымолвил я наконец, желая разрядить напряжение развязностью, — в один прекрасный день я так и сделаю. И ты тогда пожалеешь. Равно как и тот несчастный ублюдок, который будет менять тебе подгузники.

— Вечно ты шутишь.

Я смотрел, как жук легко переползает серо-зеленый лист.

— Не оставайся ради меня. Я вот о чем, Наби. Не оставайся ради меня.

— Ты себе льстишь.

— Вот опять шутки, — выговорил он устало.

Я ничего не сказал, хоть он и был не прав. На сей раз я не шутил. Я оставался уже не ради него. Поначалу — да. Поначалу я остался, потому что был нужен Сулейману, потому что он полностью от меня зависел. Я уже один раз сбежал от человека, нуждавшегося во мне, и раскаяние в этом я унесу с собой в могилу. Проделать это повторно я не мог. Но постепенно, незаметно, мои поводы остаться изменились. Не могу сказать вам, когда или как случилась эта перемена, господин Маркос, но ясно одно: теперь я оставался ради себя. Сулейман сказал, что мне надо жениться. Но все дело в том, что я глядел на свою жизнь и понимал: я уже имею все то, что люди ищут в браке. У меня были удобства, компания и дом, где мне всегда рады, любят, нуждаются во мне. Физические позывы, какие у меня как у мужчины были, — и до сих пор оставались, конечно, хоть возникали реже и с возрастом не так требовательно, — я все еще мог обслуживать, как я уже объяснял. Что же до детей, хоть они мне всегда нравились, я никогда не ощущал в себе понуканья отцовского инстинкта.

— Если же ты намерен быть мулом и не жениться, — сказал Сулейман, — у меня к тебе распоряжение. С условием, которое ты примешь прежде, чем я распоряжусь.

Я ответил, что он не может от меня этого требовать.

— И все-таки.

Я взглянул на него.

— Можешь отказаться.

Он хорошо меня знал. Криво улыбнулся. Я пообещал, и он выдал распоряжение.

Что мне поведать вам, господин Маркос, про следующие годы? Вам отлично известна недавняя история этой бессчастной страны. Нет нужды пересказывать те мрачные дни. Меня утомляет лишь мысль о таком письменном изложении, да и кроме того, о страданиях этой страны уже достаточно летописей, созданных людьми куда ученее и красноречивее моего.

Все это в одном слове: *война*. Или, вернее, — войны. Не одна, не две, а много войн, больших и малых, справедливых и неправедных, войн с переменным составом предполагаемых героев и злодеев, и каждый новый герой заставляет все больше тосковать по старому злодею. Имена менялись, равно как и лица, и я плюю в них в равной мере — за все шкурные распри, за снайперов, за фугасы, бомбежки, ракеты, грабеж, насилие и убийство. Ах, полно! Слишком велика и слишком неприятна эта задача. Я уже прожил те дни и на этих страницах намерен пережить их заново как можно короче. Лишь одно благо усмотрел я в тех временах — свою меру искупления перед малюткой Пари, которая должна была уже стать девушкой. Моей совести легче было от мысли, что она в безопасности, далеко от всех этих смертоубийств.

1980-е, как вы знаете, господин Маркос, обернулись для Кабула не такими ужасными, поскольку бои в основном происходили в провинции. И все же случился исход, и многие семьи из нашего района собра-

136

ли вещи и покинули страну — уехали в Пакистан или Иран, надеясь позднее осесть на Западе. Я живо помню день, когда господин Башири пришел попрощаться. Я пожал ему руку и пожелал всего наилучшего. Попрощался и с его сыном Идрисом, который успел превратиться в высокого щуплого четырнадцатилетку с длинными волосами и персиковым пушком над губой. Я сказал Идрису, что буду очень скучать по нему, по его двоюродному брату Тимуру и по их воздушным змеям и футболу на улице. Вы, наверное, помните, что мы с вами встретили этих братьев через много лет, господин Маркос, когда они уже стали взрослыми мужчинами, — на празднике, что вы устроили в доме весной 2003 года.

А вот в 1990-е бои добрались до города. Кабул пал жертвой людей, выглядевших так, будто они вывалились из своих матерей сразу с «калашниковыми» в руках, господин Маркос, все до единого — вандалы, вооруженные воры с грандиозными титулами, которыми они сами себя величали. Когда полетели ракеты, Сулейман оставался в доме и не желал уезжать. Он упорно отмахивался от сведений о том, что происходит за степами его дома. Он отключил телевизор. Отказался от радио. Не читал газет. Просил не приносить в дом никаких новостей о сражениях. Он едва ли знал, кто с кем воюет, кто побеждает, кто проигрывает, будто надеялся, что если упрямо игнорировать войну, она сделает встречный жест.

Но разумеется, нет. Улица, на которой мы жили, когда-то тихая, чистая, сверкающая, превратилась в зону боевых действий. Пули впивались в каждый дом. Над головами свистели ракеты. Реактивные гранаты падали по всей улице и оставляли кратеры в асфальте. По ночам и до самого рассвета всюду метались красно-белые трассирующие пули. Бывали дни короткой передышки, несколько часов тишины, и вдруг ее нарушал внезапный всплеск огня, пулеметные очереди со всех сторон, крики людей на улице.

Как раз в те годы, господин Маркос, дом понес наибольший урон, какой вы впервые увидели в 2002-м. Конечно, частично причина в прошедших годах и небрежении: я состарился и уже не имел возможности заботиться о доме, как прежде. Деревья погибли — плодов они не давали уже много лет; лужайка пожелтела, цветы зачахли. Но война оказалась безжалостной к некогда прекрасному дому. Окна осыпались из-за близких попаданий гранат. Ракета разнесла в пыль стену восточной части сада, а также половину веранды, где мы с Нилой столько раз беседовали. Граната попортила крышу. Пули изранили стены.

А еще ведь мародерство, господин Маркос. Боевики заходили когда хотели и забирали что нравилось. Они утащили почти всю мебель, картины, туркменские ковры, статуэтки, серебряные подсвечники, хрустальные вазы. Вырезали лазуритовые плитки из столешниц в ванных. Однажды я проснулся от голосов в прихожей. Обнаружил банду узбекских боевиков, кривыми ножами срезавших ковер с лестницы. Я стоял и смотрел. А что я мог сделать? Что им еще один старик с пулей в голове?

Как и дом, мы с Сулейманом приходили в упадок. У меня испортилось зрение, почти все время болели колени. Простите мне эту вульгарность, господин Маркос, но и просто помочиться стало испытанием терпения. Старость ожидаемо поразила Сулеймана сильнее, чем меня. Он усох, стал тощим и поразительно хрупким. Дважды чуть не помер — один раз во время худших боев между группировками Ахмад

Шах Масуда и Гульбеддина Хекматияра, когда трупы не один день лежали на улицах неприбранные. У Сулеймана тогда развилась пневмония — врач сказал, это оттого, что он вдохнул собственную слюну. И врача, и лекарства, которые он прописывал, теперь стало гораздо труднее добыть, но я смог вытащить Сулеймана с самого порога смерти.

Быть может, из-за нашего заключения в доме и близости друг к другу в те дни мы с Сулейманом часто ссорились. Ругались, как женатая пара, — упрямо, горячо и по всякой ерунде.

Ты уже тушил фасоль на этой неделе.

Нет, не тушил.

А вот и тушил. В понедельник!

Раздоры о том, сколько именно шахматных партий мы сыграли накануне. Почему я все время ставлю его питье на подоконник, зная, что оно от солнца нагреется?

Почему ты не попросил судно, Сулейман?

Да попросил, сто раз попросил!

Ты меня кем хочешь обозвать, ленивым или глухим?

Можно не выбирать — и тем и другим!

Тебе хватает наглости называть меня ленивым, и сам валяешься в постели весь день?

И так без конца.

Я пытался его кормить, а он мотал головой. Я оставлял его и хорошенько шваркал дверью. Иногда, признаюсь, я намеренно вынуждал его волноваться. Уходил из дома. Он кричал: *Куда ты?* — а я не отвечал. Делал вид, что ухожу насовсем. Конечно, я просто шел куда-нибудь покурить, — новая привычка, курение, выработалась в поздние годы, хотя курил я, лишь когда сердился. Иногда оставался на улице часами. А если уж он совсем меня допекал, задерживался дотемна. Но всегда возвращался. Не говоря ни слова, заходил в комнату, поворачивал его, взбивал подушку, и мы оба отводили взгляды, оба поджимали губы и ждали, чтобы кто-то первым предложил перемирие.

Наконец бои прекратились и прибыли талибы — востролицые молодые люди с темными бородами, подведенными *кайалом* глазами, с хлыстами. Об их жестокости и бесчинствах также написано достаточно, и я вновь вижу мало причин перечислять их для вас, господин Маркос. Должен сказать, что годы их пребывания в Кабуле оказались для меня, как ни парадоксально, временем облегчения. Они приберегли все свое презрение и рвение для юных, особенно для бедных женщин. Я-то что, я был старик. Мое сотрудничество с режимом свелось к отращиванию бороды, что, честно говоря, избавило меня от тщания ежедневного бритья.

— Все, Наби, теперь это бесповоротно, — насилу выговорил Сулейман из постели, — ты растерял всю красу. Теперь ты похож на пророка.

На улицах талибы проходили мимо меня, будто я — пасущаяся корова. Я содействовал им, намеренно напуская на себя бессловесный коровий вид, лишь бы избегнуть нежелательного внимания. Содрогаюсь при мысли, что они могли бы сделать — и сделали бы — с Нилой. Иногда я вызывал ее образ в уме: как она смеется на светском сборище с бокалом шампанского в руке, ее голые руки, длинные стройные ноги, — мне казалось, я ее придумал. Будто ее никогда не существовало. Будто ничто из прошлого никогда не было настоящим — не только она, но и я, и Пари, и молодой здоровый Сулейман, и даже то время, когда мы жили в доме все вместе.

И вот однажды летним утром 2000 года я вошел к Сулейману с чаем и свежеиспеченным хлебом на тарелке. И тут же понял: что-то случилось. Он хрипло дышал. Лицо его вытянулось гораздо сильнее обычного, а когда он пытался говорить, выходил лишь хрип, едва ли громче шепота. Я поставил тарелку и бросился к нему.

— Я приведу врача, Сулейман, — сказал я. — Ты погоди. Мы тебя вылечим, как всегда.

Собрался уже бежать, но он яростно затряс головой. Позвал меня к себе пальцами левой руки.

Я склонился к нему, самым ухом к его рту.

Он сделал несколько попыток сказать что-то, но я не смог ничего разобрать.

— Прости, Сулейман, — сказал я, — пусти меня, я пойду за врачом. Я недолго.

Он вновь потряс головой, на этот раз медленно, из затянутых бельмами глаз полились слезы. Он открывал и закрывал рот. Мотнул головой к прикроватной тумбочке. Я спросил, лежит ли там что-то, ему необходимое. Он закрыл глаза и кивнул.

Я открыл верхний ящик. Ничего там не увидел — таблетки, очки для чтения, старый флакон туалетной воды, блокнот, угольный карандаш, за который он не брался годами. Я собрался спросить его, что же мне там найти, как сразу нашел — под блокнотом. Конверт с моим именем, нацарапанным неловким почерком Сулеймана. Внутри оказался лист бумаги, на котором был написан один абзац.

Я глянул на Сулеймана, на его запавшие виски, острые скулы, опустевшие глаза.

Он вновь позвал меня, и я склонился к нему. Почувствовал его холодное, надсадное, неровное дыханье у себя на щеке. Я слышал, как трудится его язык в пересохшем рту, покуда Сулейман собирается с силами. И вот — быть может, одним лишь усилием воли, последним, — он смог прошептать мне в ухо.

Из меня вылетел весь воздух. Я пропихивал слова мимо кома, застрявшего у меня в горле.

— Нет. Сулейман, пожалуйста.

Ты обещал.

— Не теперь. Я тебя вылечу. Вот увидишь. Мы выдюжим, как всегда это у нас было.

Ты обещал.

Сколько я просидел с ним? Как долго пытался торговаться? Не могу сказать, господин Маркос. Помню только, что наконец встал, обошел кровать и лег рядом с ним. Перекатил его лицом к себе. Он показался легким, как сон. Я поцеловал его в сухие, растрескавшиеся губы. Положил подушку между его лицом и своей грудью, взял его за затылок. Держал его долго, прижимал к себе.

Помню, как расширились у него потом зрачки.

Я отошел к окну, сел, Сулейманова чашка с чаем — по-прежнему на тарелке у моих ног. Помнится, было солнечное утро. Скоро откроются магазины — если уже не открылись. Мальчишки побегут в школу. Уже поднималась пыль. Собака лениво брела по улице, у нее над головой вилось темное облако мошкары. Я смотрел, как два молодых человека проехали мимо на мотоцикле. Тот, что ехал сзади пассажиром, примостил компьютерный монитор на одно плечо, арбуз — на другое.

Я прижался лбом к теплому стеклу.

Записка от Сулеймана, что я нашел у него в ящике, — его завещание, по которому он оставил мне всё. Дом, деньги, личные вещи, даже машину, хотя она уже давно сгнила. Ее скелет все еще стоял в саду на спущенных шинах — погнутый остов проржавевшего металла.

Сколько-то я был вполне буквально потерян — что же мне теперь делать с собой? Больше полувека я ухаживал за Сулейманом. Мое ежедневное существование подладилось под его нужды, его общество. Теперь я был волен делать что хочу, но обнаружил, что свобода эта призрачна: то, чего жаждал я более всего, у меня отняли. Говорят, найди, дескать, назначение в жизни и исполняй его. Но бывает так, что лишь после того, как прожил жизнь, осознаешь, что имел назначение, причем такое, что и не приходило тебе в голову. И вот теперь, исполнив свое назначение, я ощутил бесцельность и брошенность на произвол судьбы.

Я обнаружил, что не могу больше спать в доме — я едва мог в нем находиться. Без Сулеймана он вдруг стал слишком большим. И каждый угол, каждый закуток и трещина вызывали могучие воспоминания. Вот я и перебрался в старую лачугу в дальнем углу двора. Заплатил рабочим, и они провели туда электричество — чтоб я мог читать при свете и включать вентилятор в летнюю жару. Места же мне много не требовалось. Мои пожитки сводились к кровати, коекакой одежде и коробке с рисунками Сулеймана. Вам, наверное, это может показаться странным, господин Маркос. Да, по закону весь дом и все в нем принадлежало теперь мне, но я не чувствовал себя хозяином всего этого — и знал, что никогда не почувствую.

Я довольно много читал — те книги, что забрал из старого кабинета Сулеймана. Всякий раз, прочтя, возвращал книгу на место. Посадил помидоры, несколько ростков мяты. Гулял, недалеко, но колени часто принимались болеть, не успевал я миновать и пары кварталов, и приходилось возвращаться. Иногда я вытаскивал стул в сад и просто сидел, без всякого дела. В отличие от Сулеймана я одиночества не любил.

И вот однажды в 2002 году в ворота позвонили вы.

Талибов к тому времени уже выгнал Северный Альянс, в Афганистан пришли американцы. Тысячи работников международных служб помощи слетались в Кабул со всего мира строить больницы и школы, чинить дороги и дренажные системы, обеспечивать афганцев продовольствием, кровом, работой.

Переводчик, сопровождавший вас, был юным местным, облаченным в яркий пурпурный пиджак и очки от солнца. Он попросил позвать хозяина дома. Когда я сказал, что он говорит с хозяином дома, вы быстро обменялись взглядами. Он ухмыльнулся и сказал:

— Нет, *кака*, с хозяином.

Я пригласил вас обоих на чай.

Последовавшая далее беседа, что мы вели на уцелевшей части веранды, попивая зеленый чай, происходила на фарси — я немного выучил английский, господин Маркос, за следующие семь лет, в основном благодаря вашему водительству и щедрости. Через переводчика вы сказали, что сами с Тиноса, это такой греческий остров. Вы — хирург, из группы медиков, прибыли в Кабул оперировать детей, пострадавших от ранений в лицо. Вы сказали, что вам с коллегами нужно жилье, *гостевой дом*, как они теперь называются.

Вы спросили, сколько я хочу за аренду.

Я ответил:

— Ничего.

Помню, как вы сморгнули, когда молодой человек в пурпурном пиджаке перевел, что я сказал. Вы повторили свой вопрос, возможно полагая, что я неверно вас понял.

Переводчик заерзал на стуле и подался ко мне. Заговорил доверительно. Спросил, не прокис ли у меня мозг и представляю ли я, сколько ваша группа готова заплатить, и знаю ли я, сколько сейчас стоит аренда в Кабуле? Он сказал, что я сижу на золоте.

Я велел ему снять очки, когда он разговаривает со старшим. После чего приказал делать свое дело, то есть переводить, а не раздавать советы, затем повернулся к вам и предъявил ту из причин, что не была моей личной:

— Вы оставили свою родину, — сказал я, — своих друзей, семью и приехали в этот забытый богом город помогать моей родине и моим землякам. Как я могу извлекать из вас выгоду?

Юный переводчик, которого я больше с вами не видел, вскинул руки и в отчаянии хихикнул. Эта страна изменилась. Она не всегда была такой, господин Маркос.

Иногда по ночам я лежу в темном уединенном жилище своем и смотрю на огни в большом доме. Смотрю на вас и ваших друзей — особенно на храбрую госпожу Амру Адемович, чьим громадным сердцем я восхищаюсь безмерно, — на веранде или во дворе, как вы едите пищу из тарелок, курите сигареты, пьете ваше вино. Музыку мне тоже слышно, иногда это джаз, и он напоминает мне о Ниле.

Она уже мертва, сие мне известно. Я узнал об этом от госпожи Амры. Я рассказал ей о Вахдати и

145

о том, что Нила была поэтом. Она обнаружила французское издание в компьютере. Они издали в интернете антологию лучшего за последние сорок лет. И там было про Нилу. Сообщалось, что она умерла в 1974 году. Я представил тщету моих надежд всех этих лет — надежд на письмо от женщины, которая уже была мертва. Я не слишком удивился, узнав, что она лишила себя жизни. Теперь-то я знаю, что некоторые люди ощущают свою несчастность, как другие — любовь: уединенно, остро, беспомощно.

Позвольте завершить, господин Маркос.

Близок мой час. Я слабею с каждым днем. Уже недолго осталось. Благодарю Господа за это. И благодарю вас, господин Маркос, — не только за вашу дружбу, за то, что находили время каждый день навещать меня, пить со мной чай и рассказывать мне новости о вашей матери на Тиносе и о вашей подруге детства Талии, но еще и за сострадание к моему народу и бесценную помощь местным детям.

Спасибо также за ремонт, что вы производите в этих владеньях. Я прожил здесь почти всю жизнь, это мой дом, и, уверен, совсем скоро под его крышей я испущу последний вздох. На моих глазах этот дом разрушался — к моему ужасу и печали. И сколько же было мне радости смотреть, как его перекрасили, как восстановили садовую стену, заменили окна, поправили веранду, где я провел счастливых часов без счета. Спасибо вам, друг мой, за посаженные деревья и за цветы, что вновь расцвели в саду. Если я хоть чем-то помог вам в том, что вы делаете для людей в этом городе, то все, столь великодушно сделанное вами с этим домом, — более чем достаточная плата.

Однако, рискуя показаться жадным, я все же возьму на себя смелость попросить вас о двух вещах:

одной — для меня самого и одной — для другого человека. Во-первых, прошу вас похоронить меня на кладбище Ашукан-Арефан, это здесь, в Кабуле. Уверен, вы его знаете. Пройдите на север от главного входа и, если немного поглядите вокруг, обнаружите могилу Сулеймана Вахдати. Подыщите для меня участок поблизости и захороните на нем. Это все, о чем я прошу для себя.

А вторая — когда меня не станет, попытайтесь найти мою племянницу Пари. Если она еще жива, найти ее, может, нетрудно: интернет — чудесный инструмент. В конверте вы также найдете мое завещание, по которому я оставляю ей дом, деньги и мои немногие пожитки. Прошу вас передать ей и это письмо, и завещание. И пожалуйста, скажите ей, скажите, что я не могу знать мириад последствий, которые я породил. Скажите ей, что утешаюсь только надеждой. Надеждой на то, быть может, что где бы она сейчас ни была, она обрела весь покой, благодать, любовь и счастье, какие дает этот мир.

Благодарю вас, господин Маркос. Да хранит вас Господь.

Вечно ваш друг

Наби

Глава пятая

Весна 2003-го

Тимура с Идрисом медсестра по имени Амра Адемович предупредила. Оттащила их в сторонку и сказала:

— Если покажете реакцию, даже мало, она огорчается, а я вас выгоняю.

Они стоят в конце длинного, плохо освещенного коридора в мужском крыле больницы «Вазир Акбархан». Амра сказала, что у девочки остался всего один родственник — ну или один посетитель, ее дядя, — и если бы ее поместили в женском крыле, его туда не пустили бы. И поэтому персонал определил ее в мужское, но, конечно, не в палату — неприлично девочке быть в одной комнате с чужими мужчинами, — а сюда, в конец коридора, на немужскую и неженскую территорию.

— А я-то думал, талибы ушли из города, — говорит Тимур.

— Кошмар, ну? — говорит Амра, растерянно хихикнув. За ту неделю, что Идрис пробыл в Кабуле после возвращения сюда, он обнаружил, что среди работников международных гуманитарных служб такое вот веселое отчаяние — обычное дело: им приходилось лавировать между неловкостями и причудами афганской культуры. Его смутно обижает взятое ими на себя право на жизнерадостную издевку, на снисхождение, хотя местные, судя по всему, и не замечают, а если замечают, то считают оскорблением, поэтому ему лучше тоже не замечать.

— Но *вас*-то пускают. Вы-то заходите, когда хотите, — возражает Тимур.

Амра выгибает бровь:

— Я не в счет. Я не афганец. Так что я ненастоящая женщина. Вы, что ли, не знаете?

Не пристыженный Тимур ухмыляется:

— Амра. Польское имя?

— Боснийское. Никакой реакции. Это больница, не зоопарк. Вы давайте обещание.

Тимур говорит:

— Я даваю обещание.

Идрис взглядывает на медсестру, забеспокоившись, что это поддразнивание, чуть дерзкое и зряшное, может ее обидеть, но, похоже, Тимура пронесло. Идрис в двоюродном брате эту способность и не любит, и завидует ей. Он всегда считал Тимура грубияном, лишенным воображения и утонченности. Он знает, что Тимур обманывает и свою жену, и налоговые службы. В Штатах у Тимура агентство ипотечной недвижимости — Идрис уверен, что он завяз по пояс в какой-то ипотечной афере. Но Тимур такой общительный, и его промахи начисто искупает веселый нрав, несокрушимое дружелюбие и обольстительная невинность, так сближающая его с людьми. Да и смазливости ему хватает — мускулистое тело, зеленые глаза, улыбка с ямочками. Идрис считает, что Тимур — взрослый мужчина с привилегиями ребенка.

— Хорошо, — говорит Амра. — Ладно. — Она отдергивает простыню, приколоченную к потолку, — импровизированную занавеску — и впускает их.

Девочка — Роши, как назвала ее Амра, сокращенное от «Рошана», — выглядит на девять, может, на десять лет. Она сидит на железной кровати спиной к стене, колени подтянуты к груди. Идрис тут же опускает взгляд. Задавливает «ох» прежде, чем тот вырвется наружу. Как и ожидается, подобная сдержанность Тимуру не по силам. Он цокает языком и все повторяет «ой-ёй-ёй!» громким болезненным шепотом. Идрис взглядывает на Тимура и не удивляется, что на глазах у него театрально дрожат слезы.

Девочка подергивается и кряхтит.

— Так, все, мы сейчас пошли, — резко говорит Амра.

Снаружи, на осыпающейся входной лестнице, медсестра вытягивает пачку красных «Мальборо» из нагрудного кармана бледно-голубой формы. Тимур, у которого слезы просохли так же быстро, как возникли, берет сигарету, прикуривает и себе, и ей. Идриса подташнивает, голова кружится. Рот пересох. Беспокоится, что сейчас его вырвет и он опозорится, подтвердит мнение Амры о нем, о них, богатых наивных беженцах, что вернулись домой потаращиться на последствия бойни, оставленные злыми бабайками.

Идрис думал, что Амра их отчитает, — во всяком случае, Тимура, — но она скорее заигрывала, нежели ругалась. Такое уж действие Тимур производил на женщин.

— Ну что, — говорит она кокетливо, — что скажешь за себя, Тимур?

В Штатах Тимур проходит под именем «Тим». Он сменил имя после 9 сентября и заявляет, что из-за этого у него дела пошли вдвое лучше. Отбросив эти две буквы, он уже сделал для своей карьеры больше, чем мог бы дипломом колледжа, сказал он Идрису, — если б Тимур окончил колледж, чего не случилось, а вот Идрис — академическое достижение семьи Башири. Но вот приехали они в Кабул, и Идрис услыхал, что брат представляется Тимуром. Вполне безобидное двурушничество — считай, необходимое. Но все равно раздражает.

— Прошу прощения за то, что там случилось, — говорит Тимур.

— Может быть, я тебя наказую.

— Полегче, котя.

Амра переводит взгляд на Идриса.

— Ну. Этот — ковбой. А ты, ты тихий, чувствительный. Ты — как это называется? — *интроверт*.

— Он врач, — говорит Тимур.

— А? Тебе потрясение прямо, наверное. Эта больница.

— Что с ней произошло? — спрашивает Идрис. — С Роши. Кто с ней это сотворил?

Лицо у Амры темнеет. Когда она заговаривает, в голосе слышится материнская решимость.

— Я воюю за нее. Я воюю правительство, больничную бюрократию, ублюдка нейрохирурга. Каждый шаг я воюю за нее. И я не останавливаюсь. У нее есть никто.

Идрис говорит:

— Я так понял, у нее есть дядя.

— Тоже ублюдок. — Она стряхивает с сигареты пепел. — Ну. Зачем вы сюда приезжаете, мальчики?

151

Тимур бросается объяснять. В общих чертах говорит правду. Что они двоюродные братья, их семьи убежали, когда пришли советские войска, они прожили год в Пакистане, а потом, в начале восьмидесятых, обустроились в Калифорнии. Что они впервые за двадцать лет вернулись на родину. Но тут он добавляет, что они приехали, чтобы «восстановить связь», «просветиться», «засвидетельствовать» последствия стольких лет войны и разрухи. Они собираются вернуться в Штаты и там, по его словам, привлечь внимание общественности и деньги, чтобы «воздать».

— Мы хотим воздать, — говорит он, выговаривая эту истрепанную фразу с такой серьезностью, что Идрису неловко.

Разумеется, Тимур не излагает подлинную причину их возвращения в Кабул: вернуть собственность, принадлежавшую их отцам, дом, в котором · они с Идрисом провели первые четырнадцать лет жизни. Стоимость недвижимости сейчас взлетела до небес, поскольку сотни работников гуманитарных служб прибыли в Кабул и нуждались в жилье. Днем они съездили к дому, в котором сейчас обитала разношерстная группа измотанных солдат Северного Альянса. Уходя от дома, они встретили человека средних лет, жившего в трех домах от них, через дорогу, — пластического хирурга из Греции по имени Маркос Варварис. Он пригласил их пообедать и предложил показать больницу «Вазир Акбар-хан», где находилась контора НКО, на которую работал. Заодно позвал их на вечеринку — в тот же вечер. Они узнали про девочку, лишь прибыв в больницу, — подслушали, как двое санитаров обсуждают ее на крыльце, после чего Тимур толкнул Идриса в бок и сказал: *Это надо зацепить, братан.*

Амре, похоже, Тимурова история скучна. Она отстреливает сигарету в сторону, затягивает резинку на кудрявых светлых волосах, собранных в пучок.

— Ну. Я вижу вас на вечеринке?

В Кабул их отправил отец Тимура, дядя Идриса. За последние двадцать лет войны семейный дом Башири переходил с рук на руки много раз. Восстановиться в правах владения стоит денег и времени. Тысячи дел по спорам за недвижимость уже заполонили местные суды. Отец Тимура сказал им, что в одиозно медлительной, громоздкой бюрократической системе Афганистана им придется «поманеврировать» — эвфемизм, обозначающий «найти и подмазать кого надо».

— Это будет по моей части, — сказал Тимур, будто это имело смысл обсуждать.

Отца Идриса не стало девять лет назад — после затяжной борьбы с раком. Он умер в своем доме, рядом с ним были жена, две дочери и Идрис. Когда он скончался, толпа народа хлынула в дом — дядья, тети, двоюродные, друзья и приятели, все расселись на диванах, на стульях, а когда мест не осталось — на полу и на лестнице. Женщины собрались в гостиной и в кухне. Варили чай, термос за термосом. Идрису, как единственному сыну, предстояло подписать все бумаги медицинского эксперта, засвидетельствовавшего смерть отца, а также вежливого молодого человека из похоронного бюро, прибывшего с носилками забрать отцово тело.

Тимур не оставлял его ни на миг. Помогал Идрису отвечать на звонки. Приветствовал орды людей, что приехали попрощаться. Заказал рис и баранину в «Кебаб-хаусе Эйба», местном афганском ресторане, где работал друг Тимура Абдулла, которого Тимур игриво называл *дядей Эйбом*. Тимур парковал машины пожилых гостей, когда зарядил дождь. Он позвонил одному своему приятелю с местного афганского телеканала. В отличие от Идриса, Тимур находился в отличных связях с афганской общиной: он как-то сказал Идрису, что в телефоне у него список из трехсот имен. Организовал объявление на афганском телевидении — в тот же вечер.

Тогда Тимур отвез Идриса в похоронное бюро в Хейуорде. К тому времени уже лило как из ведра, поток машин на север по трассе 680 еле полз.

— Твой отец, братан, он был суперкласс. Старая гвардия, — прохрипел Тимур, сворачивая к Миссии. И все вытирал глаза свободной рукой.

Идрис мрачно кивнул. Всю свою жизнь он не мог плакать на публике, даже когда это ожидалось, — на похоронах, например. Он считал это малой формой ущербности, вроде дальтонизма. И все же смутно — понимая, что это неразумно, — обижался на Тимура: тот затмил его своей беготней по дому и театральными рыданьями. Можно подумать, это *у него* отец умер.

Их проводили в слабо освещенную тихую комнату с тяжелой темной мебелью. Встретил их человек в черном пиджаке и с прямым пробором. От него пахло дорогим кофе. Профессиональным тоном он выразил Идрису свои соболезнования, подписал у него распоряжение о погребении и доверенность. Спросил, сколько копий свидетельства о смерти потребно его семье. Когда все было оформлено, он тактично положил перед Идрисом буклет под названием «Общий прейскурант».

Управляющий похоронного бюро откашлялся.

— Разумеется, эти цены не имеют силы, если ваш отец состоял в общине Афганской мечети в Миссии. У нас с ними партнерство. Они заплатят и за участок, и за услуги. Все включено.

— Понятия не имею, состоял он или нет, — сказал Идрис, изучая буклет. Отец был религиозен, это он знал наверняка, однако не набожен публично. Пятничные молитвы посещал редко.

— Оставить вас на минутку? Можете позвонить в мечеть.

— Не, чувак. Незачем, — сказал Тимур. — Не состоял он.

— Вы уверены?

— Да, был у нас разговор.

— Ясно, — сказал директор.

На улице они выкурили по сигарете рядом с внедорожником. Дождь прекратился.

— Грабеж средь бела дня, — сказал Идрис.

Тимур сплюнул в лужу темной дождевой воды.

— Смерть — хороший бизнес вообще-то, как ни крути. Всегда есть спрос. Язви его, выгоднее, чем тачками торговать.

В то время Тимур был совладельцем конторы по продаже подержанных машин. Она прогорала — и вполне споро, покуда Тимур в нее не влез вместе с одним своим другом. Менее чем за два года они превратили эту затею в доходное предприятие. *Сам всего добился,* — любил говорить отец Идриса о своем племяннике. Идрис же меж тем получал нищенскую зарплату, заканчивая второй курс ординатуры по терапевтической медицине в Университете Калифорнии в Дэйвисе. Он уже год был женат, и супруга его Нахиль батрачила по тридцать часов в неделю секретаршей в юридической фирме и готовилась к экзаменам в юридическую школу.

— Я в долг беру, — сказал Идрис. — Понимаешь, Тимур, да? Я тебе все отдам.

— Не парься, братан. Как скажешь.

Не в первый и не в последний раз Тимур выручал Идриса. Когда Идрис женился, Тимур подарил ему на свадьбу новый «форд-эксплорер». Тимур выдал кредит, когда Идрис с Нахиль покупали квартирку в Дэйвисе. В семье он был любимым дядей всех детишек. Если бы Идрис оказался в ситуации *одного звонка*, он почти наверняка набрал бы номер Тимура.

И тем не менее.

Идрис обнаружил, к примеру, что в семье все знают, что он берет в долг. Тимур доложил. А на свадьбе Тимур прервал певца, сделал объявление, и ключи от «эксплорера» подали Идрису и Нахиль со всей церемонностью — аж на подносе, на глазах у завороженной публики. Засверкали фотовспышки. Вот чего опасался Идрис — фанфар, всеобщего обозрения, бесстыдного шоуменства, бравады. Ему не нравилось так думать о родиче, который ближе всего к братству, но Идрису казалось, что Тимур сам себе писал пресс-релизы, а его щедрость, подозревал Идрис, — расчетливый трюк изощренной продуманности.

Идрис и Нахиль как-то раз вечером слегка повздорили о Тимуре, застилая постель свежим бельем.

Все хотят нравиться, — сказала она. — *Ты разве нет?*

Допустим, но я за это не намерен платить.

Она сказала, что он несправедлив, да и неблагодарен — после всего, что Тимур для них сделал.

Ты не понимаешь, Нахиль. Я вот о чем: вешать на рекламную доску свои добрые дела — пошло. Делать такие вещи надо тихо, с достоинством.

156

Доброта — это больше, чем подписывать чеки на публике.

М-да, — сказала Нахиль, натягивая простыню, — *это, конечно, очень важно, милый.*

— Чувак, я помню это место, — говорит Тимур, глядя на дом. — Как там звали хозяина?

— Что-то такое Вахдати, кажется, — отвечает Идрис. — Забыл имя.

Он вспоминает, сколь бесчисленно раз играли они детьми на улице перед этими воротами, и лишь сейчас, десятилетия спустя, проходят внутрь — впервые.

— Господь и пути Его, — бормочет Тимур.

Обычный двухэтажный дом, но, найдись такой по соседству от Идриса в Сан-Хосе, товарищество собственников жилья взбесилось бы. Однако по кабульским стандартам — шикарная собственность, с высокими стенами, металлическими воротами и широкой подъездной аллеей. Внутрь их проводит вооруженный охранник, и Идрис замечает, что от дома, как и от многого виденного в Кабуле, веет былым величием — сквозь разруху, что с ним случилась, хоть и обильны знаки ее: дырки от пуль и трещины в прокопченных стенах, здоровенные куски выбитой штукатурки и оголившиеся под ней кирпичи, засохшие кусты вдоль аллеи, голые деревья в саду, пожелтевшая лужайка. Половины веранды, выходящей на задний двор, нет вчистую. Но, как и во многом в Кабуле, здесь видны и знаки медленного, нерешительного возрождения. Кто-то начал перекрашивать дом, посадил розовые кусты в саду, недостающий фрагмент восточной стены возведен заново, хоть и слегка неуклюже. К уличной стене дома прислонена лестница, из чего Идрис делает вывод, что чинят крышу.

Восстановление веранды, судя по всему, тоже началось.

Они встречаются с Маркосом в прихожей. У него редеющие седые волосы и светло-голубые глаза. На нем серые афганские одеяния, вокруг шеи элегантно намотана черно-белая *куфия*. Он приводит их в шумную комнату, где сильно накурено.

— Есть чай, вино и пиво. Или вам чего покрепче?

— Пьем все, что наливают, — сказал Тимур.

— О, вы мне нравитесь. Вон, около магнитофона. Лед, кстати, безопасен. Из воды в бутылках.

— Слава богу.

Тимур на таких сборищах — как рыба в воде, и Идрис не может не восхищаться легкостью его манер, шутками-прибаутками и уверенным обаянием. Он следует за Тимуром к бару, где тот наливает им из рубиново-алой бутылки.

Человек двадцать гостей сидят на подушках по всей комнате. Пол застелен винно-красным афганским ковром. Интерьер изыскан, со вкусом, Идрис это стал называть про себя «экспатским шиком». Тихонько поет Нина Симон. Все пьют, почти все — курят, разговаривают о новой войне в Ираке и что это может значить для Афганистана. Телевизор в углу настроен на «Си-эн-эн Интернэшнл», звук выключен. Ночной Багдад в агонии «шока и трепета» озаряется зелеными вспышками.

У них в стаканах водка со льдом, к ним подходят Маркос и пара немцев с серьезными лицами — они работают на Всемирную продовольственную программу. Как и многие гуманитарные работники, каких Идрис встречал в Кабуле, они слегка пугают своей бывалостью — ничем их, кажется, не проймешь.

Идрис говорит Маркосу:

— Красивый дом.

— Скажите это хозяину в таком случае.

Маркос уходит в другой угол и приводит тощего пожилого человека. Густая шевелюра «соль с перцем» зачесана со лба назад. Коротко подстриженная борода, впалые щеки почти беззубого человека. На нем потертый, сильно не по размеру оливковый костюм, какой был в моде, может, году в 1940-м. Маркос улыбается старику с откровенным обожанием.

— Наби-джан? — вопит Тимур, и тут Идрис его тоже вспоминает.

Старик застенчиво улыбается в ответ:

— Простите, мы раньше встречались?

— Я Тимур Башири, — говорит Тимур на фарси. — Моя семья жила на этой же улице!

— О Господь всемогущий! — У старика перехватывает дыхание. — Тимур-джан? А вы, должно быть, Идрис-джан?

Идрис кивает, улыбается.

Наби обнимает обоих. Целует их в улыбающиеся щеки, разглядывает, не веря глазам своим. Идрис помнит, как Наби катал по улице своего хозяина, господина Вахдати, в инвалидном кресле. Иногда останавливался на тротуаре, и они вдвоем смотрели, как Идрис с Тимуром играют в футбол с соседскими детьми.

— Наби-джан живет в этом доме с 1947 года, — говорит Маркос, обнимая Наби за плечи.

— Так вы теперь *владеете* этим домом? — спрашивает Тимур.

Наби улыбается, увидев изумление у Тимура на лице.

— Я служил господину Вахдати с 1947 по 2000 год, до самой его смерти. Он по доброте своей отписал мне дом, да.

— Он *отдал* его вам, — говорит Тимур ошалело. Наби кивает:

— Да.

— Видимо, вы были обалденным поваром!

— А вы, если позволите, были тот еще проказник, насколько я помню.

Тимур похохатывает:

— Далась мне эта стезя добродетели, Наби-джан. У меня для этого есть двоюродный братец.

Маркос, крутя вино в бокале, говорит Идрису:

— Нила Вахдати, жена предыдущего хозяина, была поэтом. Даже слегка известным, как выясняется. Слыхали о ней?

Идрис качает головой:

— Я лишь помню, что она уже уехала из страны, когда я родился.

— Она жила в Париже с дочерью, — говорит Томас, один из немцев, — умерла в 1974-м. Самоубийство, думаю. У нее были проблемы с алкоголем — ну или так пишут, по крайней мере. Кто-то дал мне переводы ее раннего сборника на немецкий, год или два назад, и мне они показались довольно славными. Поразительно сексуальными, насколько я помню.

Идрис кивает, вновь чувствуя себя не в своей тарелке — на сей раз из-за того, что иностранец просветил его в отношении афганского сочинителя. Он слышит, как в паре шагов от него Тимур оживленно обсуждает с Наби арендные цены. На фарси, разумеется.

— Вы представляете вообще, сколько могли бы запросить за такой дом, Наби-джан? — говорит он старику.

160

— Да, — отвечает Наби, кивает, смеется. — Я в курсе цен в городе.

— Да вы этих ребят могли обобрать!

— Ну...

— А вы их пускаете за так.

— Они приехали помогать нашей стране, Тимур-джан. Оставили свои дома и приехали. Неправильно будет, если я их, как вы выразились, «оберу».

Тимур стонет, выхлебывает остаток питья.

— Ну, либо вы терпеть не можете деньги, старина, либо вы куда лучше меня как человек.

Амра заходит в комнату, облаченная в темно-синюю афганскую рубаху поверх линялых джинсов.

— Наби-джан! — восклицает она.

Наби слегка ошалевает, когда она расцеловывает ему щеки и берет его под ручку.

— Я обожаю этого человека, — заявляет она всем. — И я обожаю его смущать.

Это она говорит Наби — на фарси. Тот качает головой и смеется, чуть краснея.

— Может, и меня смутишь? — говорит Тимур.

Амра постукивает ему в грудь:

— Этот — прямо беда.

Они с Маркосом целуются три раза в щеку, по-афгански, потом — с немцами.

Маркос берет ее за талию:

— Амра Адемович. Самая работящая женщина Кабула. Не злите эту девушку. И к тому же она вас всех перепьет.

— Проверим? — говорит Тимур и тянется за стаканом на баре позади себя.

Старик Наби с извинениями удаляется.

Еще час или около того Идрис общается с гостями — ну или пытается. Уровень алкоголя в бутылках падает, а разговоры делаются громче. Идрис слышит немецкую, французскую и, вероятно, греческую речь. Он выпивает еще водки, догоняется тепловатым пивом. В одной группе он собирается с мужеством и вбрасывает анекдот про муллу Омара, который он выучил на фарси дома в Калифорнии. Но шутка плохо переводится на английский, и пересказывать ее мучительно. Никому не смешно. Он перебирается к другим, слушает разговор об ирландском пабе, что скоро откроется в Кабуле. Есть общее мнение, что долго паб не протянет.

Он обходит комнату с теплым пивом в руках. Никогда ему не было просто на таких сборищах. Пытается занять себя изучением интерьера. Постеры Бамианских Будд, состязаний бузкаши, гавани греческого острова под названием Тинос. Никогда не слыхал о таком. Он замечает в прихожей фотографию — черно-белую, мутноватую, словно сделанную самодельным фотоаппаратом. На нем девочка с длинными черными волосами, спиной к объективу. Пляж, она сидит на камне лицом к океану. Нижний левый угол снимка будто бы подпален.

На ужин — баранья нога с розмарином, нашпигованная зубчиками чеснока. Салат с козьим сыром и паста с соусом песто. Идрис накладывает себе немного салата и ковыряет его, засев где-то в углу. Замечает Тимура с двумя юными симпатичными голландками. Прием поклонниц, думает Идрис. Взрыв хохота, одна из девушек трогает Тимура за коленку.

Идрис выходит с вином на веранду, усаживается на деревянную скамейку. Стемнело, веранда освещена лишь парой голых лампочек, свисающих с потолка. Отсюда ему открывается вид на некое жилье в глубине сада, силуэт машины — большой, длинной, старой, скорее всего американской, судя по контурам. Модель сороковых или, может, начала пятидесятых, не разобрать, да Идрис и не спец по машинам. А вот Тимур с ходу бы вычислил — и модель, и год производства, и объем двигателя, и все функции. Машина, похоже, стоит на одних ободах. Собака по соседству выдает стаккато тявканья. В доме кто-то поставил Леонарда Коэна.

— Тихий и Чуткий.

Амра садится рядом, лед звякает у нее в стакане. Ноги босы.

— Твой двоюродный Ковбой, прямо душа компании.

— Неудивительно.

— Он очень симпатичный. Женат?

— С тремя детьми.

— Беда. Веду себя хорошо, раз так.

— Уверен, он от этого только расстроится.

— У меня есть правила, — говорит она. — Он тебе нравится не очень.

Идрис говорит ей, почти честно, что Тимур ближе всего к тому, что называется «брат».

— Но он тебе делает неловко.

Это правда. Рядом с Тимуром ему и впрямь неловко. Тимур ведет себя как образцово-показательный отвратительный афганоамериканец, думает Идрис. Разгуливает по разоренному войной городу, будто здешний, фамильярно шлепает местных по спинам, зовет их «брат», «сестра», «дядя», устраивает целое представление, раздавая деньги нищим из этой своей «бакшишной котомки», как он ее называет, шутит со старухами, которых зовет «мать», уговаривает рассказать их историю на видео, а сам натягивает личину эдакой сокрушенности, делает вид, что он с ними одно, будто никуда не уезжал, будто не тягал штангу

163

в «Голдз» в Сан-Хосе, накачивая себе грудь и живот, когда людей тут закидывали бомбами, убивали, насиловали. Это лицемерно и пошло. И Идриса поражает, почему никто не видит это кривлянье насквозь.

— Это неправда — то, что он тебе сказал, — говорит Идрис. — Мы сюда приехали, чтобы восстановить права на дом наших отцов. Вот и все. И ничего больше.

Амра хмыкает:

— Конечно, я знаю. Думаешь, меня надурили? Я в этой стране имела дело с боевыми командирами и талибами. Все видала. Ни от чего мне шок. Ничем никому меня не надурить.

— Воображаю.

— Ты честный, — говорит она. — Ты зато честный.

— Я просто считаю, что эти люди прошли через такое, что нам их следует уважать. Под «мы» я понимаю нас с Тимуром. Нам повезло, не при нас здесь всё бомбили к чертям. Мы — не эти люди. И нам нельзя прикидываться ими. И мы *не имеем права* на их истории... Меня понесло.

— Понесло?

— Говорю какой-то бред.

— Нет, я понимаю, — говорит она. — Ты говоришь, что их истории — это подарок тебе.

— Подарок. Да.

Они выпивают еще вина. Разговаривают еще сколько-то, и это для Идриса первый честный разговор с тех пор, как он прибыл в Кабул, — без тонкой издевки, без неявного упрека, ощущаемого от местных, от правительственных чиновников, от этих вот гуманитарных работников. Он спрашивает ее о работе, и она рассказывает, что служила в ООН в Косово,

164

в Руанде после геноцида, в Колумбии, в Бурунди. Работала с детьми-проститутками в Камбодже. В Кабуле она уже год, третий срок, на сей раз — с маленьким НКО, прикрепленным к больнице, а еще они организовали мобильную клинику по понедельникам. Два раза была замужем, разведена, детей нет. Идрису трудно угадать ее возраст, хотя, пожалуй, Амра моложе, чем выглядит. Увядающий блеск красоты, грубая сексуальность — несмотря на желтеющие зубы и мешки усталости под глазами. Через четыре-пять лет, думает Идрис, и этого не останется.

И тут она говорит:

— Хочешь знать, как случилось с Роши?

— Ты не обязана рассказывать, — отвечает он.

— Думаешь, я пьяная?

— А ты пьяна?

— Немножко, — отвечает. — Но ты честный парень. — Она мягко похлопывает его по плечу — с легкой игривостью. — Ты спрашиваешь узнать по правильным причинам. Для других афганцев, как ты, которые афганцы с Запада, это — как это говорите? — глазовать.

— Глазеть.

— Да.

— Как на порнографию.

— Но, может, ты хороший парень.

— Если расскажешь, — говорит он. — Приму как подарок.

И она рассказывает.

Роши жила с родителями, двумя сестрами и маленьким братом в деревне в трети пути между Кабулом и Баграмом. В пятницу месяц назад ее дядя, старший брат отца, приехал навестить их семью. Почти год между отцом Роши и ее дядей шла вражда

165

за собственность, где жили Роши и ее семья: эту землю дядя считал своей по праву — он же старший брат. Но отец передал ее младшему — любимому — сыну. Правда, в тот день, когда дядя явился в гости, все шло хорошо.

— Он говорит, он приехал прекратить воевать.

Готовясь к встрече, мать Роши забила двух кур, наварила большой котел риса с изюмом, купила свежие гранаты на рынке. Когда дядя прибыл, они с отцом Роши поцеловались и обнялись. Отец Роши так крепко обнял брата, что аж оторвал его от ковра. Мать Роши плакала от облегчения. Семья устроилась есть. Все просили второй добавки, а за ней — третьей. Все наелись граната. А затем был чай с тянучками. Дядя попросил разрешения выйти в туалет на двор.

А вернулся он с топором в руках.

— Каким дерево рубят, — говорит Амра.

Первым удар получил отец Роши.

— Роши сказала, что отец даже не успел понять, что происходит. Ничего не видел.

Один удар по шее, сзади. Чуть не отрубил голову начисто. Дальше наступил черед матери. Роши видела, как мать пыталась защититься, но несколько ударов в голову и в грудь — и тишина. Дети уже кричали и убегали. Дядя погнался за ними. Роши увидела, как одна сестра несется в прихожую, но дядя поймал ее за волосы и прижал к полу. Другая сестра успела добежать. Дядя погнался за ней, и Роши слышала, как он выбивает дверь в спальню, крики, затем — тишина.

— Ну, Роши, она решить сбегать с маленьким братом. Бегут из дома, бегут к дверям, а они закрыты. Дядя закрыл, конечно.

Они побежали на задний двор, от паники и отчаяния забыв, вероятно, что калитки наружу там нет, никакого выхода, а стены слишком высокие, не перелезть. Когда дядя вылетел из дома и погнался за ними, Роши увидела, как ее пятилетний брат прыгает в *тандыр*, а там всего час назад мать пекла хлеб. Роши слышала, как он кричит в огне, и тут споткнулась и упала. Она повернулась на спину как раз вовремя — увидела синее небо и падающий топор. А потом ничего.

Амра умолкает. Внутри Леонард Коэн поет вживую «Кто огнем».

Даже если б он мог говорить — а сейчас никак, — Идрис не знал бы, что тут уместно сказать. Может, выразил бы свою бессильную ярость, если б это устроили талибы, или «Аль-Каида», или какой-нибудь маньяк-моджахед. Но тут не свалишь на Хекматияра, муллу Омара, бин Ладена, Буша и его «Войну с террором». Обыденная, бытовая причина резни делает ее кошмарнее, намного тоскливее. Приходит на ум слово *бессмысленный*, но Идрис отметает его. Люди всегда так говорят. *Бессмысленный акт насилия. Бессмысленное убийство.* Как будто можно совершить осмысленное убийство.

Он думает о девочке Роши в больнице, свернувшейся калачиком под стеной: пальчики на ногах поджаты, детское выражение лица. Трещина в макушке ее обритой головы, а из нее выпирает поблескивающая масса мозга, с кулак величиной, будто узел на сикхском тюрбане.

— Она сама тебе это рассказала? — спрашивает он наконец.

Амра тяжело кивает:

— Она помнит очень ясно. Каждую деталь. Она может рассказать тебе каждую деталь. Желаю, чтобы она может забыть, потому что плохие сны.

— А с братом что случилось?

— Слишком много ожогов.

— А дядя?

Амра пожимает плечами.

— Они говорят — будь осторожна, — говорит она. — В моей работе они говорят — будь осторожна, будь профессионал. Нехорошо привязываться. Но Роши и я...

Тут музыка вдруг умолкает. Опять вырубили электричество. Несколько мгновений темно, один лунный свет. Идрис слышит, как люди в доме ворчат. Быстро оживают галогеновые фонари.

— Я воюю за нее, — говорит Амра. Взгляда не поднимает. — Я не останавливаюсь.

На следующий день Тимур с немцами едет в город Исталиф, известный своими гончарнями.

— Давай с нами.

— Я останусь, почитаю, — отвечает Идрис.

— В Сан-Хосе почитаешь, братан.

— Мне надо отдохнуть. Я, похоже, перебрал вчера вечером.

Немцы забирают Тимура, Идрис лежит некоторое время на кровати, смотрит на поблекший рекламный плакат шестидесятых, висящий на стене: четверка улыбчивых светловолосых туристов шагает по берегу озера Банде-Амир — пережиток его кабульского детства, еще до войны, до развала. После полудня отправляется гулять. Обедает кебабом в маленьком ресторане. Трудно есть с удовольствием: чумазые детские лица обращены к нему через стекло, смотрят, как он обедает. Невыносимо. Идрис признает, что Тимуру с этим проще, чем ему. Тимур устраивает из этого игру. Как сержант на плацу, свистит нищую ребятню, выстраивает в очередь и извлекает из «бакшишной котомки» несколько банкнот. Вручает каждому по одной, всякий раз щелкает каблуками и салютует. Дети обожают эту забаву. Салютуют в ответ. Зовут его «кака». Иногда виснут у него на ногах.

После обеда Идрис ловит такси и просит отвезти его в больницу.

— Но сначала заедем на базар.

Он несет коробку по коридору, мимо граффити на стенах, мимо палат с пластиковыми занавесками вместо дверей, мимо шаркающего босыми ногами старика с повязкой на глазу, мимо пациентов, лежащих в удушающе жарких комнатах без лампочек. Всюду кислый запах тел. В конце коридора он останавливается перед шторой, прежде чем отдернуть ее. Чувствует, как екает сердце при виде ребенка — девочка сидит на краю кровати. Перед ней на коленях Амра, чистит ей зубки.

На другой стороне кровати сидит худощавый, обожженный солнцем мужчина, у него всклокоченная борода и колючие темные волосы. Когда появляется Идрис, он быстро вскакивает, прикладывает ладонь к груди и кланяется. Идриса вновь поражает, как легко местные вычисляют озападнившихся афганцев, как запах денег и могущества наделяет его в этом городе незаслуженным почтением. Человек говорит Идрису, что он — дядя Роши, по материнской стороне.

— Ты вернулся, — говорит Амра, обмакивая зубную щетку в чашку с водой.

— Надеюсь, это ничего.

— Почему нет, — говорит она.

169

Идрис прокашливается.

— *Салаам, Роши.*

Девочка взглядывает на Амру — за разрешением. Говорит она нерешительным, тонким шепотом.

— *Салаам.*

— Я принес тебе подарок.

Идрис ставит коробку, открывает. Глаза у Роши оживляются: Идрис достает маленький телевизор и видеомагнитофон. Показывает четыре фильма, которые он ей купил. В основном в магазине были индийские или приключенческие киношки, с восточными единоборствами, — Джет Ли, Жан-Клод Ван Дамм, все фильмы со Стивеном Сигалом. Но ему удалось найти «Инопланетянина», «Четвероногого малыша», «Историю игрушек» и «Стального гиганта». Он все их смотрел со своими детьми.

Амра спрашивает у Роши на фарси, какой фильм она хочет смотреть. Роши выбирает «Стального гиганта».

— Тебе понравится, — говорит Идрис. Ему, оказывается, трудно смотреть на нее. Взгляд постоянно сползает на ужас у нее на голове — на блестящую шишку мозговой ткани, на сетку вен и капилляров.

В этом конце коридора нет розеток, Амра какое-то время ищет удлинитель — и вот наконец появляется картинка на экране, и губы Роши разъезжаются в улыбке. В этой улыбке Идрис видит, как мало он знает о мире, даже в свои тридцать пять, — о его дикости, жестокости и безграничном зверстве.

Амра уходит к другим пациентам, Идрис садится рядом с Роши на кровать и смотрит с ней фильм. Дядя — молчаливое, непроницаемое присутствие. На середине фильма отключают электричество. Роши принимается плакать, дядя склоняется, дотягивается

170

до нее со стула и грубо хватает за руку. Шепчет ей на пуштунском, обрывисто, резко, Идрис не знает этого языка. Роши отшатывается, пытается вырваться. Идрис смотрит на ее маленькую ручонку, утонувшую в дядиной хватке с побелевшими костяшками.

Идрис надевает куртку:

— Я завтра еще приду, Роши, и мы посмотрим другое кино, если захочешь. Хорошо?

Роши сворачивается в комок под одеялом. Идрис смотрит на дядю, представляет, что бы Тимур с ним сделал, — Тимур, в отличие от Идриса, не способен сдерживать простые эмоции. «Дай мне десять минут с этим человеком», — сказал бы он.

Дядя провожает его. На лестнице он ошарашивает Идриса:

— Тут настоящий пострадавший — я, сахиб. — Он, вероятно, уловил выражение лица Идриса и поэтому добавляет: — Конечно же, она пострадала. Но и я тоже, вот что. Сами понимаете, вы же афганец. Но иностранцы эти, они не понимают.

— Мне надо идти, — говорит Идрис.

— Я — *маздур*, простой рабочий. Я зарабатываю доллар или два в хороший день, сахиб. И у меня самого пятеро детей. Один — слепой. А теперь еще это. — Вздыхает. — Иногда я думаю — да простит меня Господь, — говорю себе, может, Аллаху следовало дать Роши... ну, вы понимаете. Было бы лучше. Потому что я вас спрашиваю, сахиб, какой мальчик теперь на ней женится? Она никогда себе мужа не найдет. И кто тогда о ней позаботится? Придется мне. Вечно.

Идрис понимает, что загнан в угол. Достает кошелек.

— Чем можете, сахиб. Не для меня, конечно. Для Роши.

Идрис вручает ему пару купюр. Дядя смаргивает, смотрит на деньги. Начинает было:

— Две... — но захлопывает рот, словно опасаясь, что Идрис поймет свою ошибку.

— Купите ей приличную обувь, — говорит Идрис и спускается по ступенькам.

— Аллах благослови вас, сахиб, — кричит ему вслед дядя. — Вы хороший человек. Добрый, хороший человек.

Идрис является и на следующий день, и после. Вскоре это входит в обычай, и он проводит с Роши каждый день. Узнает всех санитаров по имени, медбрата, который обслуживает первый этаж, уборщика, тощих усталых охранников у ворот больницы. Он держит свои посещения в тайне, насколько может. Когда звонил домой, Нахиль о Роши не рассказывал. Тимуру он тоже не говорит, куда ходит, почему не ездит с ним в Пагман или на встречу с чиновником из Министерства внутренних дел. Но Тимур все равно узнаёт.

— Молодец, — говорит. — Достойно поступаешь. — Умолкает, а потом добавляет: — Только осторожней.

— В смысле — перестать туда ходить?

— Мы через неделю уезжаем, братан. Не стоит ее к себе слишком привязывать.

Идрис кивает. Размышляет, не ревнует ли его Тимур — хоть слегка — к Роши, а может, даже обиделся, что Идрис лишил его такой шикарной возможности изобразить героя. Вот Тимур появляется, как при замедленной съемке, из горящего здания с ребенком на руках. Толпа вопит от восторга. Идрис намерен не дать Тимуру выпендриваться за счет Роши.

172

И все же Тимур прав. Они через неделю возвращаются домой, а Роши уже зовет его «кака Идрис». Если опаздывает, она волнуется. Обвивает его за талию, по лицу — волна облегчения. Его посещений она ждет больше всего, сама ему сказала. Когда смотрят кино, она иногда вцепляется ему в руку обеими своими. Когда не с ней, он часто думает о светлых золотистых волосках у нее на руках, о ее узких светло-карих глазах, хорошеньких ступнях, круглых щечках, о том, как она складывает подбородок в чашечку ладоней, когда он читает ей детские книги, что купил в книжном магазине рядом с французским лицеем. Несколько раз он вскользь представил, как привезет ее в Штаты, как она сойдется с его мальчишками, Заби и Лемаром. В этом году они с Нахиль обсуждали возможность третьего ребенка.

— Что дальше? — спрашивает Амра накануне его запланированного отъезда.

В тот день Роши подарила Идрису картинку на листе больничной медкарты: две фигурки из палочек вместе смотрят телевизор. Он ткнул в ту, что с длинными волосами.

Это ты?

А это ты, кака Идрис.

У тебя были длинные волосы? Раньше?

Мне сестра их причесывала каждый вечер. Она знала, как надо, чтоб не больно.

Она хорошая была сестра.

Когда они отрастут, ты можешь причесывать.

Наверное, мне понравится.

Не уезжай, кака. Не уезжай.

— Такая милая девочка, — говорит он Амре. Так и есть. Воспитанная, скромная. Немного виновато думает он о Заби и Лемаре, давно признавшихся в нелюбви к их афганским именам, о том, что они быстро превращаются в маленьких тиранов, в капризных американских детей, а они с Нахиль клялись, что таких никогда не вырастят.

— Борец, — говорит Амра.

— Да.

Амра прислоняется к стене. Двое санитаров спешат мимо, толкают каталку. На ней мальчик с пропитанной кровью повязкой на голове и с какой-то открытой раной на бедре.

— Другие афганцы из Америки, из Европы, — говорит Амра, — приходят, делают фотографию. Видео. Обещают. А потом едут домой и показывают семьям. Будто она зоопарковый зверь. Я позволяю, потому что думаю, может, помогут. Но забывают. Потом от них не слыхать. Я спрашиваю опять, что дальше?

— Ей нужна операция? — говорит он. — Я готов ее организовать.

Она смотрит на него нерешительно:

— У нас в сети есть нейрохирургическая больница. Я поговорю с начальником. Мы организуем ее перелет в Калифорнию, сделаем операцию.

— Да, но деньги.

— Найдем финансирование. В худшем случае я сам оплачу.

— Из бумажника.

Он смеется:

— Обычно говорят «из своего кармана», но да.

— Нам нужно разрешение от дяди.

— Если он еще хоть раз явится. — Дядю не было ни видно ни слышно с того дня, когда Идрис дал ему двести долларов.

Амра улыбается ему. Он никогда ничего подобного не делал. Есть что-то восхитительное, опьяняющее, даже эйфорическое в таком безоглядном обещании. Бодрит. Он едва не задыхается. К его изумлению, слезы щиплют ему глаза.

— *Hvala*, — говорит она. — Спасибо. — Встает на цыпочки и целует его в щеку.

— Отымел одну голландку, — говорит Тимур. — Которая с вечеринки.

Идрис отрывает голову от иллюминатора. Он любовался столпившимися далеко внизу мягкими бурыми вершинами Гиндукуша. Поворачивается к Тимуру, тот сидит у прохода.

— Брюнетка. Закинулся витамином V и гонял ее до самого утреннего призыва на молитву.

— Иисусе. Ты когда-нибудь вырастешь? — спрашивает Идрис, раздраженный тем, что Тимур опять обременил его знанием о своих проделках, неверности, гротескном общажном фиглярстве.

Тимур ухмыляется:

— Помни, братец, что случилось в Кабуле...

— Умоляю, не договаривай.

Тимур хохочет.

Где-то в хвосте самолета что-то празднуют. Кто-то поет на пуштунском, кто-то стучит в пластиковую тарелку, как в бубен.

— С ума сойти, — бормочет Тимур. — Мы напоролись на старого Наби. Иисусе.

Идрис извлекает прибереженную в нагрудном кармане таблетку снотворного и глотает ее, не запивая.

— Я через месяц опять приеду, — говорит Тимур, скрещивая руки на груди, закрывая глаза. — Может, и потом еще пару раз, но вроде все на мази.

— Ты доверяешь этому Фаруку?

— Ни хера. Потому и возвращаюсь.

175

Фарук — нанятый Тимуром юрист. Он специализируется на том, что помогает сбежавшим афганцам восстановить права на их собственность в Кабуле. Тимур болтает о том, какие бумажки Фаруку предстоит собрать, и о судье, который, есть надежда, будет вести слушанья, — он троюродный брат жены Фарука. Идрис вновь прижимается виском к окну, ждет, когда подействует снотворное.

— Идрис? — тихонько говорит Тимур.

— Да.

— Во мы насмотрелись-то грустной херни, а? *Ты — сама проницательность, братан.*

— Ага, — говорит Идрис.

Скоро голова у Идриса начинает гудеть, в глазах плывет. Засыпая, он думает о прощании с Роши: как он держал ее за пальцы и говорил, что они еще обязательно увидятся, и как она тихонько, почти неслышно плакала ему в живот.

По дороге из аэропорта Сан-Франциско Идрис с нежностью вспоминает психованный хаос кабульского автовождения. Так странно вести «лексус» на юг по аккуратным полосам трассы 101 — без выбоин, кругом такие услужливые дорожные знаки, все вежливые, сигналят, пропускают. Он улыбается при мысли о бесшабашных подростках-таксистах, которым они с Тимуром вверяли в Кабуле свои жизни.

Нахиль — на пассажирском сиденье, заваливает его вопросами. В Кабуле безопасно? Как еда? Он не болел? Он все сфотографировал и снял на видео? Он в ответ очень старается. Описывает ей разбомбленные школы, бездомных, обитающих в зданиях без крыш, нищих, грязь, ненадежное электричество, но это все равно что описывать музыку. Он не может

176

вдохнуть в это жизнь. Живые, потрясающие нюансы Кабула — спортзал для бодибилдинга среди руин, к примеру, с картиной, изображающей Шварценеггера, в витрине. Такие детали бегут его, и его рассказы получаются общими, пресными, как репортажи «Ассошиэйтед Пресс».

Мальчишки на заднем сиденье поддакивают и слушают — или, по крайней мере, делают вид, но недолго. Идрис чувствует их скуку. Тут Заби, которому восемь, просит Нахиль включить кино. Лемар, на два года старше, пытается слушать чуть дольше, но вскоре до Идриса доносится гудение гоночных машинок с его консоли «Нинтендо».

— Что с вами такое, мальчики? — одергивает их Нахиль. — Отец вернулся из Кабула. Вам разве не интересно? Никаких нет к нему вопросов?

— Да ладно, — говорит Идрис. — Пусть играют.

Но его *и впрямь* раздражает отсутствие у них интереса, беспечное презрение к непроизвольности генетической лотереи, что даровала им их жизнь — лучше, чем у многих. Он ощущает раскол между собой и своей семьей, включая Нахиль, чьи вопросы о поездке сводятся к ресторанам и недостатку санитарных удобств в домах. Он смотрит на них с укором — так местные смотрели, должно быть, на него, когда он только приехал в Кабул.

— Умираю от голода, — говорит он.

— Чего тебе больше хочется? — спрашивает Нахиль. — Суси? Итальянское? Тут новую закусочную открыли около Оукриджа.

— Давай афганское, — говорит он.

Они едут в «Кебаб-хаус Эйба» в восточную часть Сан-Хосе, рядом со старым блошиным рынком на Берриэссе. Хозяин заведения Абдулла — седовласый человек слегка за шестьдесят, с подкрученными вверх усами и сильными на вид руками. Идрис пользует и его самого, и его жену. Семья входит в ресторан, и Абдулла машет им из-за кассы. «Кебаб-хаус Эйба» — маленькое семейное дело. Тут всего восемь столиков, накрытых частенько липкими виниловыми скатертями, меню заламинированы, на стенах постеры с Афганистаном, в углу старый автомат с газировкой. Абдулла встречает гостей, пробивает чеки, убирает. Его жена Султана — в кухне, она — главная волшебница. Идрису ее сейчас видно — склоняется над чем-то, волосы убраны под сетчатую шапочку, глаза прищурены от пара. Они с Абдуллой поженились в Пакистане в конце 1970-х, рассказали они Идрису, после того как коммунисты вошли в страну. В 1982-м им дали убежище в США — в тот год, когда у них родилась дочка, Пари.

Это она сейчас принимает заказы. Пари — дружелюбная и вежливая, у нее материна светлая кожа и тот же свет выдержки в глазах. У нее до странного непропорциональное тело: худая и грациозная в верхней части корпуса, ниже талии она отягощена обширным тазом, могучими бедрами и широкими лодыжками. На ней традиционная просторная юбка.

Идрис и Нахиль заказывают баранину с бурым рисом и *болани*. Мальчишки выбирают *чапли-кебабы* — самое близкое к гамбургерам из всего, что есть в меню. Пока они ждут заказ, Заби рассказывает Идрису, что его футбольная команда выбилась в финал. Он сам играет правым нападающим. Матч — в воскресенье. Лемар говорит, что у него гитарный концерт в субботу.

— Что играешь? — вяло спрашивает Идрис, ощущая, как его накрывает разница часовых поясов.

178

— «Крась черным».

— Очень круто.

— Не уверена я, что ты достаточно отрепетировал, — осторожно выговаривает ему Нахиль.

Лемар роняет бумажную салфетку, которую только что вертел.

— Мам! Да ладно? Ты же видишь, как я весь день занят? У меня столько дел!

В середине их трапезы к столу подходит Абдулла, поздороваться, утирает руки о фартук, повязанный на талии. Спрашивает, как им все нравится, может ли он еще что-нибудь предложить.

Идрис говорит ему, что они с Тимуром только что вернулись из Кабула.

— Как дела у Тимура-джан? — спрашивает Абдулла.

— Как всегда — неправедные.

Абдулла улыбается. Идрис знает, как Абдулле нравится Тимур.

— А как дела по кебабной части?

Абдулла вздыхает:

— Доктор Башири, если хочу кого-нибудь проклясть, говорю: «Путь Господь даст тебе ресторан».

Они коротко посмеиваются.

Потом, когда они выходят из ресторана и забираются во внедорожник, Лемар говорит:

— Пап, а он всех бесплатно кормит?

— Нет, конечно.

— Тогда почему он у тебя деньги не взял?

— Потому что мы афганцы и потому что я его врач, — отвечает Идрис, но это правда лишь отчасти. Главная причина, подозревает он, в том, что он — двоюродный брат Тимура, а тот когда-то одолжил Абдулле денег на открытие ресторана.

Дома Идрис с изумлением обнаруживает, что ковры отодраны от пола и в гостиной, и в прихожей, на лестнице оголены половые доски и гвозди. И тут он вспоминает, что они устроили ремонт, заменяют ковры на половицы — широкие доски вишневого дерева того оттенка, который нанятая фирма по настилу полов назвала «чайниковой медью». Дверцы буфета в кухне отшкурили, а вместо старой микроволновки зияет дыра. Нахиль говорит, что в понедельник работает полдня и сможет утром встретиться с настильщиками и с Джейсоном.

— С Джейсоном?

И тут он вспоминает: Джейсон Спиэр, установщик домашних кинотеатров.

— Он придет замеры сделать. Уже добыл нам сабвуфер и проектор со скидкой. Пришлет троих ребят в среду, начнут работать.

Идрис кивает. Домашний кинотеатр — его идея, он давно такой хотел. Но теперь она его смущает. Он чувствует, что потерял связь со всем этим — с Джейсоном Спиэром, с новыми буфетами и полами цвета чайниковой меди, с кедами его детей по 160 долларов за пару, с шенильными простынями в спальне, с энергией, которую они с Нахиль во все это вкладывают. Плоды их устремлений теперь кажутся ему пустячными. Они напоминают ему лишь о жестоком контрасте его жизни — и той, что он увидел в Кабуле.

— Что такое, дорогой?

— Смена часовых поясов, — говорит Идрис. — Надо поспать.

В субботу он осиливает гитарный концерт, в воскресенье — почти весь футбольный матч Заби. Только во втором периоде приходится ускользнуть на парковку и полчаса подремать. К его облегчению,

Заби не замечает. В воскресенье вечером на ужин приходят несколько соседей. Передают друг другу фотографии, сделанные Идрисом в поездке, вежливо отсиживают час снятого видео Кабула — на просмотре этой хроники, против желания Идриса, настаивает Нахиль. За ужином расспрашивают Идриса о путешествии, что он думает о ситуации в Афганистане. Он потягивает мохито и отвечает коротко.

— Не могу представить, каково там, — говорит Синтия. Она инструктор по пилатесу в спортзале, где занимается Нахиль.

— Кабул — это... — Идрис подыскивает правильные слова. — Тысяча трагедий на квадратную милю.

— Это ж какой культурный шок — такая поездка.

— Еще какой.

Идрис не уточняет, что настоящий культурный шок — возвращение.

Наконец все переходят к обсуждению недавнего обострения почтового воровства в их районе.

Лежа ночью в постели, Идрис говорит:

— Думаешь, нам все это нужно?

— Все это? — переспрашивает Нахиль. Он видит ее в зеркале над раковиной, она чистит зубы.

— Все это. Вещи.

— Нет, не *нужно*, если ты об этом, — говорит она. Сплевывает в раковину, полощет рот.

— Тебе не кажется, что всего этого слишком много, всего этого?

— Мы много работали, Идрис. Помнишь экзамены в медколледж, в юридическую школу, учебу, годы ординатуры? Никто нам это не *подарил*. Нам не за что извиняться.

— По цене этого домашнего кинотеатра мы могли бы построить в Афганистане школу.

Она приходит в спальню, усаживается на кровать снять линзы. У нее прекраснейший профиль. Ему так нравится ложбинка в том месте, где лоб переходит в переносицу, ее сильные скулы, стройная шея.

— Так организуй и то и другое, — говорит она, поворачиваясь к нему, смаргивая глазные капли. — Не понимаю, почему бы и нет.

Несколько лет назад Идрис обнаружил, что Нахиль спонсирует колумбийского ребенка по имени Мигель. Идрису ничего не рассказывала, а поскольку она отвечала за их почту и финансы, Идрис годами понятия не имел об этом, покуда однажды не увидел, как она читает письмо от Мигеля. Оно было переведено с испанского какой-то монахиней. К письму прилагалась и фотография высокого, жилистого мальчишки на фоне соломенной хижины в обнимку с футбольным мячом, а вдали — ничего, одни тощие коровы и зеленые холмы. Нахиль начала поддерживать Мигеля, еще учась на юридическом. Одиннадцать лет чеки его жены тихонько ходили навстречу фотокарточкам Мигеля и его благодарным письмам, переведенным монахиней.

Она снимает кольца.

— Что с тобой такое? Подцепил там синдром виноватости выжившего?

— Я просто теперь смотрю на вещи чуть иначе.

— Хорошо. Тогда берись за дело. Но брось самокопания.

Разница во времени отнимает у него ночной сон. Он немного читает, смотрит в гостиной внизу фрагмент повтора «Западного крыла», добирается до компьютера в гостевой спальне, которую Нахиль превратила в кабинет. Обнаруживает электронное письмо от Амры. Она выражает надежду, что он вернулся живым и здоровым и семья его в порядке. В Кабуле «злобно» лило, пишет она, улицы забило грязью по самые щиколотки. Из-за дождя возникло наводнение, примерно двести семей пришлось эвакуировать вертолетом в Шомали, к северу от Кабула. Меры безопасности ужесточились: Кабул поддерживает войну Буша в Ираке, ожидаются ответные удары «Аль-Каиды». Последняя строка сообщения: *Ты говорил уже с начальником?*

К письму Амры добавлен краткий абзац от Роши — Амра его перевела, в нем вот что:

Салаам, кака Идрис,
Иншалла, ты добрался до Америки целым и невредимым. Уверена, что твоя семья очень рада тебя видеть. Я думаю о тебе каждый день. Каждый день я смотрю фильмы, которые ты мне купил. Они мне все нравятся. Мне грустно, потому что тебя тут нет, чтобы смотреть вместе. Я чувствую себя хорошо, и Амра-джан хорошо обо мне заботится. Пожалуйста, передай от меня салаам твоей семье. Иншалла, мы скоро увидимся в Калифорнии.
Кланяюсь,
                                          Рошана

Он отвечает Амре, благодарит ее, пишет, что огорчается из-за наводнения. Надеется, что дождь прекратится. Говорит ей, что обсудит Роши с начальством на этой неделе. Ниже пишет:

Салаам, Роши-джан,
Спасибо тебе за милое письмо. Я очень обрадовался весточке от тебя. Я тоже много о тебе думаю. Я все рассказал о тебе своей семье, и они все очень

183

хотят тебя увидеть, особенно мои сыновья — Заби-
джан и Лемар-джан, они задали мне много вопросов
про тебя. Мы все ждем твоего приезда.

Шлю тебе мою любовь.

Кака Идрис

Он выключает компьютер и отправляется в постель.

В понедельник в рабочем кабинете его ожидает куча телефонограмм. Запросы на обновление рецепта аж вываливаются из корзины, ждут его подписи. Ему предстоит разобрать более ста шестидесяти электронных писем, голосовая почта переполнена. Он вглядывается в свое расписание и с ужасом обнаруживает, что пациентов ему переброннровали — втиснули, как врачи это называют, — во все до единого места в его графике, на всю неделю. Что еще хуже: на сегодня после обеда к нему записана жуткая миссис Расмуссен — вздорная женщина, у нее в многолетнем анамнезе невнятные симптомы, не поддающиеся никакому лечению. От мысли, что ему придется иметь дело с ее неприязненной докучливостью, его пробивает испарина. И наконец, одно голосовое сообщение — от начальницы: Джоан Шэффер уведомляет его, что у пациента, которому он прямо перед отъездом в Кабул диагностировал пневмонию, выявлена острая сердечная недостаточность. Этот случай будут рассматривать в коллегиальном обзоре — ежемесячной видеоконференции, наблюдаемой всеми медицинскими учреждениями, в ходе которой на анонимных ошибках, совершенных врачами, учат остальных. Идрис знает, что анонимность эта — секрет полишинеля. Как минимум половина участников конференции узнает, кто виновник.

Он чувствует, как начинает болеть голова.

Утром он чудовищно отстает от графика. Пациент с астмой вваливается без договоренности — ему требуется лечение дыхательной системы, постоянная пневмотахометрия и измерение насыщения крови кислородом. Управленец средних лет, которого Идрис не видел три года, заявляется с передним инфарктом миокарда. Обеденный перерыв уже почти закончился, а Идрис все никак не может отвлечься и пообедать. В переговорной, где едят врачи, он устало вгрызается в сухой сэндвич с индейкой, одновременно пытаясь наверстать отставание в историях болезней. Отвечает коллегам на одни и те же вопросы. В Кабуле безопасно? Что афганцы думают об американском присутствии в стране? Он выдает сжатые, короткие ответы, в голове у него — сплошная миссис Расмуссен, неотвеченные голосовые сообщения, рецепты, которые еще предстоит утвердить, трое «втиснутых» в его послеобеденном расписании, грядущий коллегиальный обзор, а у него в доме пилят, сверлят и заколачивают гвозди рабочие. Он внезапно ощущает, что говорить об Афганистане — и он поражается, как быстро и неощутимо это случилось, — все равно что обсуждать недавно посмотренный невероятно эмоциональный фильм, чье воздействие уже начинает выветриваться.

Неделя оборачивается одной из самых трудных в его профессиональной карьере. Хоть и собирался, но не находит времени поговорить с Джоан Шэффер о Роши. Всю неделю он в дурном настроении. Несдержан с сыновьями, раздражается из-за приходящих и уходящих рабочих и всего этого грохота. Сон все никак не нормализуется. Он получает еще два электронных письма от Амры, еще новости о кабульских делах. Вновь открылась «Рабия Балхи», женская больница. Правительство Карзая разрешит работу кабельных телеканалов — это вызов ярым исламистам, которые были против. В постскриптуме второго письма она сообщает, что после его отъезда Роши замкнулась, и снова спрашивает, поговорил ли он с начальником. Он уходит от компьютера. Он позднее вернется к этому письму, устыдившись того раздражения, которое оно вызвало, искушения — пусть и мимолетного — написать ей прописными буквами: *«ПОГОВОРЮ. ВСЕМУ СВОЕ ВРЕМЯ».*

— Надеюсь, все прошло хорошо. — Джоан Шэффер сидит за столом, сплела руки на коленях. Жизнерадостная женщина с круглым лицом и жесткими белыми волосами. Она смотрит на него сквозь узкие очки для чтения, посаженные на переносицу. — Вы же понимаете, что это не для того, чтобы поставить под сомнение ваши компетенции.

— Да, конечно, — говорит Идрис. — Я понимаю.

— И не казните себя. С любым могло случиться. Иногда ОСН и пневмонию на рентгене трудно различить.

— Спасибо, Джоан. — Он встает, собирается уходить, но у двери медлит. — Да, кстати. Я собирался кое-что обсудить с вами.

— Разумеется. Разумеется. Присаживайтесь.

Он снова садится. Рассказывает ей о Роши, описывает повреждение, недостаток ресурсов в больнице «Вазир Акбар-хан». Говорит о своем обещании, которое дал Амре и Роши. Выложив все это вслух, чувствует, как тяготит его это обещание — совсем не так, как в Кабуле, когда они с Амрой стояли в больничном коридоре и она поцеловала его в щеку.

Он с тревогой обнаруживает, что чувствует нечто похожее на синдром покупательского раскаяния.

— Боже мой, Идрис, — Джоан качает головой. — Я вам сочувствую. Какой ужас. Бедный ребенок. Невообразимо.

— Я знаю, — говорит он. Спрашивает, не готов ли их холдинг покрыть расходы на процедуру. — Или *процедуры*. По моему ощущению, ей потребуется больше одной.

Джоан вздыхает:

— Было бы здорово. По честно говоря, сомневаюсь, что совет директоров такое утвердит, Идрис. Очень сомневаюсь. Вы же знаете, мы в долгах последние пять лет. К тому же тут возникнут юридические вопросы — и непростые.

Она ждет — а может, и готовится к тому, что он станет ей возражать. Но он не возражает.

— Понимаю, — говорит он.

— Вы же сможете найти гуманитарный фонд, который поддерживает подобные инициативы, правда? Это потребует некоторых усилий, но...

— Займусь этим. Спасибо, Джоан. — Он еще раз встает, изумляясь легкости — облегчению — в себе от ее ответа.

Домашний кинотеатр им сооружают целый месяц, но он восхитительный. Картинка из проектора, закрепленного под потолком, такая четкая, а все движения на 102-дюймовом экране поразительно гладкие. Семиканальный звук, графические эквалайзеры, басовые ловушки по четырем углам производят чудеса акустики. Они смотрят «Пиратов Карибского моря», мальчишки в восторге от техники, сидят по обе стороны от отца, таскают попкорн из общего ведра у него на коленях. А перед финальной затяжной батальной сценой засыпают.

— Я уложу их, — говорит Идрис Нахиль.

Поднимает сначала одного, потом второго. Сыновья растут, их стройные тела удлиняются с пугающей скоростью. Пока их укладывает, его постигает осознание, что эти мальчишки еще разобьют ему сердце. Через год, может, два ему найдут замену. Начнут влюбляться в другое, в других людей, а их с Нахиль будут стесняться. Идрис с тоской думает о временах, когда они были маленькими, беспомощными и совершенно зависимыми от него. Он вспоминает, как Заби до смерти боялся люков в асфальте и далеко и неловко обходил их стороной. Как-то раз они смотрели старое кино, и Лемар спросил Идриса, помнит ли он мир черно-белым. Память рождает улыбку. Он целует сыновей в щеки.

Потом сидит в темноте, смотрит на спящего Лемара. Теперь ему ясно: он поспешил судить своих сыновей — да и несправедлив был. И себя тоже судит слишком строго. Он не преступник. Все, что у него есть, он заработал. В девяностых, когда половина его знакомых болтались по клубам и гонялись за женщинами, он с головой закапывался в учебу, таскался по больничным коридорам в два часа ночи, забыв о досугах, удобствах, сне. Свой третий десяток лет жизни он посвятил медицине. Он свой долг исполнил. С чего ему самоедствовать? Это его семья. Это его жизнь.

За истекший месяц Роши стала для него абстракцией — вроде персонажа в пьесе. Их связь оборвалась. Та нежданная близость, что настигла его в больнице, столь острая и пронзительная, притупилась. Переживание растеряло силу. Он признает, что яростная решимость, охватившая его тогда, на деле была иллюзией, миражом. Он подпал под влияние чего-то вроде наркотика. Расстояние между ним и девочкой видится теперь огромным. Видится бесконечным, непреодолимым, а его обещание — опрометчивым, безрассудной ошибкой, чудовищной оплошностью в оценке собственных сил, воли и характера. Тем, что лучше поскорее забыть. Ему не под силу. Все просто. За последние две недели он получил еще три электронных письма от Амры. Первое он прочитал и не ответил на него. Следующие два — удалил, не читая.

Очередь в книжном магазине — человек двенадцать-тринадцать. Тянется мимо импровизированной сцены до журнальной стойки. Высокая, широколицая женщина раздает стоящим в очереди желтые листики-самоклейки, чтобы они написали свои имена и любые личные слова, какие хотели бы получить в качестве автографа. Продавщица во главе очереди помогает покупателям открывать книги на титульном листе.

Идрис стоит недалеко от начала очереди с книгой в руках. Женщина перед ним — за пятьдесят, короткая стрижка, светлые волосы — поворачивается и спрашивает:

— Вы читали?

— Нет, — отвечает он.

— Мы в книжном клубе в следующем месяце будем. Моя очередь выбирать.

— А.

Она хмурится, прижимает ладонь к груди.

— Надеюсь, люди прочтут. Такая трогательная история. Очень вдохновляет. Могу поспорить, фильм снимут.

Он ей не соврал. Он не читал книгу и вряд ли когда-нибудь прочтет. Он не уверен, что ему хватит сил увидеть себя на этих страницах. Но прочтут другие. И тогда все вылезет наружу. Люди узнают. Нахиль, его сыновья, коллеги. Ему делается тошно от одной этой мысли.

Он вновь открывает книгу, перелистывает страницу с благодарностями, биографию соавтора — того, кто записал эту историю. Еще раз вглядывается в фотографию на клапане супербложки. Никаких следов увечья. Если и остался шрам — наверняка, — он скрыт под длинными, волнистыми черными волосами. На Роши — рубаха в маленьких золотых бусинах, ожерелье с кулоном — именем Аллаха, в ушах сережки — лазуритовые гвóздики. Она откинулась на ствол дерева, смотрит прямо в камеру, улыбается. Идрис думает о тех фигурках, что она ему нарисовала. *Не уезжай. Не уезжай, кака.* Он не распознает в этой девушке и следа того робкого маленького существа, что он нашел за занавеской шесть лет назад.

Идрис бросает взгляд на страницу посвящений.

Двум ангелам моей жизни: маме Амре и каке Тимуру. Вы мои спасители. Всем в моей жизни я обязана вам.

Очередь движется. Женщине с короткими светлыми волосами книгу уже подписали. Она отходит в сторону, и Идрис с замирающим сердцем приближается к столику. Роши смотрит на него. На ней афганская шаль поверх рубахи тыквенного цвета с длинными рукавами, небольшие серебряные сережки-овалы. Глаза у нее темнее, чем ему помнится, а тело уже принимает женские очертания. Она смотрит на него не мигая и хоть не подает впрямую вида, что узнала его, и

190

улыбается вежливо, — есть, однако, в выражении ее лица нечто удивленное, отстраненное, игривое, лукавое, безбоязненное. Оно раздавливает его, как паровым катком, и внезапно все слова, что он сочинил — и даже записал и отрепетировал про себя, пока ехал сюда, — пересыхают начисто. Он не может выдавить ни единого. Он лишь стоит перед ней — и выглядит глуповато.

Продавщица откашливается:

— Сэр, позвольте вашу книгу, я открою ее на титульной странице, и Роши вам ее подпишет.

Книга. Идрис опускает взгляд и видит, как стиснул ее в руках. Он приехал сюда не за автографом, ясное дело. Это унизительно — гротескно унизительно — после всего, что случилось. Но вот поди ж ты: он отдает книгу, продавщица со знанием дела открывает ее на нужной странице, рука Роши пишет что-то под словами на титуле. У него остается несколько секунд, чтобы хоть что-то сказать: это не смягчит то, чему нет оправданья, но Идрису кажется, что он задолжал ей эти слова. Однако продавщица возвращает ему книгу, а он по-прежнему не в силах выдать ни слова. Сейчас он молает себе хоть каплю Тимуровой смелости. Снова взглядывает на Роши. Она уже смотрит на следующего в очереди.

— Я... — начинает он.

— Мы не можем задерживать очередь, сэр, — говорит продавщица.

Идрис, понурившись, отходит.

Автомобиль на парковке за магазином. Путь к машине кажется ему самым длинным в жизни. Он распахивает дверцу, мешкает, не садится. Когда руки перестают трястись, открывает книгу. Это не автограф. Написаны две фразы на английском.

191

Он закрывает книгу — и глаза. Ожидает облегчения. Но что-то в нем желает другого. Может, чтобы она состроила ему рожу, сказала что-нибудь детское, исполненное отвращения и ненависти. Взрыва презрения. Может, было бы лучше. А тут — чистенькое дипломатичное отвержение. И эта надпись. *«Не волнуйся. Тебя здесь нет»*. Деянье доброты. Или, быть может, точнее — деянье милосердия. Ему должно стать легче. А ему больно. Он чувствует этот удар — как топором по голове.

Рядом, под вязом, скамейка. Он подходит и оставляет книгу на ней. Возвращается к машине, садится за руль. Очень не сразу готов он повернуть ключ в зажигании и ехать.

Глава шестая

Февраль 1974-го

От издателя,
«Параллакс-84» (Зима, 1974), стр. 5

Дорогие читатели!

Пять лет назад, когда начинали публиковать в нашем ежеквартальнике беседы с малоизвестными поэтами, мы не могли предположить, насколько востребованными эти интервью окажутся. Многие из вас захотели еще, и, конечно, ваши воодушевленные письма открыли путь последующим выпускам — и они в «Параллаксе» стали ежегодной традицией. Эти статьи привели к открытию или переоткрытию — некоторых важных поэтов и к запоздалому признанию их работ.

К сожалению, на этот выпуск легла печальная тень. Творец, о котором пойдет речь, — Нила Вахдати, афганский поэт, с которой прошлой зимой в Курбевуа под Парижем побеседовал Этьенн Бустуле. Уверены, вы согласитесь с нами, что мадам Вахдати дала месье Бустуле одно из самых откровенных и поразительно искренних интервью из всех, какие нам приходилось публиковать. С огромной грустью мы узнали о ее безвременной кончине, случившейся вскоре после той беседы. Сообществу поэтов будет ее не хватать. У мадам Вахдати осталась дочь.

Совпадения — жуткая вещь. Двери лифта звякают в тот самый миг, когда начинает звонить телефон. Пари слышит, как он звонит в квартире Жюльена, которая располагается в начале узкого, еле освещенного коридора и поэтому ближе всего к лифту. Интуиция подсказывает ей, кто именно звонит. По лицу Жюльена понятно, что и ему тоже.

Жюльен уже вошел в лифт, говорит ей:

— Пусть звонит.

У него за спиной — насупленная краснолицая женщина, обитающая выше. Она вперяет в Пари нетерпеливый взгляд. Жюльен называет ее «La chevre» — у нее из подбородка торчат волосы.

Он говорит:

— Поехали, Пари. Мы уже опаздываем.

Он забронировал столик на семь вечера в новом ресторане в 16-м аррондисмане — этот ресторан произвел некоторую шумиху своим *poulet braise**, *sole cardinale***, а также телячьей печенью в вишневом уксусе. Они встречаются со старыми университетскими друзьями Жюльена — Кристианом и Орели, еще со студенческих лет, не с коллегами-педагогами. Договорились на аперитив в шесть тридцать, а сейчас уже шесть пятнадцать, а им еще до метро, потом ехать до Мюэтт, а потом идти шесть кварталов до ресторана.

Телефон все звонит.

Женщина-коза покашливает.

---

* Курица на углях *(фр.)*. — *Здесь и далее примеч. перев.*
** Блюдо с жареным морским языком *(фр.)*.

— Это, наверное, маман, — говорит Пари.

— Да, я в курсе.

Абсурд думать так, но Пари кажется, что маман — с ее неутолимой страстью к драме — выбрала для звонка этот самый миг, чтобы вынудить ее сделать этот самый выбор: шагнуть в лифт с Жюльеном или принять звонок.

— Может, это важно, — говорит она.

Жюльен вздыхает.

Лифт закрывается у него за спиной, он прислоняется к стене в коридоре. Засовывает руки глубоко в карманы пальто, на мгновенье походя на Мельвилева *policier**.

— Я на минутку, — говорит Пари.

Жюльен бросает на нее скептический взгляд.

Квартира у Жюльена маленькая. Шесть шажков — и Пари уже проскочила прихожую, кухню, уселась на край кровати, тянется к телефону, пристроенному на ночном столике, — больше ни для чего в комнате нет места. Зато вид из окна фантастический. Сейчас идет дождь, но в ясный день 19-й и 20-й аррондисманы видно почти целиком.

— *Oui, allô?* — говорит она в трубку.

Отвечает мужской голос:

— *Bonsoir*. Это мадемуазель Пари Вахдати?

— С кем я разговариваю?

— Вы дочь мадам Нилы Вахдати?

— Да.

— Меня зовут доктор Делонэ. Я по поводу вашей матери.

Пари зажмуривается. Краткая вспышка виноватости, а за ней — привычный страх. Ей приходилось

---

* Полицейский (*фр.*).

уже отвечать на подобные звонки — столько раз, что и не счесть, с ее подростковых лет, ей-богу, или даже раньше: однажды в ее пятом классе шел экзамен по географии, учителю пришлось прервать ее, вывести в коридор и приглушенным голосом объяснить, что случилось. Эти звонки знакомы Пари, но их повторение не добавляет ей безмятежности. Каждый такой звонок — и она думает: *На этот раз, точно на этот раз*, — но всякий раз кладет трубку и несется к маман. Жюльен как-то выразился в экономических терминах: если Пари прекратит поставку внимания, быть может, спрос на него тоже иссякнет.

— Произошел несчастный случай, — говорит доктор Делонэ.

Пари стоит у окна и слушает объяснения врача. Накручивает на палец и стаскивает с него телефонный провод, а врач пересказывает визит ее матери в больницу, рассеченный лоб, швы, профилактический укол от столбняка, обработку перекисью, ключевые антибиотики, повязки. Сознание Пари переносится в то время, когда ей десять лет, она пришла домой из школы и обнаружила на кухонном столе двадцать пять франков и записку. «*Я уехала в Эльзас с Марком. Ты его помнишь. Через пару дней вернусь. Будь хорошей девочкой. (Ложись спать не поздно!) Je t’aime*. Маман*». Пари затрясло, глаза налились слезами, она уговаривала себя, что два дня — это не ужасно, не так долго.

Врач задает ей вопрос.

— *Pardon?*

— Я спросил, заберете ли вы ее домой, мадемуазель? Повреждение не серьезное, поймите правильно,

---

* Люблю тебя (*фр.*).

однако лучше ей все-таки одной домой не ехать. Или же мы можем вызвать такси.

— Нет. Не нужно. Через полчаса буду.

Она садится на кровать. Жюльену не понравится, а может, будет неловко перед Кристианом и Орели, чье мнение ему, кажется, очень важно. Пари не хочется выходить в коридор, иметь дело с Жюльеном. Ей не хочется и ехать в Курбевуа и иметь дело с мамой. Пари бы предпочла лежать и слушать, как ветер швыряет капли дождя в стекло, уснуть.

Она прикуривает сигарету и, когда за ее спиной в комнату входит Жюльен и спрашивает: «Ты не едешь, да?» — не отвечает.

Фрагмент из «Афганской певчей птицы», интервью с Нилой Вахдати
Этьенн Бустуле
«Параллакс-84» (Зима, 1974), стр. 33

ЭБ. Насколько я понимаю, вы на самом деле наполовину афганка, наполовину француженка?

НВ. Моя мать была француженка, да. Парижанка.

ЭБ. Но она познакомилась с вашим отцом в Кабуле. Вы там родились.

НВ. Да. Они встретились в 1927-м. На приеме в Королевском дворце. Мать сопровождал ее отец — мой дед, — отправленный в Кабул консультировать короля Амануллу по его реформам. Слыхали о таком короле?

Мы сидим в гостиной в маленькой квартире Нилы Вахдати на тридцатом этаже жилого здания в городке Курбевуа, что на северо-востоке от Парижа. Гостиная небольшая, скудно освещенная, интерьеры скромные: диван в шафрановых чехлах, кофейный столик, два высоких книжных шкафа. Она сидит спиной к окну, открыв его, чтобы улетал дым сигарет, которые она курит одну за другой.

Нила Вахдати говорит, что ей сорок четыре. Она поразительно привлекательная женщина, быть может, уже не на пике своей красоты, однако тот не так далеко в прошлом. Высокие царственные скулы, прекрасная кожа, тонкая талия. У нее умные кокетливые глаза и проницательный взгляд: он заставляет почувствовать, что тебя оценивают, проверяют, очаровывают, играют с тобой — все одновременно. Подозреваю, эти глаза — грозное оружие обольщения. На ней никакого макияжа, кроме помады, чуть сбежавшей за пределы контура ее рта. Лоб повязан банданой, блекло-пурпурная рубаха поверх джинсов, ни носков, ни обуви. Всего одиннадцать утра, а она уже наливает себе шардоне из неохлажденной бутылки. Она радушно предложила мне бокал, я отказался.

НВ. Лучше него у них не было.

Нахожу эту фразу интересной с точки зрения выбора местоимения.

ЭБ. «У них»? Вы не считаете себя афганкой?

НВ. Скажем так: я развелась со своей более хлопотной половиной.

ЭБ. Любопытствую, отчего же?

НВ. Если бы у него все получилось — у короля Амануллы, в смысле, — я бы, возможно, ответила на ваш вопрос иначе.

Прошу ее объяснить.

НВ. Видите ли, он проснулся однажды утром — король — и объявил о своих планах переделки страны, пусть даже и силком, если потребуется, в новую просвещенную нацию. Именем Бога! — сказал он. Для начала, никаких больше вуалей. Вообразите, месье Бустуле, женщина в Афганистане арестована за ношение *паранджи*! Представьте жену Амануллы, королеву Сорайю, с открытым лицом на публике? *Oh là là*. Легкие мулл изготовились к такому «ох», что хватило бы надуть тысячу «Гинденбургов». И никакого многоженства, сказал он! Как вы понимаете, в стране, где короли имели полчища любовниц и ни разу не видали большинства своих детей, которых столь легкомысленно зачали. Отныне, заявил он, ни один мужчина не может заставить тебя выйти за него. И никаких больше выкупов невест, отважные женщины Афганистана, никаких детских свадеб. И вот еще что: вы все пойдете в школу.

ЭБ. Он был провидец, видимо.

НВ. Или дурак. Мне самой эта граница всегда представлялась опасно тонкой.

ЭБ. Что с ним произошло?

НВ. Ответ столь же досаден, сколь и предсказуем, месье Бустуле. Джихад, разумеется. Они объявили ему джихад — муллы, вожди племен. Представьте тысячу взмывающих к небу кулаков! Король сдвинул землю, понимаете ли, но его окружало море фанатиков, а вам хорошо известно, что бывает, когда колеблется океанское дно, месье Бустуле. Цунами бородатого сопротивления налетело на бедного короля, понесло его, беспомощно трепыхавшегося, и выплюнуло на берегах Индии, потом Италии и, наконец, Швейцарии, где он выкоробкался из ила и умер разочарованным стариком в изгнании.

ЭБ. А что за страна возникла после этого? Судя по всему, она вас не устроила.

НВ. Вполне взаимно.

ЭБ. И поэтому вы в 1955 году уехали во Францию.

НВ. Я уехала во Францию, потому что желала спасти свою дочь от определенного сорта жизни.

ЭБ. Какого именно?

НВ. Я не хотела, чтобы ее превратили — против ее желания и естества — еще в одну старательную печаль-

199

ную женщину из тех, что помешаны на пожизненном тихом рабстве, в вечном страхе показать, сказать или сделать что-нибудь не так. Из тех, какими восхищаются на Западе — тут, во Франции, к примеру, — и превращают их в героинь за их тяжкую жизнь, восхищаются на расстоянии — те, кто не осилит и дня на их месте. Из тех, чьи желания притупляются, чьи мечты заброшены, и все же они — что хуже всего, месье Бустуле, — при встрече улыбаются и делают вид, что не имеют никаких тревог. Будто живут такой жизнью, какой можно позавидовать. Но стоит присмотреться, и вы увидите беспомощный взгляд, отчаяние — оно разоблачает все их благодушие. Это все довольно прискорбно, месье Бустуле. Я для своей дочери такого не желала.

ЭБ. Она, видимо, это понимает.

Нила Вахдати прикуривает очередную сигарету.

НВ. Ну, дети — никогда не всё, на что надеешься, месье Бустуле.

В приемном покое «скорой помощи» раздраженная медсестра велит Пари ждать у регистратуры, рядом с тележкой, заваленной планшетами и медкартами. Пари поражает, как люди могут добровольно тратить молодость, учась профессии, которая приведет их в такое вот место. Ей это понимание совершенно недоступно. Она терпеть не может больницы. Не выносит вида людей в их худшем состоянии, этот тошнотворный запах, скрипучие каталки, коридоры с этими грязно-коричневыми картинами, бесконечные вызовы по громкой связи.

Доктор Делонэ оказывается моложе, чем полагала Пари. У него изящный нос, узкий рот и тугие светлые кудри. Через распашные двери он ведет ее из приемного покоя в главный коридор.

— Когда доставили вашу мать, — говорит он доверительным тоном, — она была довольно нетрезвой... Вы, похоже, не удивлены.

— Не удивлена.

— Равно как и многие медсестры. Говорят, у нее тут открыт своего рода счет. Я-то сам новенький, никогда не имел удовольствия.

— Насколько все плохо?

— Она была несколько строптива, — отвечает врач. — И должен сказать, до некоторой степени театральна.

Обмениваются краткими ухмылками.

— Обойдется?

— Да, на некоторое время, — говорит доктор Делонэ. — Но я бы рекомендовал ей — вполне настоятельно — пить меньше. На этот раз повезло, а в другой раз кто знает...

Пари кивает.

— Где она?

Он заводит ее обратно в приемный покой и за угол.

— Третья койка. Я скоро вернусь с документами на выписку.

Пари благодарит его и проходит к койке матери.

— *Salut, Maman.*

Маман устало улыбается. Растрепанная, в разных носках. Лоб ей замотали бинтами, капельница с бесцветной жидкостью подсоединена к левой руке. На ней больничная сорочка задом наперед и не завязана как следует. Она слегка разошлась, и Пари видит отрезок широкой вертикальной линии — материн шрам от старого кесарева сечения. Она спрашивала маман несколько лет назад, почему шрам не горизонтальный, как обычно, и та объяснила, что врачи тогда выдали ей какую-то техническую причину, а теперь она ее не помнит. *Важно*, — говорит она, — *что они тебя все-таки достали.*

— Я испортила тебе вечер, — бормочет маман.

— Всякое бывает. Я приехала забрать тебя домой.

— Я бы проспала всю неделю. — Глаза у нее закрываются, она говорит вяло, тягуче. — Просто сидела смотрела телевизор. Есть захотела. Пошла на кухню за хлебом и джемом. Поскользнулась. Не помню даже, как и что, но упала и зацепила головой ручку от духовки. Кажется, отключилась на пару минут. Садись, Пари. Не нависай надо мной.

Пари садится.

— Врач сказал, ты пила.

Маман наполовину разлепляет один глаз. Частоту ее визитов к врачам превосходит лишь ее нелюбовь к ним.

— Этот мальчишка? Он так сказал? *Le petit salaud**. Да что он понимает? У него изо рта еще материнской титькой несет.

— Вечно твои шуточки. Стоит мне поднять эту тему.

— Я устала, Пари. Потом меня отчитаешь. Позорный столб никуда не денется.

И вот теперь она и впрямь засыпает. Неприятно храпит, а это бывает лишь после запоя.

Пари садится на табурет у кровати, ждет доктора Делонэ, представляет Жюльена за тускло освещенным столиком, в руках — меню, за высоким бокалом бордо он объясняет ситуацию Кристиану и Орели. Он предложил составить ей компанию в больнице, но лишь для галочки. Чистая формальность. Да и вооб-

---

* Гаденыш (*фр.*).

ще ничего хорошего не получилось бы, если б он приехал. Если уж доктору Делонэ показалось, что он повидал ее театр. И все же, хоть и правильно, что он сюда не поехал, Пари хотелось бы, чтоб и на ужин он без нее не ходил. Ее по-прежнему слегка поражает, что он все же пошел. Он мог бы все объяснить Кристиану и Орели. Они могли бы выбрать другой вечер, поменять бронь. Но Жюльен пошел. И не просто из легкомыслия. Нет. Что-то злонамеренное в этом жесте, произвольное, беспощадное. Пари уже какое-то время знала: есть у него такое свойство. Она задумалась: может, ему это даже нравится.

Маман познакомилась с Жюльеном в приемном покое «скорой», похожем на этот. Десять лет назад, в 1963-м, когда Пари было четырнадцать. Он привез коллегу с мигренью. Маман же привезла Пари — в тот раз пациенткой была она, сильно вывихнула щиколотку в школе на гимнастике. Пари лежала на каталке, и тут Жюльен вкатил свое кресло в палату и завел с маман разговор. Пари не помнит, что они друг другу сказали. Но помнит, что Жюльен спросил: «*Paris* — как город?» И от маман услышала знакомый ответ: «Нет, без *s*. На фарси означает "фея"».

На той же неделе они все встретились поужинать в маленьком бистро рядом с бульваром Сен-Жермен. Пока собирались, маман устроила протяженный спектакль смятения: что же ей надеть? В конце концов остановилась на пастельно-голубом, сильно приталенном платье, вечерних перчатках и остроносых туфлях на шпильках. И все равно в лифте спросила у Пари: «Не слишком это а-ля Жаки?? Как думаешь?»

Перед ужином они курили, все трое, а маман с Жюльеном выпили по пиву из громадных заиндевевших кружек. После первой Жюльен заказал по второй, а потом и по третьей. Жюльен — белая рубашка, галстук, вечерний клетчатый пиджак — выказывал сдержанную галантность породистого мужчины. Легко улыбался и смеялся без натуги. На висках у него прорезалась самая малость седины, Пари не заметила ее в скудном свете приемного покоя и сочла их с маман приблизительно ровесниками. Он оказался вполне эрудирован в текущих событиях и некоторое время говорил о вето Шарля де Голля на вхождение Англии в Общий рынок; к изумлению Пари, ему почти удалось их развлечь. И лишь после того, как маман спросила, он признался, что начал преподавать экономику в Сорбонне.

— Профессор? Пленительно.

— Едва ли, — сказал он. — Приходите послушать. Это мгновенно излечит вас от подобного заблуждения.

— Может, и приду.

Пари заметила, что маман уже слегка пьяна.

— Может, как-нибудь проникну тайком. Посмотрю на вас в действии.

— «В действии»? Вы *не забыли*, что я преподаю экономическую теорию, Нила? Если же придете, увидите, что мои студенты считают меня пентюхом.

— Ну, я в этом сомневаюсь.

Пари тоже. Ей думалось, что большая часть студентов Жюльена хочет с ним переспать. Весь вечер она старалась смотреть на него так, чтобы он не заметил. Лицо у него — из нуарных фильмов, такое нужно снимать в черно-белом, исчерченным тенями от жалюзи, а вокруг чтобы вились облака сигаретного дыма. Прядь волос круглой скобкой исхитрилась эдак изящно упасть ему на лоб — слишком даже изящно. Если, вообще-то, не повисла там расчетливо — Пари заметила, что он так и не удосужился ее пригладить.

Он спросил маман о маленькой книжной лавке, которой она владела и управляла. Лавка находилась через Сену, по ту сторону моста д'Арколь.

— А у вас есть книги по джазу?

— *Bah oui*, — ответила маман.

Дождь за окнами запел на тон выше, суматоха в бистро увеличилась. Когда официант подал им сырные палочки и свиные шашлычки, маман с Жюльеном погрузились в продолжительное обсуждение Бада Пауэлла, Сонни Ститта, Диззи Гиллеспи и Чарли Паркера, любимца Жюльена. Маман сказала, что предпочитает звук Западного побережья — Чета Бейкера и Майлза Дэйвиса, слушал ли он «Kind of Blue»? Пари с изумлением узнала, что маман *настолько* любит джаз и *так* осведомлена о таком множестве разных музыкантов. Не впервые ее накрыло одновременно и детским восторгом, и беспокойным ощущением, что она толком не знает собственную мать. А вот непринужденное и основательное соблазнение Жюльена в исполнении маман Пари не удивило совсем. Это стихия маман. Она всегда повелевала мужским вниманием. Она поглощала мужчин.

Пари смотрела, как маман воркует игриво, хихикает над шутками Жюльена, склоняет голову и рассеянно теребит локон. Она поражалась молодости и красоте маман — та всего на двадцать лет старше нее. Длинные темные волосы, высокая грудь, поразительные глаза и лицо, сиявшее величественным лоском классических царственных черт. Еще больше Пари поражало, сколь мало общего у маман с ней — с ее печальными неяркими глазами, длинным носом, щербатой улыбкой, маленькой грудью. Если и есть в ней какая-то красота, она, скорее, скромного, земного свойства. Рядом с маман Пари всякий раз понимала, что сделана из простого теста. Иногда маман сама напоминала ей об этом, хотя напоминание это неизменно прибывало в троянском коне комплиментов.

Везет тебе, Пари, — говорила она. — Тебе не придется слишком стараться, чтобы мужчины воспринимали тебя всерьез. Они будут тебя слушать. Избыточная красота все извращает. — Смеется. — Ой, ну послушай. Я не по собственному опыту говорю. Конечно, нет. Это мои наблюдения.

Ты говоришь, что я не красавица.

Я говорю, что тебе это не нужно. К тому же ты миленькая, а этого вполне достаточно. Je t'assure, ma cherie*. Так даже лучше.

На отца она тоже, в общем, не походила. Тот был рослый мужчина с серьезным лицом, высоким лбом, узким подбородком и тонкими губами. Пари хранила у себя в комнате несколько его фотографий — времен ее детства в кабульском доме. В 1955 году он заболел — в тот же год они с маман переехали в Париж — и вскоре после этого умер. Иногда Пари разглядывала какой-нибудь из тех старых снимков, особенно черно-белый — они с отцом у старой американской машины. Он опирается о крыло автомобиля, она — у него на руках, оба улыбаются. Она помнила, как сидела с ним рядом, пока он рисовал жирафов и мартышек на боку ее гардероба. Разре-

---

* Уверяю тебя, дорогая моя (*фр.*).

шил ей раскрасить одну мартышку, держал ее руку, терпеливо направлял мазки.

Разглядывая отцовское лицо на тех фотографиях, Пари ощущала в себе трепет, что всегда был с ней, сколько себя помнила. Чего-то — или кого-то — не хватает в ее жизни, неотторжимого от ее существования. Иногда чувство бывало смутным, как посланье, отправленное с темных нехоженых дорог, с огромного расстояния, как слабый радиосигнал, далекий, искаженный. А иногда эта нехватка чувствовалась так ясно, так близко, что екало сердце. Например, когда два года назад в Провансе Пари увидела огромный дуб рядом с сельским домом. В другой раз — в саду Тюильри, когда смотрела, как молодая мать тащит сына в маленькой красной тачке «Радио Летун». Пари терялась в догадках. Как-то прочла она об одном турке средних лет, внезапно впавшем в глубокую депрессию, когда его брат-близнец, о существовании которого не знал, умер от инфаркта в лодочном походе в тропических лесах Амазонии. Эта история точнее всего описывала, каково ей.

Однажды она поговорила об этом с маман.

Ну, никакой тут загадки, топ атоиг, — сказала маман. Ты скучаешь по отцу. Он ушел из твоей жизни. Естественно так чувствовать. Именно это оно и есть. Иди сюда. Поцелуй маман.

Материно объяснение было вполне разумным, однако неудовлетворительным. Пари, конечно, полагала, что ощущала бы себя цельнее, будь отец жив и рядом. Но это чувство она помнила в себе и когда жила с обоими родителями в большом доме в Кабуле.

Сразу по окончании трапезы маман отлучилась в туалет, и Пари на несколько минут осталась один на один с Жюльеном. Они обсудили фильм, который Пари смотрела неделю назад, с Жанн Моро в роли картежницы, поболтали о школе, о музыке. Когда она говорила, он опирался локтями о стол и чуть склонялся к ней, слушал с большим интересом, улыбаясь и хмурясь, глядел ей в глаза не отрываясь. Это он делает вид, сказала себе Пари, притворяется. Отрепетированный спектакль, всегда наготове для женщин, это он на ходу решил проделать, чтоб поиграть с ней и позабавиться. И все же от этого упорного взгляда у нее поневоле ускорился пульс, напрягся живот. Она вдруг заговорила неестественно, абсурдно заумным тоном — ничего похожего на ее нормальную речь. Она осознавала это, но ничего не могла поделать.

Он сказал ей, что однажды был женат, недолго.

— Правда?

— Несколько лет назад. Мне было тридцать. Я тогда жил в Лионе.

Он женился на женщине старше себя. Брак долго не протянул, потому что жена оказалась слишком собственницей. Жюльен этого, пока маман была за столом, не обнародовал.

— Чисто плотские отношения, — сказал он. — *C'était complètement sexuelle.* Она хотела владеть мною.

Он произнес это, хитро улыбаясь, осторожно оценивая ее реакцию. Пари закурила и напустила на себя отвязность, как Бардо, будто подобные вещи мужчины сообщают ей постоянно. Но сама затрепетала. Она понимала, что сейчас за столом произошло небольшое предательство. Нечто чуточку неправедное, не вполне безобидное, но такое восхитительное. Когда маман вернулась — заново причесанная, со свежим слоем помады, — их тайная связь прервалась, и Пари ненадолго обиделась на маман за вторжение, но обиду тут же вытеснило раскаяние.

Они вновь увиделись примерно через неделю. В то утро она несла маман кофе. Жюльен сидел на краю кровати, заводил наручные часы. Пари не знала, что он оставался на ночь. Она увидела его из коридора в чуть приоткрытую дверь. Встала как вкопанная, с чашкой в руке, во рту возник такой вкус, будто она сосала кусок сухой глины. Смотрела на него — безупречная кожа спины, маленький живот, темнота между ног, слегка задрапированная мятыми простынями. Он надел часы, взял с ночного столика сигарету, прикурил, а потом бросил на нее взгляд, будто все это время знал, что она здесь. Улыбнулся ей, не разжимая губ. А потом маман что-то сказала из душа, и Пари резко повернулась. Поразительно, как ей удалось не обвариться кофе.

Маман и Жюльен были любовниками около полугода. Много ходили в кино, в музеи, в маленькие галереи с работами начинающих малоизвестных скульпторов с иностранными именами. Однажды ездили на выходные в Аркашон под Бордо, на пляж, и вернулись загорелые и с ящиком красного вина. Жюльен водил ее в университет на факультетские сборища, а маман приглашала его на писательские чтения к себе в лавку. Пари поначалу увязывалась за ними — Жюльен приглашал, и маман, похоже, это нравилось, — но вскоре стала придумывать предлоги оставаться дома. Не ходила с ними больше — не могла. Невыносимо. Говорила, что устала, что чувствует себя не очень. Что пойдет к подруге Коллетт позаниматься. Коллетт, подруга со второго класса, — жилистая, хрупкая на вид девчонка с длинными обвислыми волосами и носом как вороний клюв. Ей

209

нравилось шокировать окружающих возмутительными, скандальными заявлениями.

— Веряк он огорчается, — говорила Коллетт. — Ну, что ты с ними не ходишь.

— Если и так, по нему не скажешь.

— Так он и не покажет. Иначе что твоя мамаша подумает?

— О чем? — спросила Пари, хотя, конечно, понимала. Но все равно хотела, чтоб кто-то сказал это вслух.

— О чем? — Тон у Коллетт хитрый, взбудораженный. — Что он с ней, чтобы добраться до тебя. Это тебя он хочет.

— Гадость какая, — сказала Пари польщенно.

— А может, он вас обеих хочет. Может, ему нравится толпа в постели. В этом случае замолви за меня словечко, ладно?

— Ты отвратительна, Коллетт.

Иногда, когда маман с Жюльеном не было, Пари раздевалась в коридоре перед высоким зеркалом. Искала в своем теле недостатки. Оно было слишком длинным, думалось ей, слишком бесформенным, слишком... утилитарным. От матери она не унаследовала никаких чарующих изгибов. Иногда заходила голой к матери в комнату и ложилась на кровать, на которой маман с Жюльеном занимались любовью. Пари лежала обнаженная — глаза закрыты, сердце колотится — и упивалась неким безрассудством, чем-то — будто тихое гуденье, оно растекалось по груди, по животу и ниже.

Все кончилось, разумеется. Они это кончили, маман с Жюльеном. Пари стало легче, но она не удивилась. Рано или поздно мужчины всегда разочаровывали маман. Всегда катастрофически недотягивали до идеала, с которым она их сравнивала. Все начина-

210

лось с восторгов и страсти и вечно заканчивалось отрывистыми обвинениями и злыми словами, яростью и припадками слез, метанием кухонной утвари и томленьем. Античная трагедия. Без излишеств маман не умела ни начинать отношений, ни завершать их.

Далее следовал предсказуемый период, когда маман внезапно выказывала склонность к одиночеству. Не вставала с кровати, не снимала старого зимнего пальто, надетого поверх пижамы, — усталое, страдальческое, неулыбчивое присутствие. Пари знала, что лучше оставить ее в покое. Любые попытки утешать или развлекать не приветствовались. Это паршивое настроение длилось неделями. После Жюльена оно тянулось гораздо дольше.

— *Ah, merde!** — говорит маман.

Она сидит на койке, все еще в больничной ночнушке. Доктор Делонэ выдал Пари документы на выписку, а медсестра вынимает иглу капельницы у маман из руки.

— Что такое?

— Да вспомнила. У меня через пару дней интервью.

— Интервью?

— Для поэтического журнала.

— Это же замечательно, маман.

— К статье полагается фотография. — Она тыкает пальцем в швы.

— Я уверена, ты найдешь изящный способ все скрыть, — говорит Пари.

Маман вздыхает, отводит взгляд. Медсестра вытаскивает иглу, маман морщится и рявкает что-то недоброе, незаслуженное.

---

* *Зд.:* Черт! *(фр.)*

ФРАГМЕНТ ИЗ «АФГАНСКОЙ ПЕВЧЕЙ ПТИЦЫ»,
ИНТЕРВЬЮ С НИЛОЙ ВАХДАТИ
ЭТЬЕНН БУСТУЛЕ
«Параллакс-84» (Зима, 1974), стр. 36

Я вновь оглядываю квартиру, меня тянет к фотографии в рамке на одной книжной полке. На снимке — маленькая девочка, сидит на корточках в заросшем кустарником поле, она полностью поглощена тем, что там собирает, — наверное, ягоды. На ней ярко-желтое пальто, застегнутое на все пуговицы, — яркий контраст облачному серому небу. На заднем плане — каменный сельский дом с закрытыми ставнями и потрепанной кровлей. Спрашиваю об этой фотографии.

НВ. Это моя дочь Пари. Как город, только без s. Означает «фея». Этот снимок мы сделали в Нормандии, ездили вдвоем. В 1957-м, кажется. Ей тогда было восемь.

ЭБ. Она живет в Париже?

НВ. Учит математику в Сорбонне.

ЭБ. Вы, наверное, гордитесь ею.

Она улыбается, пожимает плечами.

ЭБ. Меня несколько удивляет ее выбор призвания: вы же посвятили себя искусству.

НВ. Не знаю, откуда в ней это. Все эти непостижимые формулы и теории. Ей они, видимо, не непостижимы. Я сама едва справляюсь с умножением.

ЭБ. Может, это ее бунт. Полагаю, вы сами знаете о бунтарстве не понаслышке.

НВ. Да, но я-то бунтовала как полагается. Пила, курила, заводила любовников. Кто ж устраивает математические бунты? (Смеется.) И к тому же она — тот самый пресловутый бунтарь без идеала. Я позволила ей все мыслимые свободы. Она ни в чем не нуждается, моя дочь. Все у нее есть. Она живет с мужчиной. Несколько старше ее. Обаятельный до невозможности, начитанный, интересный. Конченый нарцисс, конечно. Эго размером с Польшу.

ЭБ. Вы его не одобряете.

НВ. Одобряю я или нет — не имеет значения. Это Франция, месье Бустуле, не Афганистан. Молодые люди здесь живут и умирают без печати родительского одобрения.

ЭБ. У вашей дочери, значит, нет связей с Афганистаном?

НВ. Мы уехали оттуда, когда ей было шесть. У нее о тех местах осталось мало воспоминаний.

ЭБ. Но не у вас, разумеется.

Прошу ее рассказать о ее юных годах.

Она извиняется и ненадолго выходит из комнаты. Вернувшись, вручает мне старую, потрескавшуюся чернобелую фотографию. На ней — сурового вида мужчина, кряжистый, в очках, блестящие волосы зачесаны назад, пробор безупречен. Он сидит за столом, читает книгу. Облачен в костюм с острыми лацканами, двубортный жилет, белую рубашку с высоким воротником и галстук-бабочку.

НВ. Мой отец. Тысяча девятьсот двадцать девятый. Я родилась в тот год.

ЭБ. Выглядит как титулованная особа.

НВ. Он был из пуштунской аристократии в Кабуле. Прекрасно образованный, безукоризненные манеры, в пределах приличий общителен. Блестящий рассказчик. Во всяком случае, на публике.

ЭБ. А приватно?

НВ. Попробуйте догадаться, месье Бустуле.

Я вновь всматриваюсь в фотографию.

ЭБ. Отстраненный, я бы сказал. Суровый. Непроницаемый. Бескомпромиссный.

НВ. Я все же настаиваю, чтобы вы со мной выпили. Ненавижу — нет, презираю — питие в одиночку.

Наливает мне бокал шардоне. Пригубливаю из вежливости.

НВ. У него, у отца моего, всегда были холодные руки. В любую погоду. У него всегда были холодные руки. И он всегда носил костюм, опять же — в любую погоду. Идеального покроя, с острыми стрелками. И шляпу. И броги двух оттенков. Он был красив, пусть и на торжественный лад. К тому же — и это я поняла существенно позже — на искусственный, слегка абсурдный, псевдоевропейский лад, довершенный еженедельными играми в газонный боулинг и поло, а также обожаемой женой-француженкой, и все это — на радость молодому прогрессивному королю.

Она ковыряет ноготь, некоторое время молчит. Я переворачиваю кассету в диктофоне.

НВ. Мой отец спал в своей комнате, мы с мамой — в своей. Днем он обычно обедал с министрами и советниками короля. Или катался верхом, играл в поло или охотился. Он обожал охоту.

ЭБ. То есть вы не слишком много общались. Он, в общем, отсутствовал.

НВ. Не вполне. Он непременно проводил со мной несколько минут каждые пару дней. Приходил ко мне в комнату, присаживался на кровать, и то был мне сигнал забираться к нему на колени. Он качал меня, мы оба при этом говорили мало, и наконец он спрашивал: «Ну, чем займемся, Нила?» Иногда разрешал мне достать у него из нагрудного кармана платок и складывать его. Понятное дело, я его попросту комкала и засовывала обратно к нему в карман, а он изображал поддельное изумление, что казалось мне весьма комичным. И так мы играли, пока ему не надоедало, а случалось это довольно скоро.

214

Тогда он гладил меня по волосам холодными руками и говорил: «Папе пора, олешка. Беги».

Она уносит фотографию в другую комнату, возвращается, достает из ящика еще одну пачку сигарет, закуривает.

НВ. Такое вот он мне дал прозвище. Мне нравилось. Я скакала по саду — у нас был громадный сад — и напевала: «Я — папина олешка! Я — папина олешка». Много позже я поняла, насколько зловещим было это прозвище.

ЭБ. Простите?

Она улыбается.

НВ. Мой отец стрелял оленей, месье Бустуле.

До квартиры маман можно дойти пешком, всего несколько кварталов, но дождь заметно усилился. В такси маман, укрытая плащом Пари, сворачивается клубком на заднем сиденье и безмолвно смотрит в окно. Пари в этот миг она кажется старой, гораздо старше ее сорока четырех. Старой, хрупкой, худой.

Пари уже некоторое время не заглядывала к маман. Поворачивает ключ в замке, они входят, и она видит, что кухонная стойка заставлена грязными бокалами, открытыми пачками чипсов и пасты, тарелками с ошметками неопознаваемых пищевых окаменелостей. Бумажный пакет, набитый пустыми винными бутылками, высится на столе, того и гляди рухнет. На полу газеты, одна пропиталась кровью сегодняшнего происшествия, а на ней — одинокий розовый шерстяной носок. Пари пугает такой вид жилого пространства маман. Пари самоедствует. На что, зная маман, и мог быть расчет. Ей противно, что подобные мысли приходят в голову. Такое пусть Жюльен думает. *Она хочет, чтобы ты огорчалась.*

Он говорил это не раз за последний год. *Она хочет, чтобы ты огорчалась.* Когда он произнес это впервые, Пари полегчало: ее понимают. Она была ему признательна: он облек в слова то, что она не могла — или не стала бы. Ей показалось, что нашелся союзник. Но теперь... Она улавливает в его словах проблеск зловредности. Тревожный недостаток доброты.

Пол в спальне завален одеждой, пластинками, книгами, газетами. На подоконнике — стакан с водой, пожелтевшей от плавающих в ней окурков. Пари сбрасывает книги и старые журналы с кровати и помогает маман залезть под одеяло.

Маман смотрит на нее снизу вверх, тыльная сторона ладони — на забинтованном лбу. В этой позе она похожа на актрису немого кино, вот-вот лишится чувств.

— Оклемаешься, маман?

— Сомневаюсь, — отвечает она. Не похоже на мольбу о внимании. Маман говорит это плоско, скучающе. Устало, искренне, определенно.

— Ты меня пугаешь, маман.

— Уже уходишь?

— Хочешь, останусь?

— Да.

— Тогда остаюсь.

— Выключи свет.

— Маман?

— Да.

— Ты принимаешь лекарства? Или бросила? По-моему, бросила, а я волнуюсь.

— Не начинай. Выключи свет.

Пари выключает. Садится на край кровати, смотрит, как мать засыпает. Потом идет на кухню и принимается за колоссальную уборку. Находит пару перчаток, начинает с тарелок. Отмывает стаканы, смердящие давно прокисшим молоком, плошки с присохшими хлопьями, тарелки с едой, испятнанной косматыми зелеными плешами плесени. Вспоминает, когда впервые мыла посуду у Жюльена дома — тем утром, когда они впервые переспали. Жюльен сделал им омлет. Как ценила она это простое домашнее действие — мытье тарелок в раковине, а вертушка играла им Джейн Биркин.

Она восстановила с ним связь год назад, в 1973-м, впервые почти за десять лет. Они столкнулись на улице рядом с канадским посольством — на студенческой демонстрации против охоты на тюленей. Пари идти не хотела, да к тому же ей надо было закончить работу по мероморфным функциям, но Коллетт настояла. Они тогда жили вместе, и такой расклад все более усиливал их взаимное неудовольствие. Коллетт начала курить траву. Взяла моду носить ободки и свободные малиновые рубахи, расшитые птицами и маргаритками. Притаскивала домой длинновласых неряшливых юношей, которые съедали продукты Пари и дурно играли на гитарах. Коллетт не вылезала из забастовок — протестовала против жестокого обращения с животными, расизма, рабства, французских ядерных испытаний в Тихом океане. В квартире царил постоянный тревожный гул, какие-то люди приходили и уходили. А когда они с Коллетт оставались одни, Пари ощущала вновь возникшее между ними напряжение — высокомерие подруги, ее невыраженное неодобрение.

— Они врут, — оживленно говорила Коллетт. — Утверждают, у них щадящие методы. Щадящие! Ты видела, чем они их бьют по голове? Эти их *хакапики* видела? В половине случаев несчастное животное еще не умерло, а эти сволочи втыкают в них крюки и втаскивают в лодку. Они их свежуют живьем, Пари. Живьем!

Коллетт это последнее произнесла с таким нажимом, что Пари захотелось извиниться. За что — непонятно, однако она ощущала, что в эти дни общество Коллетт, ее упреки и постоянное негодование мешали ей дышать.

Собралось всего человек тридцать. Ходил слух, что явится сама Брижитт Бардо, но слухом он и остался. Коллетт такая явка разочаровала. Она вступила в разгоряченную перепалку с тощим бледным юнцом в очках, Эриком, — он, насколько Пари поняла, отвечал за организацию шествия. Бедный Эрик. Пари его пожалела. Все еще бурля, Коллетт взялась руководить. Пари шла за всеми ближе к хвосту, рядом с плоскогрудой девицей, та с неким нервическим возбуждением выкрикивала лозунги. Пари уперлась взглядом в мостовую и изо всех сил пыталась не выделяться.

На углу улицы какой-то человек похлопал ее по плечу:

— Кажется, тебе до смерти нужен спаситель.

На нем был твидовый пиджак поверх свитера, джинсы, шерстяной шарф. Волосы длиннее, чем прежде, он немного, но элегантно постарел — тем манером, какой женщины его возраста считают несправедливым и даже возмутительным. По-прежнему стройный, может, одна-другая морщинка у глаз, еще чуть больше седины на висках, на лице — легкая тень усталости.

— Точно, — отозвалась она.

Они поцеловались в щеку, а когда он спросил, не выпьет ли она с ним кофе, Пари согласилась.

— Твоя подруга, похоже, сердится. До смертоубийства рукой подать.

Пари оглянулась и увидела Коллетт рядом с Эриком — она кричала и выбрасывала вверх кулак и одновременно таращилась на них. Пари сдавленно прыснула: смех привел бы к непоправимому ущербу. Виновато пожала плечами и нырнула в сторону.

Они отправились в маленькое кафе, уселись за столик к окну. Он заказал им по кофе и «наполеону». Пари наблюдала, как он разговаривает с официантом тоном доброжелательной властности, который ей был так памятен, и чувствовала тот же трепет в животе, что и когда-то еще девчонкой, когда он приезжал за маман. Ей вдруг стало неловко за свои обгрызенные ногти, ненапудренное лицо, за волосы в обвисших кудрях — лучше бы все-таки высушила их после душа, но опаздывала, а Коллетт уже металась по квартире, как зверь в зоопарке.

— Я как-то не причислял тебя к протестному типу, — сказал Жюльен, прикуривая для нее сигарету.

— Я и не он. Это я из виноватости, а не по убеждениям.

— Виноватости? За охоту на тюленей?

— Перед Коллетт.

— А. Ну да. Знаешь, мне кажется, ее я бы тоже немного боялся.

— Да мы все.

Рассмеялись. Он потянулся через стол, тронул ее за шарф. Опустил руку.

— Пошло говорить, что ты выросла, поэтому не буду. Но ты выглядишь роскошно, Пари.

Она дернула себя за лацкан плаща:

— Что, даже в этом костюме Клузо?

Коллетт говорила ей, что это дурацкая привычка — эта вот самоедская клоунада, которой Пари пыталась прикрыть свою нервозность в присутствии интересных ей мужчин. Особенно когда они делали ей комплименты. Не впервые и далеко не в последний раз она позавидовала маман и ее природной уверенности в себе.

— Ты теперь скажешь, что я соответствую своему имени, — сказала она.

— *Ah, non.* Умоляю тебя. Слишком очевидно. Говорить женщинам комплименты — это, знаешь ли, искусство.

— Нет, не знаю. Но за тебя уверена.

Официант принес пирожные и кофе. Пари сосредоточилась на руках официанта, расставлявшего чашки и тарелки, а у самой ладони противно вспотели. У нее за всю жизнь было всего четыре любовника, и она знала, что это скромный счет — по сравнению с маман в том же возрасте или даже с Коллетт. Слишком уж она была осмотрительна, разумна, легко договаривалась и приспосабливалась, а в целом — гораздо спокойнее и легче в обращении, чем маман или Коллетт. Но не эти качества привлекают толпы мужчин. И она никого из них не любила — хотя одному соврала, сказав, что любит, — но, пришпиленная под каждым из них, думала о Жюльене, его прекрасном лице: казалось, оно обладало собственным свечением.

Пока ели, он говорил о работе. Сказал, что уже годы как бросил преподавание. Сотрудничал несколько лет с Международным валютным фондом на тему приемлемого уровня долга. Лучшая часть этого сотрудничества, по его словам, — поездки.

— Куда?

— Иордан, Ирак. Потом два года писал книгу по теневой экономике.

— Издали?

— Ходят слухи. — Улыбнулся. — Сейчас я работаю в частной консультационной фирме, здесь, в Париже.

— Я тоже хочу путешествовать, — сказала Пари. — Коллетт все время говорит, что мне надо ехать в Афганистан.

— Подозреваю, мне понятно, почему *она* бы туда поехала.

— Ну, я об этом думала. Съездить туда, в смысле. Мне гашиш не нужен, но я хочу добраться до страны, где родилась. Может, отыскать старый дом, где мы жили с родителями.

— Не думал, что у тебя есть такое стремление.

— Мне любопытно. Ведь я так мало помню.

— Кажется, ты разок упоминала семейного повара.

Пари лестно: столько лет прошло, а он все еще помнит ее слова. Наверное, думал о ней в этом промежутке. Наверное, не выбрасывал ее из головы.

— Да. Его звали Наби. Он у нас и шофером был. Возил нас на отцовской машине — такой здоровый американский автомобиль, голубой, с откидным верхом. На капоте, помню, была голова орла.

Потом он спросил, и она рассказала ему про учебу и ее интерес к комплексным переменным. Слушал так, как никогда не слушала маман, которой сам предмет был, похоже, скучен, а страсть Пари к нему — загадочна. Она мило шутила — словно подтрунивала над своим невежеством. *Oh là là*, — говорила она, — *моя голова! Моя голова! Кружится, как тотем! Давай так, Пари: я налью нам чаю, а*

221

*ты вернешься на нашу планету, d'accord?** Она хихикала, и Пари уступала ей, но чувствовала, что есть
в этих шутках острая грань, скрытый упрек, намек,
что ее знание считают заумью, а ее устремленья —
легковесными. *Легковесными.* Лихо сказано, думала
Пари, особенно устами поэта, однако вслух никогда
этого матери не говорила.

Жюльен спросил, что ее привлекает в математике,
и она ответила, что математика утешительна.

— Я бы сказал, «пугающа» — более подходящее
прилагательное, — ответил он.

— И это тоже.

Она сказала, что в незыблемости математических
истин есть утешение, в отсутствии условности, дву-
смысленности. В знании, что ответы могут быть
неуловимы, но досягаемы. Они есть, они ждут — в
скольких-то меловых штрихах от тебя.

— В отличие от жизни, иными словами, — сказал
он. — Тут вопросы либо не имеют ответов, либо они
паршивые.

— Я настолько очевидна? — Она засмеялась и
зарылась лицом в салфетку. — Выгляжу идиоткой.

— Вовсе нет, — сказал он. Отнял у нее салфетку. — Отнюдь.

— Как твои студенты. Я, наверное, тебе напоминаю твоих студентов.

Он задал еще несколько вопросов, и по ним Пари
поняла, что он вполне разбирался в аналитической
теории чисел и хотя бы вскользь знал, кто такие
Карл Гаусс и Бернхард Риман. Они разговаривали,
пока небеса не потемнели. Пили кофе, потом пиво,
потом вино. А потом, когда уже некуда было откла-

---

* Ладно? (*фр.*)

дывать, Жюльен чуть склонился к ней и спросил вежливо, добропорядочно:

— А скажи, как там Нила?

Пари надула щеки и медленно выпустила воздух. Жюльен с пониманием кивнул.

— Может потерять свою книжную лавку, — сказала Пари.

— Какая жалость.

— Дела катились под гору последние годы. Ей, может, придется ее закрыть. Она не признает, но это будет для нее ударом. Тяжелым ударом.

— Она пишет?

— Последнее время нет.

Он вскоре сменил тему. Пари отпустило. Не хотелось говорить о маман, ее пьянстве, о том, как надо заставлять ее принимать лекарства. Пари помнила все неловкие взгляды, все те разы, когда они с Жюльеном оставались одни, пока маман облачалась в соседней комнате, и Жюльен смотрел, как Пари пытается придумать, что бы такого сказать. Маман это чувствовала. Может, поэтому рассталась с Жюльеном? Если так, у Пари было легкое подозрение, что сделала она это скорее как ревнивая любовница, нежели как заботливая мать.

Через несколько недель Жюльен предложил Пари переехать к нему. Он жил в квартирке на Левом берегу, в 7-м аррондисмане. Пари согласилась. Колючая враждебность Коллетт сделала пребывание в их квартире невыносимым.

Пари помнит свое первое воскресенье у Жюльена дома. Они лежали на диване, прижавшись друг к другу. Пари плавала в приятной полудреме, Жюльен пил чай, положив длинные ноги на кофейный столик. Читал какую-то авторскую статью на последней странице газеты. С вертушки пел Жак Брель. Пари время от времени терлась головой о его грудь, и Жюльен склонялся и легко целовал ее то в веки, то в ухо, то в нос.

— Нам надо сказать маман.

Она чувствовала, как он напрягся. Сложил газету, снял очки для чтения, положил на подлокотник.

— Ей надо знать.

— Да, наверное, — сказал он.

— «Наверное»?

— Нет, ну конечно. Ты права. Позвони ей. Но будь осторожна. Не спрашивай ни разрешения, ни благословения — не получишь ни того ни другого. Просто сообщи. И сделай так, чтобы она понимала: торг неуместен.

— Легко тебе говорить.

— Ну, может. И все ж не забывай, Нила — женщина мстительная. Прости за эти слова, но именно так у нас все и закончилось. Она поразительно мстительна. Так что я знаю, о чем говорю. Будет непросто.

Пари вздохнула и закрыла глаза. От мысли о разговоре с маман скрутило живот.

Жюльен погладил ее по спине:

— Не обижайся.

Пари позвонила на следующий день. Маман уже знала.

— Кто тебе сказал?

— Коллетт.

Ну разумеется, подумала Пари.

— Я собиралась тебе сказать.

— Я знаю. Вот, говоришь же. Такое не скроешь.

— Ты сердишься?

— Это имеет значение?

224

Пари стояла у окна. Пальцем рассеянно водила по синей кромке старой, битой пепельницы Жюльена. Закрыла глаза.

— Нет, маман. Не имеет.

— Н-да, вот бы могла я сказать, что *это* не больно.

— Я не хотела.

— По-моему, это очень спорно.

— Зачем мне делать тебе больно, маман?

Маман рассмеялась. Полый, мерзкий звук.

— Смотрю я на тебя и не вижу себя в тебе. Естественно, не вижу. Это, понятно, не неожиданность, в конце концов. Я не знаю, что ты за человек, Пари. Я не знаю, кто ты, на что ты способна по крови. Ты мне чужой человек.

— Я не понимаю, что это значит, — произнесла Пари.

Но мать уже повесила трубку.

**Фрагмент из «Афганской певчей птицы»,
интервью с Нилой Вахдати
Этьенн Бустуле
«Параллакс-84» (Зима, 1974), стр. 38**

ЭБ. Вы французский здесь выучили?

НВ. Мама учила меня в Кабуле, когда я была маленькой. Она со мной говорила только по-французски. Каждый день занятия. Когда она уехала из Кабула, мне было очень тяжко.

ЭБ. Она уехала во Францию.

НВ. Да. Мои родители развелись в 1939-м, когда мне было десять. Я у отца единственный ребенок. Мой отъезд с ней даже не обсуждался. И я осталась, а она уехала в Париж к своей сестре Агнес. Отец попытался смягчить для меня эту потерю — занял меня частным преподавателем, верховой ездой и уроками живописи. Но мать ничто не заменит.

ЭБ. Что с ней сталось?

НВ. О, она умерла. Когда нацисты пришли в Париж. Ее не убили. Убили Агнес. А мама, она умерла от пневмонии. Отец не говорил мне, пока союзники не освободили Париж, но тогда я уже знала. Знала — и все тут.

ЭБ. Трудно, наверное.

НВ. Невыносимо. Я любила мать. Я собиралась жить с ней во Франции после войны.

ЭБ. Полагаю, вы с отцом не очень ладили.

НВ. Между нами существовало напряжение. Мы ссорились. Довольно много, что для него было внове. Он не привык, когда ему перечат, тем более женщины. Мы ругались из-за того, что я ношу, куда иду, что говорю, как говорю, кому говорю. Я становилась все дерзче и наглей, а он — все аскетичнее и эмоционально суровее. Мы превратились в естественные противоположности.

Она хмыкает, затягивает узел банданы на голове.

НВ. А тут я еще и принялась влюбляться. Часто, безнадежно и, к ужасу моего отца, не в тех, в кого надо. То в сына домработницы, то в какого-то безродного госслужащего, возившегося с отцовыми делами. Безрассудные, беспутные страсти, все обреченные с самого начала. Я организовывала тайные встречи, смывалась из дома, но, конечно же, кто-нибудь непременно сообщал отцу, что меня видели где-то на улицах. Ему говорили, что я развлекалась, — всегда им нравилось это слово: я-де «развлекалась». Или еще говорили, что я «выставляюсь напоказ». Отец отправлял за мной поисковую партию. Сажал меня под замок. На несколько дней. Говорил мне из-за двери: «Ты меня унижаешь. Зачем ты меня унижаешь? Что мне с тобой сделать?» Иногда отвечал сам себе на этот вопрос — ремнем или кулаком. Гонялся за мной по комнате. Видимо, думал, ему удастся испугать меня и так покорить. Я много писала в то время — длинные скандальные стихи, истекавшие подростковой страстью. Довольно мелодраматические да и истеричные к тому же, увы. Всякие птицы в клетках, любовники в кандалах — вроде того. Не горжусь ими.

Есть ощущение, что ложная скромность — не ее стихия, а значит, такова ее честная оценка тех ранних работ. Если так, она изуверски строга к себе. Ее стихи того периода поразительны даже в переводе, особенно с учетом ее тогдашнего возраста. Они трогают, они богаты образами, чувствами, проницательностью и выразительным изяществом. Они великолепно говорят об одиночестве и неудержимой печали. Они описывают ее разочарования, взлеты и падения юношеской любви во всем ее блеске, обещаниях и ловушках. И в них же часто проявляется ощущение запредельной клаустрофобии, схлопывающегося горизонта и всегда — борьбы с диктатурой обстоятельств, часто изображенной в виде безымянной устрашающей мужской фигуры. Нетрудно разглядеть в ней не слишком завуалированную аллюзию на отца. Говорю ей все это.

ОБ. В своих стихах вы ломаете рифму, ритм и размер того, что, насколько я понимаю, есть классическая персидская поэзия. Вы применяете свободный поток образов. Возвышаете случайные, повседневные детали. Насколько я могу судить, тогда это было вполне революционно. Справедливо ли будет сказать, что, родись вы в стране побогаче, скажем, в Иране, — могли бы почти наверняка прославиться как литературный новатор?

Она сдержанно улыбается.

НВ. Представьте себе.

227

ЭБ. И все же меня довольно сильно поразило то, что вы сказали ранее. Что вы не гордитесь теми стихами. А вам вообще ваши работы нравятся?

НВ. Опасный это вопрос. Наверное, я бы ответила утвердительно, если б могла отделить их от самого творческого процесса.

ЭБ. В смысле, отделить результат от средств.

НВ. Творческий процесс — неизбежно занятие воровское. Копните под любое прекрасное литературное произведение, месье Бустуле, — и обнаружите все мыслимые бесчестья. Творчество — намеренное осквернение жизни других людей, превращение их в невольных и нечаянных участников. Вы воруете их желания, мечты, прикарманиваете их недостатки, их страдания. Берете то, что вам не принадлежит. И делаете это осознанно.

ЭБ. И у вас отлично получается.

НВ. Я делала это не ради каких-то возвышенных представлений об искусстве, а потому что не имела выбора. Потребность была слишком мощна. Если б я ей не сдалась — сошла бы с ума. Вы спрашиваете, горжусь ли я ими. Мне трудно щеголять чем-то, обретенным сомнительными с моральной точки зрения средствами. Я предоставляю другим решать, хвалить это или нет.

Она допивает вино, выливает остатки из бутылки себе в бокал.

НВ. Скажу вам все же вот что: никто в Кабуле меня не хвалил. Никто в Кабуле не считал то, что я делаю, новаторством или чем бы то ни было еще, лишь дурным вкусом, дебоширством и аморальностью. И не последним — мой отец. Он сказал, что мои работы — вздор шлюхи. Он использовал именно это слово. Сказал, что я необратимо опорочила имя семьи. Сказал, что я его предала. Продолжал спрашивать, почему так трудно вести себя прилично.

ЭБ. И как вы отвечали?

НВ. Я говорила ему, что мне плевать на его представления о приличиях. Сказала, что не имею желания затягивать петлю у себя на шее.

ЭБ. Подозреваю, что его это раздосадовало еще больше.

НВ. Естественно.

Медлю со следующими словами.

ЭБ. Но я могу понять его гнев.

Она вскидывает бровь.

ЭБ. Он же был отцом семейства, верно? А вы бросили вызов всему, что он знал, что было ему дорого. Требовали в некотором смысле — и своей жизнью, и своим творчеством — новых границ для женщин, права самостоятельного слова, узаконенной самости. Вы попрали монополию мужчин — таких, как он, — которую они держали веками. Вы говорили то, что не могло быть произнесено. Вы совершали маленькую единоличную революцию, можно сказать.

НВ. А я-то все это время думала, что пишу о сексе.

ЭБ. Но это же часть большего, разве нет?

Перелистываю свои заметки, поминаю несколько открыто эротических стихотворений — «Тернии», «Лишь ради ожидания», «Подушка». Признаюсь ей, что они у меня не самые любимые. Говорю, что им недостает тонкости и завуалированности. Они читаются так, будто были написаны исключительно с целью шокировать и скандализировать. Они видятся мне спорными — гневным обвинением гендерного уклада в Афганистане.

НВ. *Конечно*, я гневалась. Я гневалась из-за всеобщей позиции, что меня надо защищать от секса. Что меня надо защищать от собственного тела. Потому что я женщина. А женщины, знаете ли, эмоционально, морально и интеллектуально незрелы. Им не хватает самообладания, видите ли, они уязвимы перед плотским искушением. Они гиперсексуальные существа, которых надо держать в узде, иначе они запрыгнут в койку к любому Ахмаду и Махмуду.

ЭБ. Но — простите меня за это — вы же так и делали, верно?

НВ. Исключительно в порядке протеста против этого самого предубеждения.

У нее чудесный смех — хитрый и лукаво-умный. Она спрашивает, не хочу ли я пообедать. Говорит, что дочь недавно набила ей холодильник, и отправляется готовить что-то, что в итоге оказывается превосходным сэндвичем с *jambon fumé**. Делает лишь один. Себе она открывает еще одну бутылку вина и прикуривает очередную сигарету. Усаживается.

НВ. Вы согласны, ради этого разговора, что нам следует оставаться в хороших отношениях, месье Бустуле? Говорю, что согласен.

НВ. Тогда сделайте мне два одолжения: ешьте сэндвич и прекратите таращиться на мой бокал.

Излишне отмечать, что сказанное пресекает любые вопросы о ней и об алкоголе.

ЭБ. Что же произошло дальше?

НВ. В 1948-м, когда мне было девятнадцать, я заболела. Всерьез заболела — скажем так и на этом оставим. Отец отвез меня в Дели на лечение. Пробыл со мной все шесть недель, пока врачи за мной ходили. Мне сказали, что я могла умереть. Может, стоило. Смерть — вполне себе карьерный рывок для молодого поэта. Когда мы вернулись, я была слаба и замкнута. Какое там писательство. Меня почти не интересовали ни еда, ни разговоры, ни развлечения. Меня отвращали посетители.

---

* Копченый окорок (*фр.*).

Я хотела лишь одного — задернуть шторы и спать весь день, все дни. В основном этим и занималась. Но в конце концов я выбралась из постели и постепенно вернулась к своему обычному распорядку, под которым я понимаю обязательные неизбежности, которые человеку необходимо выполнять, чтобы как-то функционировать и оставаться условно цивилизованным. Но меня будто стало меньше. Будто что-то жизненно важное потерялось в Индии.

ЭБ. Ваш отец беспокоился?

НВ. Напротив. Он воодушевился. Он счел, что моя встреча со смертью выбьет из меня незрелость и беспутство. Он не понимал, что я чувствовала себя потерянной. Я читала, месье Бустуле, что если человека накрывает снежной лавиной и он лежит под толщей снега, ему не понять, где верх, а где низ. Хочешь выбраться, рвешься не в ту сторону и выкапываешь собственную погибель. Вот так я себя ощущала — дезориентированной, подвешенной в смятении, лишенной компаса. И невероятно подавленной. А в таком состоянии человек уязвим. Видимо, поэтому я и сказала «да» на следующий, 1949 год, когда Сулейман Вахдати попросил у отца моей руки.

ЭБ. Вам было двадцать.

НВ. А ему нет.

Она предлагает мне еще один сэндвич, но это предложение я отклоняю, и чашку кофе, на что я соглашаюсь. Она ставит кипятить воду, спрашивает меня, женат ли я. Отвечаю, что не женат и сомневаюсь, что когда-либо буду. Она смотрит на меня через плечо, взгляд задерживается, она улыбается.

НВ. А. Обычно я могу распознать.

ЭБ. Сюрприз!

НВ. Может, это из-за сотрясения. (Указывает на бандану.) Это не демонстрация мод. Я поскользнулась и упала пару дней назад, рассекла лоб. И все же я могла бы распознать. В вас, в смысле. По моему опыту, мужчины, понимающие женщин так хорошо, как, похоже, вы, редко хотят иметь с ними дела.

Она подает мне кофе, закуривает сигарету, усаживается.

НВ. У меня есть теория о браке, месье Бустуле. Заключается она в следующем: почти всегда можно понять, получится или нет, в течение первых двух недель. Поразительно, как много людей годами или даже десятилетиями остаются в кандалах, в протяженном обоюдном состоянии самообмана и ложных надежд, тогда как ответ им дается в первые две недели. А мне-то и столько не нужно. Мой муж был достойным человеком. Но слишком серьезным, отстраненным и неинтересным. К тому же он был влюблен в шофера.

ЭБ. А. Это, вероятно, оказалось довольно неожиданным.

НВ. Ну, сюжет, как говорится, от этого острее не стал. (Она улыбается с легкой грустью.) Обычно мне его было жалко. Не мог он выбрать хуже времени и места, чтобы родиться таким, как он. Умер от инсульта, когда нашей дочери было шесть. Тогда я еще могла остаться в Кабуле. У меня был дом и мужнино состояние. Садовник и вышеупомянутый шофер. Вполне удобная жизнь. Но я собрала вещи и перевезла нас с Пари во Францию.

ЭБ. Что вы сделали, как уже отметили, ради ее блага.

НВ. Все, что я предпринимала, месье Бустуле, — все ради дочери. Правда, она не понимает и не ценит в полной мере того, что я для нее сделала. Она, моя дочь, может быть ошеломительно беспечной. Если б знала она, какая жизнь могла выпасть на ее долю, если бы не я...

ЭБ. Вы разочарованы в дочери?

НВ. Месье Бустуле, я теперь думаю, что она — мое наказание.

Однажды в 1975-м Пари приходит в свою новую квартиру и обнаруживает на кровати небольшой сверток. Прошел год с тех пор, как она забрала мать из «скорой», и девять месяцев после расставания с Жюльеном. Пари живет теперь со студенткой-медиком по имени Захия — молодой алжиркой в темных кудрях и с зелеными глазами. Самостоятельная девушка, жизнерадостная и неунывающая, им легко жить вместе, хотя Захия помолвлена теперь со своим молодым человеком, Сами, и собирается переехать к нему в конце семестра.

Рядом со свертком — сложенная бумажка. «Пришло для тебя. Я останусь на ночь у Сами. До завтра. *Je t'embrasse**. Захия».

Пари срывает обертку. Внутри — журнал, а к нему пришпилена еще одна записка — знакомым, почти по-женски изящным почерком. «Это было отправлено Пиле, а потом паре, что живет в старой квартире Коллетт, затем — мне. Тебе стоит обновить свой адрес для пересылок. Читай на свой страх и риск. Никто из нас тут хорошо не выглядит, увы. Жюльен».

Пари бросает журнал на кровать, делает себе салат из шпината, накладывает *кускус*. Переодевается в пижаму, ест у маленького черно-белого телевизора, взятого напрокат. Рассеянно глядит на картинки воздушной эвакуации беженцев с юга Вьетнама на Гуам. Думает о Коллетт, которая бастовала на улицах

_____

* Обнимаю (*фр.*).

233

против американской войны во Вьетнаме. О Коллетт — она принесла венок из георгинов и маргариток на поминки, обнимала и целовала Пари и с подиума чудесно продекламировала одно стихотворение маман.

Жюльен на службу не пришел. Позвонил и нерешительно сообщил, что не выносит поминок — считает их депрессивными.

А кто не считает? — спросила тогда Пари. *Думаю, будет лучше, если я воздержусь.*

Как хочешь, — сказала она в трубку, а сама подумала: это не даст тебе искупления, не надейся. Так же, как присутствие на поминках не даст искупления мне. Искупления нашего безрассудства. Бездумности. О боже. Пари повесила трубку, зная, что ее роман с Жюльеном оказался для маман последней каплей. Она повесила трубку, зная, что весь остаток дней будет возвращаться к ней в случайные мгновенья — к этой вине, а чудовищное раскаяние будет заставать ее врасплох и ранить до самых костей. Она будет с этим бороться — до конца своих дней. Подтекающий кран на задворках сознания.

Перед ужином она принимает ванну, просматривает свои конспекты к предстоящему экзамену. Еще немного пялится в телевизор, моет и сушит посуду, подметает пол в кухне. Но все без толку. Никак себя не отвлечь. Журнал лежит на кровати и зовет к себе, как низкочастотное гудение передатчика.

Потом она набрасывает плащ поверх пижамы и отправляется погулять по бульвару Ла Шапель, несколько кварталов от дома. Воздух холоден, капли дождя плюхают в мостовую и витрины, но в квартире нет покоя. Ей нужен холодный влажный воздух, открытое пространство.

Пари помнит: маленькой она без конца сыпала вопросами. *А у меня есть двоюродные братья и сестры в Кабуле, маман? А тети и дяди? А бабушки и дедушки, есть у меня grand-père и grand-maman? Почему никогда не приезжают в гости? Можно написать им письмо? Пожалуйста, давай к ним съездим.*

Большинство ее вопросов касались отца. *Какой у него был любимый цвет, маман? Скажи, маман, а он хорошо плавал? Он много знал анекдотов?* Она помнит, как он гоняется за ней по комнате. Катает ее по ковру, щекочет ей пятки и живот. Помнит запах лавандового мыла и блеск высокого лба, длинные пальцы. Овальные лазуритовые запонки, стрелки на брюках. Почти видит, как вместе они с отцом вышибают из ковра пылинки.

Пари всегда хотела от матери того самого клея, который бы связал воедино ее рыхлые, разрозненные ошметки воспоминаний, чтобы превратились они в некое подобие связной истории. Но маман всегда говорила немного. Неизменно оставляла при себе подробности ее жизни — и их жизни вместе — в Кабуле. Держала Пари подальше от их общего прошлого — и Пари в конце концов бросила спрашивать.

А теперь выясняется, что маман рассказала о себе и своей жизни этому журналисту, этому Этьенну Бустуле, больше, чем собственной дочери.

Или нет?

Пари прочитала материал трижды. И не знает теперь, что думать, чему верить. Столь многое в сказанном кажется ложью. Часть читается как пародия. Мрачная мелодрама закованных в кандалы красавиц, обреченных романов и вездесущего по-

235

давления, рассказанная эдак высокопарно, с придыханием.

Пари направляется на запад, к Пигаль, идет быстро, руки в карманах плаща. Небо быстро темнеет, а дождь хлещет ей в лицо все гуще и настойчивей, окна расплываются, размазываются огни машин. Пари не помнит, чтоб когда-либо встречалась с этим человеком, ее дедом, отцом маман, она видела одну его фотографию — как он читает за столом, — но сомневается, что был он таким вот усатым злодеем, какого маман из него сделала. Пари думает, что видит ее историю насквозь. У нее свои представления. По ее версии, его закономерно беспокоило благополучие глубоко несчастной и саморазрушительной дочери, которая волей-неволей портит себе жизнь. Его унижают, все время попирают его достоинство, но он по-прежнему стоит за дочь, отвозит ее в Индию, когда та болеет, остается подле нее шесть недель. И кстати, что такое стряслось с маман? Что они с ней сделали в Индии? Пари думает о том вертикальном шраме — Пари спрашивала, и Захия сказала ей, что кесарево сечение делают горизонтально.

К тому же маман сказала в интервью о своем муже, отце Пари. Не навет ли это? Он правда любил Наби, шофера? А если так, зачем раскрывать это после стольких-то лет, если не запутать, унизить и, возможно, ранить? В таком случае — кого?

Саму Пари не удивляет то нелестное описание, что маман припасла для нее, — особенно после Жюльена: не удивляет и избирательный, стерилизованный рассказ маман о ее материнстве.

Враки?

И все же...

Маман была одаренным писателем. Пари прочитала каждое слово, написанное маман на французском, и каждое стихотворение, которое она перевела с фарси. Сила и красота ее письма бесспорны. Но если отчет о своей жизни, который маман дала в интервью, — вранье, откуда она тогда брала образы для своих работ? Где он, этот источник слов, искренних, прекрасных, свирепых, печальных? Она что — лишь одаренная пройдоха? Фокусница с пером вместо волшебной палочки, способным трогать публику, колдуя чувства, каких никогда сама не переживала? Возможно ли такое вообще?

Пари не знает, — не знает, и все тут. И может, таково и было подлинное намерение маман — поколебать самую почву под ногами Пари. Намеренно сбить ее с толку, лишить корней, сделать ее чужим человеком, навалить на ее сознание груз сомнений — обо всем, что, как Пари казалось, она знает о своей жизни, — заставить ее ощутить растерянность, будто идет она по ночной пустыне, а вокруг лишь тьма и неизвестность, истина зыбка, будто одинокий малюсенький проблеск света вдали, то видно, то нет, и он все время движется, прочь от нее.

Можeт, думает Пари, такова месть маман. Не только за Жюльена, который должен был, по ее замыслу, положить конец питию, мужчинам, годам, растраченным в отчаянных рывках к счастью. Все тупики обойдены и заброшены. Каждый удар разочарования — и маман все больше сломлена, потерянна, а счастье — оно все более призрачно. *Чем была я, маман? — думает Пари. — Чем я должна была стать, возникнув в твоей утробе, — если в твоей утробе я вообще была зачата? Семенем надежды? Билетом, по которому ты выедешь из тьмы? По-*

237

вязкой на рану, какую ты носила в сердце? Если так, меня не хватило. И близко даже. Не бальзам я для твоих страданий, а лишь еще один тупик, еще одно бремя, и ты это увидела еще вначале. Ты это наверняка осознала. Но что ты могла сделать? Не могла же ты пойти в ломбард и заложить меня.

Может, это интервью — последняя шутка маман.

Пари входит под маркизу булочной — прячется от дождя в нескольких кварталах от больницы, где проходит практику Захия. Закуривает. Надо позвонить Коллетт, думает она. С поминок они разговаривали всего раз или два. Когда были маленькими, напихивали полный рот жвачки и жевали, пока не начинали болеть челюсти, а потом усаживались перед трюмо маман и возились с волосами, делали друг дружке прически. Пари замечает пожилую даму через дорогу, на ней целлофановый капор от дождя, она бредет по тротуару, за ней семенит бурый терьерчик. Не впервые от соборного тумана воспоминаний Пари отрывается облачко и постепенно принимает форму собаки. Не маленькой игрушечной, как у этой старухи, а большой злобной зверюги, лохматой, грязной, с обрубленным хвостом и ушами. Пари не уверена, воспоминание ли это на самом деле, призрак воспоминаний или ни то ни другое. Она как-то спрашивала маман, не было ли у них собаки в Кабуле, и маман ответила: *Ты же знаешь, я не люблю собак. У них никакого самоуважения. Ты ее бьешь, а она тебя все равно любит. Это угнетает.*

И маман вот еще что говорила:

Я не вижу себя в тебе. Я не знаю, кто ты.

Пари отшвыривает сигарету. Решает позвонить Коллетт. Надо встретиться где-нибудь за чаем. Узнать, как у нее дела. С кем встречается. Пойти вместе поглазеть на витрины, как некогда.

Узнать, не собирается ли по-прежнему ее старая подруга в Афганистан.

Да, Пари видится с Коллетт. Они встречаются в людном баре с марокканским интерьером, всюду фиолетовые драпировки и оранжевые подушки, на маленькой сцене курчавый музыкант играет на уде. Коллетт не одна. С ней молодой человек. Его зовут Эрик Лакомб. Преподает актерское мастерство семи- и восьмиклассникам в лицее в 18-м аррондисмане. Он говорит Пари, что они уже встречались несколько лет назад, на студенческой демонстрации против охоты на тюленей. Пари не может с ходу вспомнить, а потом у нее получается: тот самый, на кого за низкую явку так рассердилась Коллетт, в чью грудь она колотила. Они садятся на пол поверх пухлых манго-во-желтых подушек, заказывают выпить. Поначалу у Пари складывается впечатление, что Коллетт с Эриком — пара, но Коллетт все нахваливает Эрика, и Пари вскоре понимает, что его сюда пригласили ради нее. Неловкость, какая обычно охватывает ее в подобной ситуации, зеркальна заметному смущению Эрика и от этого смягчается. Пари забавляет и даже трогает, как он то и дело заливается краской и трясет головой, маясь, извиняясь. За хлебом с *тапе-надой* из маслин Пари украдкой взглядывает на него. Красивым не назовешь. Волосы длинные, обвисшие, на затылке стянуты резинкой в хвост. У него маленькие руки и бледная кожа. Нос слишком узкий, лоб слишком выпуклый, подбородок почти отсутствует, но у него ясная улыбка, а в конце каждой фразы он смотрит выжидательно, точно ставит счастливый вопросительный знак. И хотя его лицо не завораживает Пари, как когда-то Жюльеново, оно намного добрее — внешний вестник, как Пари вскоре поймет, внимательности, бессловесного долготерпения и глубокой порядочности, что живут в Эрике.

Они женятся холодным весенним днем 1977 года, через несколько месяцев после присяги Джимми Картера. Против желания родителей Эрик настаивает на скромной гражданской церемонии, в которой участвуют лишь они двое и Коллетт как свидетельница. Он говорит, что традиционная свадьба — излишество, которое им не по карману. Его отец, состоятельный банкир, предлагает все оплатить. Эрик, в конце концов, у них один. Сначала отец предлагает это в подарок, потом — как заем. Но Эрик отказывается. Он никогда этого не говорит, но Пари знает, что так он сберег ее от неловкости церемонии, на которой она будет одна, никто из ее семьи не будет сидеть среди гостей, некому будет отвести ее к венцу, никто не прольет по ней счастливых слез.

Когда она рассказывает ему о своих планах съездить в Афганистан, он понимает это так, как Жюльен, думает Пари, никогда бы не понял. А еще так, как Пари сама никогда в открытую не могла себе признаться.

— Тебе кажется, что тебя удочерили, — говорит он.

— Поедешь со мной?

Они решают отправиться туда тем же летом, когда у Эрика закончится учебный год, а Пари сможет ненадолго отвлечься от своей докторской. Эрик записывает их обоих к преподавателю фарси, которого он нашел через мать одного своего учеников. Пари часто видит его на диване в наушниках, на груди — плеер с кассетой, глаза сосредоточенно закрыты, он бормочет с сильным акцентом «спасибы», «приветы» и «как дела?» на фарси.

За несколько недель до лета, как раз когда Эрик принимается подбирать им авиабилеты и жилье, Пари обнаруживает, что беременна.

— Мы все равно можем поехать, — говорит Эрик. — Нам же все равно надо.

Решает не ехать именно Пари.

— Это безответственно, — говорит она. Они все еще живут в студии с паршивым отоплением, подтекающими трубами, без кондиционера и с разношерстным набором помойной мебели. — Здесь не место для ребенка, — говорит она.

Эрик берет подработку — учит игре на фортепиано, чем он коротко занимался до того, как увлекся театром, и к рождению Изабель — милой светлокожей Изабель с глазами цвета карамели — они переезжают в небольшую трехкомнатную квартиру недалеко от Люксембургского сада, на сей раз — при финансовой поддержке Эрикова отца, и на сей раз они ее принимают на условиях займа.

Пари берет три месяца по уходу за ребенком. Проводит дни с Изабель. Рядом с ней Пари чувствует себя невесомой. Она будто светится, когда Изабель обращает на нее взгляд. Эрик, возвращаясь из лицея домой, первым делом сбрасывает пальто и портфель на пол у входной двери, падает на диван, вытягивает руки и шевелит пальцами.

— Дай ее мне, Пари. Дай ее мне.

Он нянчит Изабель, а Пари выкладывает ему всякие мелочи дня: сколько молока Изабель выпила, сколько раз поспала, что они с ней смотрели по телевизору, во что играли, какие у нее новые звуки. Эрик никогда не устает это слушать.

241

Поездку в Афганистан отложили. По правде сказать, Пари больше не чувствует в себе той пронзительной потребности искать ответы и корни. Из-за Эрика — он сам по себе ее как-то поддерживает и успокаивает. А также из-за Изабель — она утвердила землю у Пари под ногами, пусть в почве этой и остались еще расщелины и слепые пятна, все неотвеченные вопросы, все то, что маман ей не уступила. Они-то никуда не делись. Но Пари больше не алчет ответов, как прежде.

И то очищение, что было с нею всегда: в ее жизни есть некое отсутствие чего-то или кого-то необходимого, — оно притупилось. Время от времени возвращается по-прежнему, но не так часто, как раньше. Никогда Пари не была такой довольной, никогда не чувствовала себя столь счастливо пришвартованной.

В 1981 году, когда Изабель три года, уже беременная Аленом, Пари должна ехать на конференцию в Мюнхен. Там она представит сделанную в соавторстве работу по модулярным формам вне теории чисел, особенно в топологии и теоретической физике. Доклад принимают благосклонно, а затем Пари и несколько других ученых отправляются в шумный бар выпить пива с претцелями и *Weisswurst**. Она возвращается в гостиничный номер до полуночи, валится спать не раздеваясь, не умываясь. Телефон будит ее в 2.30 ночи. Эрик, звонит из Парижа.

— Изабель, — говорит он. У нее жар. Десны вдруг распухли и покраснели. Обильно кровят при малейшем прикосновении. — У нее еле зубы видно, Пари. Я не знаю, что делать. Я где-то читал, что это может быть...

---

* Вареная телячья колбаса (*нем.*).

Она хочет, чтобы он замолчал. Она хочет сказать ему, чтобы он заткнулся, что она не в силах это слышать, но поздно. «Детская лейкемия» или, может, он сказал «лимфома», но какая разница? Пари садится на край кровати, сидит как каменная, голова пульсирует, она вся в поту. Пари в бешенстве на Эрика — за то, что вложил настолько чудовищную мысль ей в голову посреди ночи, когда она в семистах километрах от дома, беспомощна. Она в бешенстве на себя — за собственный идиотизм. Ввергнуть себя, добровольно, в целую жизнь беспокойств и терзаний. Это было безумие. Чистое помешательство. Феноменально дурацкая, безосновательная вера, что, в какую бы невообразимую сторону ни развернуло, этот мир, который не контролируешь, не отнимет у тебя то единственное, потерю чего ты не переживешь. Вера, что мир тебя не раздавит. *Я не сдюжу.* Она говорит это вслух, еле слышно. *Я не сдюжу.* В этот миг она не может представить себе более безрассудного, неразумного поступка, чем быть родителем.

И что-то еще внутри нее: *Господи, помоги мне,* — думает она, — *Господи, прости меня за это,* — что-то еще в бешенстве от Изабель — за то, что она так поступает, заставляет ее так страдать.

— Эрик. Эрик! *Écoute moi**.* Я тебе перезвоню. Сейчас мне надо прерваться.

Она вытряхивает содержимое сумочки на кровать, находит бордовую записную книжку с телефонами. Заказывает звонок в Лион. В Лионе живет Коллетт с мужем, Дидье, она там открыла маленькое турагентство. Дидье учится на врача. Дидье снимает трубку.

---

* Послушай меня (*фр.*).

— Ты же знаешь, я учусь на психиатра, Пари, верно? — говорит он.

— Знаю. Знаю. Я просто подумала...

Он задает кое-какие вопросы. Изабель сколько-нибудь похудела? Ночная потливость, неожиданные синяки, усталость, хронический жар?

Наконец он говорит, что Эрику надо сводить ее утром к врачу. Но, если он правильно помнит общие знания из мединститута, похоже на острый гингиво-стоматит.

Пари так вцепляется в трубку, что у нее ломит запястье.

— Прошу тебя, — просит она терпеливо, — Дидье.

— Ой, извини. В смысле, похоже на первые симптомы простого герпеса.

— Простого герпеса.

А затем он добавляет счастливейшие слова из всех, какие Пари доводилось слышать за всю жизнь:

— Думаю, все с ней будет хорошо.

Пари виделась с Дидье лишь дважды — один раз до и один раз после свадьбы Коллетт. Но в этот миг она его любит всем сердцем. Говорит ему это, рыдая в трубку. Она говорит ему, что любит его, — несколько раз, — а он смеется и желает ей доброй ночи. Пари перезванивает Эрику, тот утром отвезет Изабель к доктору Перрену. После этого Пари лежит на кровати, в ушах у нее звенит, она смотрит, как уличный свет сочится в комнату через блекло-зеленые деревянные ставни. Думает о том, как ее забрали в больницу с пневмонией, когда ей было восемь, и как маман отказывалась уходить домой, настаивала, что будет спать на стуле у ее койки, и сейчас она вдруг чувствует заново неожиданную запоздалую связь с матерью. Много раз за эти несколько лет она скучала по ней. На свадьбе, само собой. При рождении Изабель. И еще в мириаде случаев. Но никогда так сильно, как в эту ужасную и чудесную ночь в гостиничном номере в Мюнхене.

Вернувшись на следующий день в Париж, она говорит Эрику, что после рождения Алена им больше не надо рожать детей. Так лишь усиливается вероятность сердечных страданий.

В 1985-м, когда Изабель семь, Алену — четыре, а маленькому Тьери — два, Пари принимает предложение преподавать в одном знаменитом парижском университете. Она временно становится объектом ожидаемой подковерной возни и мелочности академических кругов, что не поразительно: ей всего тридцать шесть, она — самый молодой профессор на факультете и одна из двух преподавателей-женщин. Она сносит это так, как маман, кажется, не смогла и не пожелала бы. Не льстит и не подмасливает. Ни с кем не бодается, не кляузничает. На нее всегда найдутся скептики. Но с падением Берлинской стены падают и стены ее академической жизни: она постепенно завоевала расположение большинства коллег — своим разумным поведением и обезоруживающей общительностью. На факультете у нее есть друзья — да и на других факультетах тоже, она посещает университетские сборища, благотворительные события, иногда ходит на коктейли и званые ужины. На такие вечерние мероприятия с ней ходит и Эрик. В порядке любимой внутренней шутки он всякий раз облачается в один и тот же вязаный галстук и вельветовый пиджак с заплатами на локтях. Бродит по людной комнате, пробует закуски, попивает вино и в целом выглядит радостным и потерянным, и Пари иногда вынуждена приходить на помощь и вызволять его из какой-нибудь компании математиков прежде, чем он выразит свое мнение по поводу трехмерного многообразия и диофантова приближения.

На таких вечеринках кто-нибудь неизбежно спрашивает Пари о ее взглядах на ситуацию в Афганистане. Однажды слегка подвыпивший приглашенный профессор по имени Шатлар спрашивает Пари, что, по ее мнению, будет с Афганистаном после ухода советских войск.

— Успокоится ли ваш народ, *Madame Professeur*?

— Не могу знать, — отвечает она. — Говоря строго, я афганка только по имени.

— *Non mais, quand-même**, — говорит он. — Но все-таки у вас же должен быть некий свой взгляд.

Она улыбается, стараясь сдерживать чувство собственной неполноценности, наползающее на нее в таких разговорах.

— Лишь то, что я читаю в «*Le Monde*». Как и вы.

— Но вы же там выросли, *non*?

— Я уехала из страны совсем маленькой. Вы знакомы с моим мужем? Вон он, с заплатами на локтях.

Она говорит правду. Да, она следит за новостями, читает статьи о войне, о вооружении моджахедов Западом, но Афганистан в ее сознании отдалился. У нее навалом дел по хозяйству — теперь у них милый домик с четырьмя спальнями в Гьянкуре, в двадцати километрах от центра Парижа. Они живут на пригорке за парком с прогулочными тропами и прудами. Эрик уже не только преподает — он еще и пишет пьесы. Одну — разбитной политический фарс — осенью собирается поставить один небольшой театр рядом с парижской мэрией, и ему уже заказали следующую.

---

* Вот те на, и все-таки... (*фр.*)

Изабель выросла в тихого, но умного и внимательного подростка. Она ведет дневник и читает по роману в неделю. Ей нравится Шинейд О'Коннор. У нее длинные красивые пальцы, она берет уроки виолончели. Через несколько недель ей предстоит играть «Грустную песенку» Чайковского на концерте. Сначала она упрямилась и не хотела заниматься, но Пари взяла несколько уроков вместе с ней, из солидарности. Оказалось, что это и не необходимо, и невыполнимо. Необязательно потому, что Изабель быстро приобщилась к инструменту самостоятельно, а невыполнимо оттого, что от виолончели у Пари болели руки. Уже год по утрам у Пари сводит суставы, и первые полчаса, а иногда и час никак их не расшевелить. Эрик уговаривал ее сходить к врачу, а теперь уже просто настаивает.

— Тебе всего сорок три, Пари, — говорит он. — Это ненормально.

Пари записывается на прием.

У Алена, их среднего сына, озорное плутовское обаяние. Он с ума сходит по восточным единоборствам. Родился недоношенным и все еще мелковат для одиннадцатилетнего мальчишки, но то, чего ему не хватает в росте, он с лихвой восполняет пылом и сметкой. Противников вечно сбивают с толку его щуплость и худые ноги. Они его недооценивают. Пари с Эриком часто, лежа ночью в постели, поражаются его невероятной силе воли и неукротимой энергии. Ни за Изабель, ни за Алена у Пари голова не болит.

А вот Тьери беспокоит. Тьери, который, быть может, на каком-то темном неосознанном уровне чувствует, что его не ждали, не планировали, не звали. Тьери выказывает склонность мучительно молчать, прищуриваться, возиться и мешкать, когда

247

Пари его о чем-нибудь просит. Пари кажется, что он перечит ей исключительно лишь бы перечить. Бывают дни, когда над ним собирается туча. Пари это замечает. Она ее почти видит. Туча сгущается и набрякает, пока наконец не разверзается потоками истерики — щеки дрожат, ноги топочут, — и Пари боится их, а Эрик лишь моргает и страдальчески улыбается. Инстинкты подсказывают Пари, что Тьери, как и боль в суставах, останется ее пожизненной заботой.

Она представляет, какой бабушкой была бы маман. Особенно для Тьери. Пари кажется, что маман бы здесь помогла. Что-то было в нем от нее — хоть и не биологически, понятно, Пари в этом уже какое-то время уверена. Дети знают о маман. Особенно интересно Изабель. Она читала многие ее стихи.

— Здорово было бы ее знать, — говорит она. — Такая эффектная, — говорит она. — Мне кажется, мы бы с ней подружились. Как думаешь? Читали бы одни и те же книги. Я бы играла ей на виолончели.

— Она бы оценила, — говорит Пари. — В этом я уверена.

Пари не рассказывала детям о самоубийстве. Однажды они, возможно, узнают — да почти наверняка. Но не от нее. Она не заронит в их умы семя мысли, что родитель способен бросить своих детей, сказать им: *Тебя недостаточно*. Пари ее детей и Эрика всегда хватало. И всегда будет хватать.

Летом 1994-го Пари и Эрик везут детей на Майорку. Каникулы им устроили Коллетт и ее ныне процветающее турагентство. Коллетт и Дидье ожидают их на Майорке, и они вместе проводят две недели в снятом доме прямо у пляжа. У Коллетт и Дидье нет детей — не по биологической неудаче, а потому что они не хотят. Для Пари все происходит вовремя. Ее ревматоидный артрит к тому времени взят под контроль. Она принимает еженедельную дозу метатрексата, его она переносит нормально. К счастью, в последнее время не пила никакие стероиды и не страдает сопровождающей их бессонницей.

— Не говоря уже о лишнем весе, — говорит она Коллетт. — Зная, что в Испании придется влезть в купальник? — Смеется. — Ах, пустяки.

Целыми днями они ездят по острову, добираются до северо-западного берега, к горам Серра-де-Трамунтана, останавливаются прогуляться по оливковым рощам и сосновому бору. Пробуют *порселлу*, восхитительное блюдо из морского окуня под названием *лубина* и жаркое из баклажанов и кабачков — *тумбет*. Тьери отказывается все это есть, и в каждом ресторане Пари вынуждена просить повара приготовить тарелку спагетти с томатным соусом, без мяса, без сыра. По просьбе Изабель — та недавно открыла для себя оперу — они однажды вечером идут на «Тоску» Пуччини. Чтобы пережить это испытание, Коллетт и Пари втихаря передают друг другу серебряную фляжку с дешевой водкой. К середине второго акта они в стельку и никак не могут угомониться и не хихикать, как школьницы, над ухватками актера, играющего Скарпиа.

В другой раз Пари, Коллетт, Изабель и Тьери берут с собой обед и отправляются на пляж; Дидье, Ален и Эрик еще утром ушли в поход вдоль бухты Сойе. По дороге на пляж они заходят в магазин — купить Изабель приглянувшийся купальник. Заходя, Пари ловит свое отражение в зеркальном стекле. Обычно, особенно последнее время, когда Пари оказывается перед зеркалом, у нее автоматически включается некий ментальный процесс, который готовит ее к встрече с постаревшей собой. Это защищает ее, смягчает потрясение. Но в витрине она застала себя врасплох — уязвимой перед реальностью, не искаженной самообманом. Она видит женщину средних лет в неряшливой широкой рубахе и пляжной юбке, не до конца скрывающей вислые складки кожи над коленями. Солнце высвечивает седину. И, несмотря ни на какой контур для глаз и ни на какую помаду, что очерчивает губы, у нее теперь такое лицо, на котором взгляд прохожего остановится и отскочит, будто это дорожный знак или почтовый ящик. Миг встречи с собой краток, едва хватит, чтоб чуть затрепетал пульс, но достаточно, чтобы Пари-воображаемая получила представление о реальности той женщины, что смотрит на нее из витринного стекла. Чуточку убийственно. Вот оно, старение, думает она, следуя за Изабель в магазин, — эти случайные недобрые мгновения, подлавливают тебя, когда их менее всего ожидаешь.

Потом они возвращаются в дом, а мужчины уже там.

— Папа стареет, — говорит Ален.

Стоя за баром, где он мешает в графине сангрию, Эрик закатывает глаза и добродушно жмет плечами.

— Дай мне год. На следующее лето вернемся сюда, и я тебя загоняю по всему острову, *mon pote**.

Они не вернутся на Майорку никогда. Через неделю после их возвращения в Париж у Эрика случается инфаркт. Прямо на работе, за разговором с осветителем. От этого Эрик оправляется, но за сле-

* Дружочек мой (*фр.*).

дующие два года у него их будет еще два, и последний окажется смертельным. И вот в сорок восемь Пари, как и ее маман, становится вдовой.

Как-то в 2010 году, в самом начале весны, Пари звонят издалека. Звонок этот отнюдь не неожиданность. Более того, Пари к нему все утро готовилась. Перед разговором Пари делает все для того, чтобы остаться в доме одной. Это означает, что пришлось попросить Изабель уйти раньше обычного. Изабель с мужем Альбером живут к северу от Иль-Сен-Дени, всего в нескольких кварталах от двухкомнатной квартиры Пари. Изабель навещает Пари по утрам через день — после того, как отвезет детей в школу. Она привозит Пари багет, свежие фрукты. Пари еще не в инвалидном кресле, но готовит себя к нему. Хоть болезнь и вынудила ее год назад уйти на пенсию, она все еще полностью в состоянии сама ходить на рынок и ежедневно гулять. Руки — уродливые, скрюченные руки — подводят ее сильнее всего, в плохие дни в суставах будто пересыпаются осколки хрусталя. Пари носит перчатки, куда бы ни шла, чтобы руки не мерзли, но в основном потому, что она их стыдится — этих шишек на костяшках, этих отвратительных пальцев, пораженных *деформацией лебединой шеи*, как это называет ее врач, этого постоянно согнутого левого мизинца.

Ах, пустяки, — говорит она Коллетт.

В то утро Изабель принесла ей фиги, несколько кусков мыла, зубную пасту и полный пластмассовый контейнер с каштановым супом. Альбер подумывает предложить это хозяевам ресторана, где он помощник шеф-повара, как новинку в меню. Разгружая сумки, Изабель рассказывает Пари о своем новом заказе. Она сочиняет музыку для телепрограмм и рекламы и надеется, что ей скоро закажут музыку для фильма. Говорит, что начала писать для минисериала, который сейчас снимают в Мадриде.

— Ты поедешь туда? — спрашивает Пари. — В Мадрид?

— *Non*. Бюджет слишком маленький. Им не хватит мне на билеты.

— Жалко. Могла бы остановиться у Алена.

— Ой, да какое там, маман? Бедный Ален. Он там и ноги-то еле может вытянуть.

Ален — финансовый консультант. Живет в крошечной мадридской квартирке с женой Аной и их четырьмя детьми. Регулярно шлет Пари по электронной почте фотографии и короткие видеоролики про детей.

Пари спрашивает Изабель, не было ли вестей от Тьери, Изабель говорит, что нет. Тьери в Африке, где-то в Восточном Чаде — он там работает в лагере беженцев из Дарфура. Пари знает об этом, потому что Тьери спорадически выходит на связь с Изабель. Только с ней и общается. Так Пари знает, в общих чертах, о жизни сына, — к примеру, что он провел некоторое время во Вьетнаме. И что был однажды женат на вьетнамке, недолго, когда ему было двадцать.

Изабель ставит чайник, достает из буфета две кружки.

— Сегодня не будем, Изабель. Более того, я бы попросила тебя уйти.

У Изабель обиженный вид, и Пари ругает себя, что не подобрала слов получше. Изабель всегда была натурой ранимой.

— Я просто жду звонка, и мне нужно быть одной.

— Звонка? От кого?

— Я тебе потом расскажу, — отвечает Пари.

Изабель скрещивает руки на груди и улыбается:

— Ты нашла себе любовника, маман?

— Любовника. Ты слепая, что ли? Ты вообще смотрела на меня последнее время?

— Все в тебе как надо.

— Тебе лучше уйти. Я все потом объясню, честно.

— *D'accord, d'accord.* — Изабель вскидывает сумочку на плечо, сгребает пальто и ключи. — Но имей в виду, я сил нет как заинтригована.

Имя человека, звонящего ей в 9.30 утра, — Маркос Варварис. Он нашел Пари в «Фейсбуке» и написал ей личное сообщение на английском: «Вы — дочь поэта Нилы Вахдати? Если да, я бы очень желал поговорить с вами кое о чем интересном для вас». Пари поискала в интернете его имя и выяснила, что он был пластическим хирургом и работал на некоммерческую организацию в Кабуле. Сейчас в разговоре он приветствует ее на фарси и продолжает на нем говорить, но Пари вынуждена прервать его:

— Месье Варварис, простите, но, может, поговорим на английском?

— Ах, ну конечно. Простите. Я решил... Хотя, конечно, оно и понятно — вы уехали совсем юной, верно?

— Да, верно.

— Я сам выучил фарси здесь. Более-менее получается общаться. Я живу здесь с 2002-го, сразу после ухода талибов. Оптимистичные дни тогда были. Да, все готовы к стройке, к демократии и все такое. Сейчас все иначе. Естественно, мы готовимся к президентским выборам, но это другое дело. Увы, другое.

Пари терпеливо слушает пространные рассуждения Маркоса Варвариса о логистических трудностях, стоящих перед афганскими выборами, которые, по его словам, Карзай выиграет, а потом о набегах талибов на севере, об усилении исламистского влияния на новостные СМИ, пару замечаний о перенаселенности Кабула и стоимости жилья, покуда он наконец не возвращается к основной теме и не говорит:

— Я прожил в этом доме много лет. Насколько я знаю, вы тоже в нем жили.

— Простите?

— Это дом ваших родителей. По моим сведениям, во всяком случае.

— Могу ли я спросить, кто вам это сказал?

— Хозяин дома. Его зовут Наби. Ну, то есть, следует говорить «звали». Его, как ни печально, недавно не стало. Помните его?

Имя вызывает у Пари в памяти симпатичное молодое лицо, бакенбарды, копну темных волос, зачесанных назад.

— Да. В основном лишь имя. Он был у нас поваром. И еще шофером.

— Да, и тем и другим. Он жил в этом доме с 1947 года. Шестьдесят три года. Немного невероятно, да? Но, как я уже сказал, он скончался. В прошлом месяце. Я его любил. Все его любили.

— Понятно.

— Наби оставил мне записку, — говорит Маркос Варварис. — Я должен был прочесть ее лишь после его смерти. Когда он умер, я попросил своего афганского коллегу перевести ее на английский. Это гораздо больше, чем просто записка. Точнее будет сказать — письмо, и замечательное. Наби в нем кое-что сообщает. Я искал вас, потому что часть этого письма адресована вам, а также потому, что в нем он впрямую просит найти вас и передать это письмо. Пришлось повозиться, но мы смогли вас обнаружить. Спасибо интернету. — Он кратко усмехается.

Пари отчасти хочет повесить трубку. Подспудно она не сомневается: какие бы откровения этот старик — этот человек из ее далекого прошлого — ни излил на бумагу на другом краю света, они подлинны. Она уже давно знала, что маман врала ей о ее детстве. Но даже если почву ее жизни разрушила неправда, то, что она в эту почву посадила, — истинно, живо и неколебимо, как великанский дуб. Эрик, ее дети, внуки, карьера, Коллетт. Тогда в чем смысл? После стольких лет — в чем смысл? Может, и впрямь лучше повесить трубку.

Но она не вешает. Пульс сбивается, ладони потеют. Говорит:

— Что... что он сообщает в этой записке, в своем письме?

— Ну, хотя бы то, что он — ваш дядя.

— Мой дядя.

— Ваш *сводный* дядя, если точнее. И много чего еще. Он говорит много чего другого.

— Месье Варварис, оно при вас? Эта записка, это письмо или перевод? При вас?

— При мне.

— Может, вы прочтете его мне? Можете прочесть?

— Прямо сейчас?

— Если у вас есть время. Я могу вам перезвонить, чтобы за мой счет.

— Нет, ну что вы. Но вы уверены?

— *Oui*, — говорит она в трубку. — Уверена, месье Варварис.

Он читает ей письмо. Все целиком. Это небыстро. Когда он заканчивает, она благодарит его и говорит, что скоро выйдет на связь.

Повесив трубку, она включает кофеварку, а пока кофе варится, стоит у окна. Отсюда ей открывается знакомый пейзаж: узкая мощеная улочка, аптека в квартале отсюда, фалафельная на углу, булочная, которой владеет семья басков.

У Пари трясутся руки. С ней происходит нечто поразительное. Нечто совершенно замечательное. Оно представляется ей так, будто колун входит в землю и вдруг, пузырясь, на поверхность вырывается жирная черная нефть. Именно это с ней и происходит: из глубин поднимается память. Она смотрит в окно на булочную, но видит не тощего официанта под маркизой — в черном переднике, завязанном на талии, он трясет скатертью над столом, — а маленькую красную тачку со скрипучими колесами, что прыгает по дороге под небом плывущих облаков, катится по гребням и пересохшим канавам, вверх-вниз по охряным холмам, что наползают и отваливаются вдаль. Она видит сплетение фруктовых деревьев в куртинах, ветер цепляет листья, ряды виноградных лоз, связывающих маленькие домики с плоскими крышами. Видит бельевые веревки и женщин на корточках у воды, трескучие тросы качелей под большим деревом, крупную собаку, что вся сжалась от побоев деревенских мальчишек, и мужчину с ястребиным носом — он копает канаву, рубаха прилипла к спине от пота, а рядом с ним женщина с закрытым лицом готовит что-то на огне.

Но есть еще что-то на границе этой картинки, на краю ее зрения, вот к чему ее тянет сильнее всего: неуловимая тень. Фигура. И мягкая, и твердая одновременно. Мягкость руки, держащей ее руки. Твердость коленей, на которые она когда-то ложилась щекой. Она ищет его лицо, но оно бежит ее, ускользает всякий раз, когда она за ним поворачивается. Пари чувствует, как внутри разверзается пропасть. В ее жизни — всю ее жизнь — было у нее внутри великое отсутствие. Она почему-то всегда это знала.

— Брат, — говорит она, не замечая, что вслух. Не замечая, что плачет.

Внезапно на языке возникают строчки из песни на фарси:

> Я знаю грустную феечку,
> Ее ветром ночь унесла.

Есть там еще строки, вероятно — перед этими, она уверена, но они тоже ускользают от нее.

Пари садится. Приходится сесть. Она не знает, сможет ли выстоять еще хоть миг. Ждет, пока вскипит кофе, и думает: когда он сварится, ей предстоит его выпить, а потом, быть может, и закурить, а затем ей надо будет дойти до гостиной, позвонить в Лион Коллетт и спросить, сможет ли ее старая подруга организовать ей поездку в Кабул.

Но пока Пари сидит. Она закрывает глаза, кофеварка начинает булькать, а она видит под веками холмы, что лежат так мягко, и небо, что раскинулось так высоко и сине, и солнце садится за мельницу, и всегда, всегда смутная цепочка гор, уходящих все дальше и дальше за горизонт.

Глава седьмая

Лето 2009-го

— Твой отец — великий человек.

Адиль поднял взгляд. Это Малалай, склонившись, прошептала ему на ухо. Пухлая женщина средних лет в фиолетовой, расшитой бисером шали на плечах, она улыбалась ему, закрыв глаза.

— Тебе повезло, мальчик.

— Я знаю, — прошептал он в ответ.

Хорошо, — ответила она одними губами.

Они стояли на ступенях перед новой городской школой для девочек — прямоугольным светло-зеленым зданием с плоской крышей и большими окнами, — а отец Адиля, его Баба-джан, прочитал краткую молитву, а за ней произнес оживленную речь. Перед ним на ослепительной полуденной жаре собралась большая толпа щурившихся ребятишек, родителей, стариков — примерно сотня местных из маленького городка Шадбага-и-Нау, Нового Шадбага.

— Афганистан — наша общая мать, — сказал отец Адиля, воздев толстый указательный палец к небесам. Солнце отразилось в его перстне с агатом. — Но она мать хворая, и она долго страдала. Так вот, это правда, что матери, чтобы выздороветь, нужны ее сыновья. Да, но ей нужны и дочери — не меньше, если не больше!

Это вызвало шумные аплодисменты, выкрики из толпы и одобрительное улюлюканье. Адиль оглядел лица в толпе. Все они завороженно смотрели на его отца. Баба-джан — черные кустистые брови, густая борода — величественно возвышался над ними, и плечи у него были почти так же широки, как и входная дверь в школу за его спиной.

Отец продолжал. Адиль поглядел в глаза Кабиру, одному из двух телохранителей Бабы-джан, стоявших невозмутимо с «калашниковыми» в руках по обеим сторонам от отца. Адиль видел отражение толпы в темных летных очках Кабира. Кабир был малоросл, щупл, чуть ли не хрупок и носил костюмы ярких цветов — лавандового, лазурного, оранжевого, — однако Баба-джан говорил, что он — ястреб, и недооценивать его — оплошность, какую делаешь на свой страх и риск.

— И вот говорю я вам, юные дочери Афганистана, — сказал в заключение Баба-джан, раскинув длинные толстые руки в приветственном жесте. — Теперь на вас лежит почетная обязанность. Познавать, примнять себя к делу, совершенствоваться в учебе, чтобы вами гордились не только ваши отцы и матери, но та мать, что одна у нас у всех. Ее будущее — в ваших руках, не в моих. Я прошу вас не думать, что эта школа — мой вам подарок. Это всего лишь здание, в котором будет размещен *подлинный* дар — вы. Вы — дар, юные сестры, не только мне и общине Шадбага-и-Нау, но, что важнее всего, самой матери-Афганистану! Господь благослови вас.

Еще аплодисменты. Несколько человек закричали:

— Благослови Господь тебя, командир-сахиб!

Баба-джан, широко улыбаясь, воздел кулак. Глаза у Адиля чуть не взмокли от гордости.

Учительница Малалай вручила Бабе-джан ножницы. Толпа придвинулась, чтобы лучше было видно, и Кабир жестом оттеснил нескольких подальше, а пару человек толканул в грудь. Над толпой вскинулись руки с мобильными телефонами — заснять разрезание ленточки на видео. Баба-джан взялся за ножницы, помедлил, повернулся к Адилю, сказал:

— На, сынок, тебе почетное дело. — И вручил ножницы Адилю.

— Мне?

— Давай. — Баба-джан подмигнул.

Адиль разрезал ленточку. Разразились долгие аплодисменты. Адиль услышал, как щелкают фотоаппараты, как кричат: «Аллаху Акбар!»

Затем Баба-джан встал в дверях, а ученицы выстроились в очередь и по одной вошли в класс. Молоденькие девочки, от восьми до пятнадцати лет, все в белых платках и формах в черную и серую полоску — это Баба-джан им выдал. Адиль смотрел, как, проходя мимо, каждая застенчиво представляется Бабе-джан. Баба-джан тепло улыбался, похлопывал по головам, ободрял:

— Удачи, биби Мариам. Учись хорошенько, биби Хомайра. Будь нам гордостью, биби Ильхам.

Потом Адиль стоял рядом с отцовским «лендкрузером», обливался по́том и смотрел, как отец пожимает руки местным. Баба-джан перебирал свободной рукой четки, слушал терпеливо, чуть склоняясь вперед, хмурил лоб, кивал, уделял внимание каждому и каждой, кто подходил поблагодарить, вознести молитву, выразить почтение, а многие пользовались возможностью попросить об одолжении. Мать просила за больного ребенка — нужен хирург в Кабуле, работяга просил займа, чтоб начать мастерскую починки обуви, механик просил новый набор инструментов.

Командир-сахиб, если б вы нашли в своем сердце...
Мне больше некого просить, командир-сахиб...

Адиль никогда не слышал, чтобы кто-либо за пределами близкого семейного круга обращался к Бабе-джан иначе, нежели «командир-сахиб», хотя русские давно ушли и Баба-джан не стрелял из оружия лет десять, если не больше. У них дома все стены в гостиной были увешаны фотографиями в рамочках: Баба-джан во дни джихада. Адиль старательно запомнил каждую: вот отец опирается о борт пыльного старого джипа, вот сидит на башне обгорелого танка, позирует со своими бойцами, пулеметные ленты крест-накрест через грудь, а рядом подбитый вертолет. А еще была одна, где он, облаченный в бронежилет и разгрузку, прижимается лбом к земле пустыни. В те дни он был гораздо худее, отец Адиля, и на всех этих фотографиях ничего нет за его спиной — лишь горы и песок.

Русские дважды ранили Бабу-джан в бою. Он показывал Адилю свои ранения, одно — под левыми ребрами, он сказал, что ему оно стоило селезенки, а второе — примерно на длину большого пальца в сторону от пупа. Говорил, что ему вообще-то повезло. У него есть друзья, потерявшие ноги, руки, глаза; друзья, которым сожгло лицо. Они пережили это ради своей страны, говорил Баба-джан, и ради Господа. Это и есть джихад, говорил он. Жертвоприношение. Ты жертвуешь своими конечностями, зрением, самой жизнью — и делаешь это с радостью. Джихад также давал определенные права и привилегии, говорил отец, потому что Господь следит, чтобы те, кто больше всех пожертвовал, получили соответствующее вознаграждение.

И в этой жизни, и в следующей, — сказал Бабаджан, показывая толстым пальцем сначала вниз, потом вверх.

Глядя на эти фотографии, Адиль желал быть рядом в те захватывающие дни и сражаться в джихаде вместе с отцом. Ему нравилось представлять себя и Бабу-джан: вот они вместе стреляют по русским вертолетам, взрывают танки, пригибаются под огнем, живут в горах, ночуют в пещерах. Отец и сын, герои войны.

А еще была там большая обрамленная фотография, на которой Баба-джан улыбался рядом с президентом Карзаем, в *Арге* — президентском дворце в Кабуле. Этот снимок — недавний, сделан на небольшой церемонии, когда Бабе-джан вручили награду за его гуманитарную деятельность в Шадбаге-и-Нау. Эту награду Баба-джан более чем заслужил. Новая школа для девочек — всего лишь один его недавний проект. Адиль знал, что женщины в городе регулярно умирали в родах. Но теперь нет: отец открыл большую больницу, в которой трудились два врача и три акушерки, а зарплаты им он платил из своего кармана. Все люди в городе получали бесплатное медицинское обслуживание, и ни один ребенок в Шадбаге-и-Нау не оставался без прививок. Баба-джан привлек специальные бригады, которые находили воду и выкапывали колодцы по всему городу. Именно Бабаджан наконец помог подвести в Шадбаг-и-Нау постоянное электричество. Не меньше десятка предприятий открылось благодаря его займам, которые, по словам Кабира, нечасто — если вообще когда-нибудь — возвращались кредитору.

Адиль и впрямь сознавал то, что сказал учительнице. Он *знал*, что ему повезло быть сыном такого человека.

Рукопожатия завершались, и тут Адиль заметил, как к отцу подходит какой-то худощавый человек. В круглых очках с тонкой оправой, с короткой седой бородой, а зубы мелкие, как головки у сгоревших спичек. За ним шел мальчик примерно тех же лет, что и Адиль. У мальчика большие пальцы на ногах торчали из симметричных дырок в кроссовках. На голове — не волосы, а натуральный колтун. Джинсы колом от грязи, а к тому же и малы ему. Футболка же, наоборот, висела почти до колен.

Между стариком и Бабой-джан возник Кабир.

— Я тебя предупреждал, ты не вовремя, — сказал он.

— Мне бы пару слов с командиром, — сказал старик.

Баба-джан взял Адиля за руку и мягко направил на заднее сиденье «ленд-крузера».

— Посхали, сынок. Мать ждет. Он уселся рядом с Адилем, захлопнул дверцу.

Адиль смотрел через тонированное стекло, как Кабир что-то говорит старику снаружи, но отсюда ничего не слышно. После чего Кабир обошел внедорожник, уселся на водительское место, положил «калашников» на пассажирское, включил зажигание.

— Чего он хотел? — спросил Адиль.

— Ничего важного, — ответил Кабир.

Выкатились на дорогу. Кое-какие мальчишки недолго бежали за отъезжающим «ленд-крузером». Кабир проехал по главной оживленной улице, разделявшей Шадбаг-и-Нау надвое, пробрался сквозь поток машин, часто сигналя. Все уступали дорогу. Некоторые махали. Адиль смотрел на людные тротуары по обеим сторонам, взгляд скользил по знакомым видам: туши висят на крюках в мясницких лавках, кузнецы крутят деревянные колеса, качают мехи, торговцы фруктами отгоняют мух от винограда и вишен, уличный цирюльник на плетеном стуле точит бритву. Они проехали мимо чайных, кебабных, автомастерской, мечети, а потом Кабир провел автомобиль через большую городскую площадь с синим фонтаном и девятифутовым моджахедом из черного камня в центре; моджахед смотрел на восток, голову его изящно венчал тюрбан, на плече РПГ. Баба-джан лично заказал эту скульптуру умельцу в Кабуле.

К северу от главной улицы располагались жилые кварталы, в основном — узкие немощеные улочки и маленькие дома с плоскими кровлями, покрашенные в белый, желтый или синий. На некоторых крышах торчали спутниковые антенны, во многих окнах афганские флаги. Баба-джан говорил Адилю, что большинство домов и предприятий в Шадбаге-и-Нау возникли в последние пятнадцать лет или около того. В строительстве многих он участвовал. Почти все здешние жители считали его основателем Шадбага-и-Нау, и Адиль знал, что городские старейшины предлагали назвать город именем Бабы-джан, но он от такой чести отказался.

Отсюда главная дорога шла на север еще две мили, где упиралась в Шадбаг-и-Кона, Старый Шадбаг. Адиль никогда не видел, как эта деревня выглядела десятки лет назад. Когда Баба-джан перевез их с матерью из Кабула в Шадбаг, деревни почти не стало. Все дома исчезли. Единственный уцелевший след прошлого — развалины мельницы. В Шадбаге-и-Кона Кабир свернул с главной дороги влево, на широкую проселочную длиной в четверть мили, что связывала главную дорогу и огороженную толстыми двенадцатифутовыми стенами территорию, на которой проживали Адиль и его родители, — единственную постройку в Шадбаге-и-Кона, если не считать мельницы. Адиль уже видел белые стены из окна скакавшей по ухабам машины. По верху стен — кольца колючей проволоки.

Охранник в форме, постоянно находившийся на часах у парадного въезда на территорию, отдал честь и открыл ворота. Кабир провел машину внутрь периметра, по щебеночной аллее и к дому.

Трехэтажный дом был выкрашен в ярко-розовый и лазурно-зеленый. С высоченными колоннами, островерхими карнизами и сиявшими на солнце зеркальными стеклами, как у небоскребов. Парапеты, веранда в искристой мозаике, широкие балконы с витыми коваными перилами. Внутри — девять спален и семь ванных; иногда Адиль с Бабой-джан играли по дому в прятки, и в поисках отца Адиль мог бродить час или даже больше. Все столешницы в ванных и в кухне — из гранита и светло-зеленого мрамора. А недавно Баба-джан, к восторгу Адиля, заговорил о постройке бассейна в подвале.

Кабир закатил машину на полукруглую дорожку перед высокими входными дверями. Выключил двигатель.

— Ты не оставишь нас на минутку? — сказал Баба-джан.

Кабир кивнул и выбрался из машины. Адиль смотрел, как он поднимается по мраморным ступеням к дверям, звонит. Ему открыл Азмарай, второй телохранитель, — низкорослый, коренастый угрюмый парень. Они перекинулись парой слов и остались на крыльце, закурили.

— Тебе правда надо ехать? — спросил Адиль. Отец собирался утром на юг — осмотреть хлопковые поля в Гильменде и встретиться с рабочими бумагопрядильной фабрики, которую там построил. Его не будет две недели — бесконечность, казалось Адилю.

Баба-джан взглянул на него. Рядом с ним Адиль выглядел крохой — отец занимал больше половины сиденья.

— Да я б сам хотел остаться, сынок.

Адиль кивнул.

— Я сегодня гордился. Гордился тобой.

Баба-джан опустил громадную руку Адилю на колено:

— Спасибо, Адиль. Ценю. Я тебя вожу на такие события, чтоб ты знал, чтоб понимал, насколько важно тем из нас, кому повезло, — таким, как мы, — брать на себя ответственность.

— Ну хоть бы ты не уезжал все время.

— Да и я бы не хотел, сынок. И я. Но до завтра-то я не уеду. Вечером буду дома.

Адиль опять кивнул, уперся взглядом в свои руки.

— Смотри, — сказал отец мягко, — я нужен людям в этом городе, Адиль. Им нужна моя помощь — дом построить, найти работу, зарабатывать на жизнь. У Кабула свои проблемы. Кабул им не поможет. Если не я, то никто. И тогда эти люди будут страдать.

— Я понимаю, — пробормотал Адиль.

Баба-джан чуть сжал его коленку.

— Знаю, ты скучаешь по Кабулу, по друзьям. Тут трудно привыкнуть — и тебе, и твоей матери. Да и меня все время нету — езжу, встречаюсь с людьми, уйме народу потребно мое время. Но... Посмотри на меня, сынок.

Адиль встретился взглядом с Бабой-джан. Его глаза сияли добротой из-под сени кустистых бровей.

— Никто на этой земле мне так не важен, как ты, Адиль. Ты мой сын. Я с радостью отдам все это за тебя. Я жизнь свою за тебя отдам, сынок.

Адиль кивнул, глаза у него намокли. Иногда, если Баба-джан вот так говорил, Адиль чувствовал, как сердце его набрякало так сильно, что становилось тяжко дышать.

— Понимаешь?

— Да, Баба-джан.

— Веришь мне?

— Верю.

— Хорошо. Давай, поцелуй отца.

Адиль обвил руками шею Бабы-джан, отец прижал его к себе крепко, терпеливо. Адиль помнил: когда был маленький, он мог похлопать отца по плечу посреди ночи, все еще дрожа от приснившегося кошмара, и отец откидывал одеяло и пускал его к себе в постель, обнимал его, целовал в макушку, пока Адиль не переставал трястись и не засыпал.

— Может, привезу тебе что-нибудь из Гильмсн-да, — сказал Баба-джан.

— Это не обязательно, — ответил Адиль приглушенно. У него уже было столько игрушек, что он не понимал, что с ними делать. И не было такой игрушки на земле, какая восполнила бы отцово отсутствие.

В тот же день Адиль сидел на лестнице и подглядывал за тем, что творилось внизу. Раздался звонок, Кабир открыл. Теперь же он стоял, опершись о дверной косяк, руки на груди, загораживал проход и разговаривал с человеком на крыльце. Это был тот самый старик, которого Адиль видел у школы, —

очкастый, с зубами-спичками. Мальчик с дырками в кроссовках тоже был с ним, стоял рядом.

Старик сказал:

— Куда он уехал?

Кабир ответил:

— По делам. На юг.

— Я слыхал, он уезжает завтра.

Кабир пожал плечами.

— Надолго?

— На два, может, три месяца. Как знать.

— Я слышал иное.

— Так, ты испытываешь мое терпение, старик, — сказал Кабир, расплетая руки.

— Я его подожду.

— Не здесь.

— На дороге, в смысле.

Кабир нетерпеливо переступил с ноги на ногу.

— Как хочешь, — сказал он. — Но командир — занятой человек. Никто не знает, когда он вернется.

Старик кивнул и попятился, мальчик — за ним.

Кабир захлопнул дверь.

Адиль отдернул штору в гостиной и посмотрел в окно, как старик и мальчик уходят по проселку к главной дороге.

— Ты им соврал, — сказал Адиль.

— Служба у меня такая — защищать твоего отца от хапуг.

— Что ему надо вообще? Работу?

— Типа того.

Кабир уселся на диван, скинул ботинки. Глянул на Адиля, подмигнул. Кабир Адилю нравился — гораздо больше, чем Азмарай, тот был неприятный и редко с ним разговаривал. Кабир играл с Адилем в карты и приглашал смотреть вместе DVD. Кабир обожал кино. У него была коллекция, купленная на черном рынке, и он смотрел по десять-двенадцать фильмов в неделю — иранских, французских, американских и, конечно, болливудских, ему без разницы. А иногда, если мать Адиля была в другой комнате и Адиль обещал не говорить отцу, Кабир опорожнял магазин «калашникова» и давал Адилю подержать автомат, как моджахед. Сейчас «калашников» стоял прислоненный к стене у входной двери.

Кабир улегся на диван, закинув ноги на подлокотник. Принялся листать газету.

— Они вроде безвредные, — сказал Адиль, отпустив штору, и повернулся к Кабиру. Над кромкой газеты виднелся лоб телохранителя.

— Может, стоило позвать их на чай, — пробурчал Кабир. — Пирога им предложить.

— Не издевайся.

— Они все выглядят безвредными.

— Баба-джан им поможет?

— Наверное, — вздохнул Кабир. — Твой отец — река для своего народа. — Он опустил газету и ухмыльнулся. — Откуда это? Ну, Адиль. Месяц назад с тобой смотрели.

Адиль пожал плечами. Начал взбираться по лестнице наверх.

— «Лоренс», — сказал Кабир с дивана. — «Лоренс Аравийский». Энтони Куинн. — Когда Адиль добрался до вершины лестницы, Кабир добавил: — Они все хапуги, Адиль. Не ведись на их уловки. Они твоего отца до нитки бы раздели, дай им волю.

Однажды утром, через пару дней после отъезда отца в Гильменд, Адиль поднялся в родительскую спальню. Из-за двери слышалась громкая гулкая музыка. Он зашел и увидел мать в шортах и фут-болке перед громадным плоским телеэкраном — она повторяла движения троицы потных белокурых женщин, прыжки, приседания, растяжки, отжимания. Мать увидела его в большом зеркале на трюмо.

— Хочешь со мной? — пропыхтела она поверх музыкального грохота.

— Я просто посижу, — ответил он. Пристроился на полу и смотрел, как мать — ее звали Ария — прыгает взад-вперед по комнате.

У матери Адиля изящные руки и стопы, малень-кий вздернутый носик и миловидное лицо, как у актрисы из болливудских фильмов Кабира. Хрупкая, подвижная, юная — ей было всего четырнадцать, когда она вышла замуж за Бабу-джан. У Адиля была еще одна мать, постарше, и трое сводных стар-ших братьев, но их Баба-джан поселил на востоке, в Джелалабаде, и Адиль видел их лишь раз в месяц или около того, когда Баба-джан брал его с собой к ним в гости. В отличие от матери и мачехи — те не любили друг друга, — Адиль и его сводные братья хорошо ладили между собой. В Джелалабаде они водили его в парки, на базары, в кино и на соревно-вания по бузкаши. Вместе резались в «Обитель зла», стреляли по зомби в «Зове долга» и всегда брали к себе в команду играть в футбол с местными. Адиль так хотел, чтобы они жили рядом.

Адиль смотрел, как мать поднимает к потолку и опускает выпрямленные ноги, лежа на спине, зажав голыми лодыжками синий пластиковый мяч.

По правде сказать, шадбагская скука убивала Адиля. За два года здесь он не завел ни единого друга. Не ездил на велосипеде в город — во всяком случае, самостоятельно: в округе участились похищения людей, хотя иногда получалось улизнуть, ненадолго, но все равно не за пределы стен. У него не было школьных товарищей, потому что Баба-джан не позволил ему посещать местную школу — «по причинам безопасности», как он говорил, — и к ним на дом каждый день ходил учитель. В основном Адиль коротал время за чтением, или пинал в одиночестве мяч, или смотрел с Кабиром фильмы, бывало — одни и те же по многу раз. Он вяло бродил по просторным высоченным коридорам их огромного дома, по громадным пустым комнатам или пялился в окно из своей спальни наверху. Он жил в особняке, но мир его сжался. Иногда ему бывало так скучно, что он готов был грызть дерево.

Он знал, что матери здесь тоже ужасно одиноко. Она пыталась заполнить дни хозяйством, утренней гимнастикой, душем, завтраком, чтением, возней в саду, а вечера — индийскими мыльными операми по телевизору. Когда Бабы-джан не было дома, а такое случалось часто, она всегда носила серые треники и кроссовки, лицо не красила, волосы стягивала в узел на затылке. Редко открывала шкатулку с украшениями, где у нее хранились кольца, ожерелья и серьги, которые Баба-джан привез ей из Дубая. Иногда она часами разговаривала с кабульскими родственниками. И лишь когда ее сестра и родители навещали их раз в два-три месяца по нескольку дней, Адиль видел ее оживленной. Она облачалась в длинное цветастое платье и туфли на высоком каблуке, наносила макияж. Глаза у нее сияли, а смех разносился по всему дому. И лишь тогда Адиль замечал проблеск того, кем она была раньше.

Когда Баба-джан уезжал, Адиль с матерью старались быть друг другу отдушиной. Вместе складывали пазлы, дулись в гольф и теннис на Адилевой игровой приставке. Но больше всего Адиль любил строить с матерью домики из зубочисток. Мать рисовала трехмерный план дома на листе бумаги — с крыльцом, остроконечной крышей, с лестницами внутри и стенками, отделяющими комнаты друг от друга. Они сначала строили фундамент, потом возводили внутренние стены и лестницы, убивали целые часы на обмазку зубочисток клеем, оставляли секции на просушку. Мать говорила что, когда была молодая, еще до свадьбы с отцом Адиля, — мечтала стать архитектором.

Они как раз возводили небоскреб, когда она рассказала Адилю историю про то, как они с Бабойджан поженились.

Он вообще-то сделал предложение моей сестре. Тете Наржис?

Да. Еще в Кабуле. Он ее увидел однажды на улице и все. Решил жениться. Явился к нам домой на следующий день — он и пятеро его людей. В общем, вломились к нам. Все в сапогах.

Она покачала головой и рассмеялась, будто Бабаджан так пошутил, но не так, как смеялась, если считала что-то забавным.

Видел бы ты, какие лица были у дедушки с бабушкой.

Они уселись в гостиной — Баба-джан, его люди и ее родители. Она была на кухне, заваривала всем чай, а они там разговаривали. Незадача, сказала она, — сестра ее Наржис уже была помолвлена с двоюродным братом, который жил в Амстердаме, учился на инженера. Как же они расторгнут помолвку? — спросили родители.

И тут вхожу я, несу поднос с чаем и сластями. Наливаю им чаю, ставлю еду на стол, твой отец

272

смотрит на меня и, когда я уже собралась уходить, говорит: «Может, вы и правы, господин. Несправедливо расторгать помолвку. Но если скажете, что и эта занята, мне ничего не останется как решить, что я вам не нравлюсь». И смеется. Вот так мы и поженились.

Она взялась за тюбик с клеем.

Он тебе нравился?

Она слегка пожала плечами. *Если честно, я больше боялась, чем что-то еще.*

По сейчас он тебе нравится? Ты же его любишь.

Конечно, люблю, — сказала мать Адиля. — *Ну и вопрос.*

Ты не жалеешь, что вышла за него замуж.

Она отложила клей и помедлила пару секунд, прежде чем ответить.

Посмотри, как мы живем, Адиль, — проговорила она. — *Посмотри вокруг. О чем жалеть?*

Она улыбнулась и нежно потянула его за мочку.

Ну и кроме того — у меня бы в противном случае не было тебя.

Мать Адиля выключила телевизор и уселась на пол, отдуваясь, утирая полотенцем пот с шеи.

— Давай ты сегодня сам чем-нибудь займешься? — сказала она, потягиваясь. — Я сейчас в душ, потом есть. А потом собиралась позвонить твоим дедушке с бабушкой. Уже пару дней не разговаривали.

Адиль вздохнул и встал.

У себя в комнате — этажом ниже и в другом крыле — он взял футбольный мяч, натянул форму Зидана, которую Баба-джан подарил ему на последний день рождения, на двенадцать лет. Спустившись вниз, обнаружил, что Кабир заснул; газета лежала у него на животе, как одеяло. Адиль стащил

273

банку яблочного сока из холодильника и вышел наружу.

Он прошел по гравийной дорожке к главному выходу с территории. Будка, где обычно стоял охранник, пустовала. Адиль знал режим часовых. Он осторожно открыл ворота и шагнул наружу, прикрыв за собой створку. Почти тут же ему почудилось, что по эту сторону стены дышать легче. Бывали дни, когда территория особняка слишком уж походила на тюрьму.

Он двинулся вдоль стены, оставаясь в ее широкой тени, подальше от главной дороги. Тут, на задах особняка, располагались сады Бабы-джан, которыми он очень гордился. Несколько акров длинных параллельных рядов груш, яблонь, абрикосов, вишен, фиг и мушмулы. Адиль с отцом подолгу бродили по этим садам, Баба-джан сажал его к себе на плечи, и Адиль мог сорвать пару спелых яблок. Между забором и садом была полоса пустой земли — ну или почти пустой, если не считать сарая, где садовники хранили инвентарь. А еще там был плоский пень, похоже оставшийся от громадного старого дерева, что тут когда-то росло. Баба-джан с Адилем однажды посчитали кольца, и оказалось, что дерево, наверное, видало армию Чингисхана. Отец сказал, горестно покачав головой: кто бы ни был тот, кто срубил это дерево, он попросту дурак.

День был жаркий, солнце шпарило с неба такого безупречно синего цвета, как на картинках, какие Адиль рисовал карандашами, когда был маленький. Он поставил банку с соком на пень и взялся тренировать чеканку. Его личный рекорд — шестьдесят восемь ударов без касания мячом земли. Он установил этот рекорд весной, теперь же лето было в разгаре, а он все пытался побить его. Адиль достучал до двадцати восьми, когда почувствовал, что за ним наблюдают. Это был мальчик — тот самый, что приходил со стариком, пытавшимся поговорить с Бабой-джан на церемонии открытия школы. Сейчас он сидел на корточках в тени кирпичного сарая.

— Ты что здесь делаешь? — спросил Адиль, пытаясь рявкать, как Кабир, когда тот говорил с незнакомцами.

— Сижу в теньке, — ответил мальчик. — Не сдавай меня.

— Тебе здесь быть не положено.

— Да и тебе.

— Что?

Мальчик хмыкнул.

— Неважно.

Он потянулся и встал. Адиль вгляделся, не оттопырены ли карманы у мальчика. Может, он пришел фрукты воровать. Мальчик подошел к Адилю, поддел мяч ногой, пару раз подбросил его и пяткой пнул Адилю. Адиль поймал мяч, пристроил подмышкой.

— Ваш бандит вынудил нас с отцом ждать на дороге. Никакой тени. И ни единого облака на небе.

Адиль почувствовал, что надо вступиться за Кабира.

— Никакой он не бандит.

— Ну, «калаш» свой он нам хорошенько засветил, точно тебе говорю. — Мальчик посмотрел на Адиля с ленивой насмешливой улыбкой на губах. Уронил плюху слюней к своим ногам. — А ты, я гляжу, фанат бодливого.

Адиль мгновение соображал, о чем речь.

— Нельзя судить его по одной ошибке, — сказал он. — Он был лучшим. Он был волшебником полузащиты.

— Я видал и получше.

— Да-а? И кого же?

— Марадону.

— Марадону? — переспросил Адиль, негодуя. Он уже спорил на эту тему с одним из сводных братьев в Джелалабаде. — Марадона был жулик! «Рука Бога», помнишь?

— Все жульничают и все врут.

Мальчик зевнул и собрался уходить. Примерно с Адиля ростом, может, чуть выше, и почти того же возраста, подумал Адиль. Но как-то так он ходил, что казался старше, — не спеша и с таким видом, будто все уже примелькалось и ничто не удивляло.

— Меня зовут Адиль.

— Голям.

Они пожали друг другу руки. У Голяма оказалась крепкая хватка, а ладонь сухая и мозолистая.

— А тебе сколько лет?

Голям пожал плечами:

— Тринадцать, наверное. Может, уже и четырнадцать.

— Ты, что ли, не знаешь, когда у тебя день рождения?

Голям ухмыльнулся:

— Ты-то свой наверняка знаешь. Прямо-таки отсчитываешь.

— А вот и нет, — ощетинился Адиль. — В смысле, не отсчитываю.

— Мне пора. Меня отец ждет один.

— Я думал, это твой дед.

— Неправильно думал.

— Хочешь, поиграем в штрафную? — спросил Адиль.

— В смысле, типа в пенальти?

— По пять каждому, на лучшего.

Голям опять сплюнул, прищурился на дорогу, потом на Адиля. Адиль приметил, что подбородок у Голяма для его лица маловат, а клыки растут криво, один к тому же сильно сколот и гнилой. Левая бровь рассечена пополам коротким узким шрамом. И от него пахло. Но Адиль почти два года не разговаривал и тем более не играл с мальчиком своего возраста, если не считать ежемесячных поездок в Джелалабад. Адиль приготовился к огорчению, но Голям пожал плечами и сказал:

— Фигли, а давай. Но чур я первый бью.

Ворота они соорудили из двух камней, разнесли их на восемь шагов. Голям пробил свои пять ударов. Один забил, два мимо, и еще два Адиль взял без усилий. Вратарь из Голяма вышел еще хуже. Адиль забил четыре гола, обдурив противника обманными финтами, а один удар пришелся вообще мимо ворот.

— Блядство, — сказал Голям, согнувшись и уперев ладони в колени.

— Реванш?

Адиль старался не злорадствовать, хоть и с трудом. Голям согласился, но результат вышел еще более неравный. Ему опять удался один гол, а Адиль на этот раз забил все пять.

— Ну все, надо перевести дух, — сказал Голям, вскинув руки. Доковылял до пня и уселся на него с усталым стоном.

Адиль сгреб мяч, сел рядом.

— Это вряд ли поможет, — сказал Голям, выуживая из кармана джинсов пачку сигарет. Осталась одна. Он прикурил ее с одной спички, удовлетворенно вдохнул, предложил Адилю. Адиля подмывало согласиться, лишь бы впечатлить Голяма, но он отказался, побоявшись, что Кабир или мать учуют запах.

277

— Мудро, — сказал Голям, откидывая голову.

Они потрепались о футболе — к приятному удивлению Адиля, Голям в нем серьезно разбирался. Обсудили любимые матчи и истории голов. Поделились пятерками самых крутых игроков: в основном они совпадали, вот только Голям включил бразильца Роналдо, а Адиль — португальца Роналдо. Неизбежно договорились до Финала-2006 и мучительного воспоминания об инциденте с боданием. Голям сказал, что смотрел весь матч в витрине магазина телевизоров, рядом с их лагерем.

— С лагерем?

— Где я вырос. В Пакистане.

Он рассказал Адилю, что первый раз приехал в Афганистан. До этого всю жизнь провел в Пакистане, в лагере беженцев Джалозай, там и родился. Он сказал, что Джалозай — это как целый город, здоровенный лабиринт палаток, глинобитных хижин и домов из пластика и алюминиевого сайдинга, а между ними — узкие проходы, заваленные мусором и дерьмом. Город в подбрюшье города еще больше. Он с братьями — он был старше их на три года — выросли в лагере. Жили в глинобитном домике с братьями, матерью, отцом по имени Икбал и бабушкой по отцу, Парваной. В тех самых проходах они с братьями учились ходить и говорить. Там же пошли в школу. На тех грязных улицах он гонял палкой ржавые велосипедные колеса и носился с другими детьми беженцев, пока не садилось солнце и бабушка не звала домой.

— Мне там нравилось, — сказал он. — Там у меня были друзья. Я всех знал. Все у нас было хорошо. У меня есть в Америке дядя, сводный брат отца, Абдулла. Я его никогда не видел. Но он нам слал деньги раз в несколько месяцев. Помогало. Очень.

278

— А почему вы уехали?

— Пришлось. Пакистанцы свернули лагерь. Сказали, что афганцы должны жить в Афганистане. И тут перестали приходить деньги от дяди. Отец сказал, что все равно придется возвращаться домой и начинать все заново, поскольку талибы перебежали на пакистанскую сторону границы. Сказал, что мы в Пакистане в гостях, пора и честь знать. Меня очень придавило. Это место, — он махнул рукой, — мне чужое. А дети из нашего лагеря, которые бывали в Афганистане? Никто и слова доброго про него не сказал.

Адилю хотелось ввернуть, что он знает, каково Голяму. Хотелось выложить, как он скучает по Кабулу, по друзьям и своим сводным братьям в Джелалабаде. Но показалось, что Голям его засмеет. И поэтому сказал так:

— Ну, тут *и впрямь* скучно.

Голям все равно засмеялся.

— Не думаю, что они это имели в виду, — выдал он.

Адиль смутно понял, что его поставили на место.

Голям затянулся и выпустил череду колечек. Они вместе смотрели, как они уплывают и растворяются в воздухе.

— Отец говорил нам с братьями: «Погодите... погодите, вы еще вдохнете воздух Шадбага, мальцы, попробуете его воду». Он тут родился, мой отец, тут и вырос. Он говорил: «Никогда не пили вы такой прохладной воды и такой сладкой». Он всегда нам рассказывал про Шадбаг, а то была маленькая деревня, когда он тут жил. Говорил, что тут есть сорт винограда, какой можно вырастить только в Шадбаге и больше нигде. Можно подумать, прямо рай описывал.

Адиль спросил его, где они остановились. Голям отбросил окурок, глянул в небо, зажмурившись от его яркости.

— Знаешь поле рядом с мельницей?

— Да.

Адиль ждал продолжения, но его не последовало.

— Вы живете в поле?

— Пока да, — буркнул Голям. — У нас палатка.

— У вас тут разве нет родственников?

— Нет. Они все разъехались либо умерли. Ну, то есть, у моего отца есть дядя в Кабуле. Или был. Неизвестно, жив ли. Брат моей бабушки, работал на одну богатую семью. Но похоже, Наби и бабушка не разговаривали ни разу лет пятьдесят или больше, наверное. Они практически чужие люди. Если б отцу пришлось, он бы пошел к дяде. Но он хочет сам попробовать. Это его дом.

Они еще посидели молча на пне, глядя, как листья в саду трепещут от порывов теплого ветра. Адиль думал о Голяме и его семье, как они спят в палатке, о скорпионах и змеях, что ползают вокруг в поле.

Адиль не понимал, с чего вдруг рассказал Голяму, почему они с родителями уехали сюда из Кабула. Или, вернее, не мог выбрать точную причину. Он не был уверен, захотелось ли ему развеять впечатление, что живет припеваючи лишь потому, что обитает в большом доме. Или взыграло в нем эдакое школярское стремление быть царем горы. А может, то был призыв к сочувствию. Желал ли он сократить расстояние меж ними? Неизвестно. Может, все разом. Не понимал Адиль, почему ему важно понравиться Голяму, но одно ему было смутно понятно: причина — сложнее, чем просто постоянное одиночество и желание с кем-нибудь дружить.

— Мы переехали в Шадбаг, потому что в Кабуле кто-то пытался нас убить, — сказал он. — Однажды к дому подъехал мотоцикл и водитель расстрелял дом. Его не поймали. Но, слава Господу, никто из нас не пострадал.

Он не знал, какой реакции ожидать, но его удивило, что Голям не проявил никакой. Все еще щурясь на солнце, тот произнес:

— Угу, я знаю.

— Знаешь?

— Твоему отцу достаточно в носу поковырять, чтоб все об этом знали.

Адиль смотрел, как Голям смял пустую сигаретную пачку в шарик и запихнул ее в карман джинсов.

— У него *и впрямь* есть враги, у отца твоего, — вздохнул Голям.

Адиль знал об этом. Баба-джан объяснял ему, что некоторые люди из тех, кто воевал с ним бок о бок против русских в 1980-х, обрели власть и развратились. Сбились с пути, сказал он. А поскольку он отказывался участвовать в их преступных планах, они постоянно пытались его убрать, замарать его имя, распространяя о нем лживые, вредные слухи. Потому-то Баба-джан всегда старался оградить Адиля от такого — не позволял в доме газет, например, и не желал, чтоб Адиль смотрел новости по телевизору или лазил в интернет.

Голям склонился к нему:

— Я слыхал, он видный земледелец.

Адиль пожал плечами.

— Сам видишь. Тут всего несколько акров садов. Ну и еще хлопковые поля в Гильменде, кажется, — для фабрики.

Голям вгляделся Адилю в глаза, и улыбка медленно расползлась у него по лицу, обнажив гнилой клык.

— Хлопок. Ну ты и фрукт. Не знаю прямо, что и сказать.

Адиль не понял. Встал, отбил мяч о землю.

— Можешь сказать «Реванш!».

— Реванш!

— Айда.

— Спорим, на этот раз ты и одного не забьешь.

Теперь пришла очередь Адилю ухмыляться.

— На что?

— Это просто. На Зидана.

— А если выиграю, то есть *когда* выиграю?

— Я бы на твоем месте, — сказал Голям, — о такой невероятности не беспокоился.

Поединок прошел гениально. Голям кидался и влево, и вправо — и поймал все Адилевы броски. Стаскивая майку, Адиль почувствовал, какую глупость допустил, позволив обмануть себя на вещь, которая была по-честному его, может, самая ценная его собственность. Отдал. С тревогой почувствовал жжение слез и постарался их задавить.

Голяму, правда, хватило тактичности не напяливать ее прямо в присутствии Адиля. Он собрался уходить, улыбнулся через плечо.

— Отец-то твой, он же не на три месяца уезжает, верно?

— Я ее завтра у тебя отыграю, — ответил Адиль. — Майку.

— Я подумаю.

Голям зашагал к главной дороге. На полпути остановился, выудил из кармана смятую пачку сигарет и запустил ее через стену Адилева имения.

Каждый день почти всю неделю после утренних уроков Адиль брал мяч и уходил с территории. Первые пару раз ему удалось подгадать свои вылазки под расписание обхода охранников. Но на третий раз часовой поймал его и выйти не дал. Адиль сходил в дом и вернулся с айподом и часами. С тех пор охранник втихаря впускал и выпускал Адиля при условии, что дальше сада он не пойдет. А Кабир с матерью и не замечали его отлучек на час-другой. Таково преимущество жизни в большом доме.

Адиль играл один за задней стеной, рядом со старым пнем, каждый день надеясь увидеть, как вразвалочку идет к нему Голям. Он приглядывал за проселком, пролегавшим между главной дорогой и их территорией, пока чеканил, пока сидел на пне и смотрел, как боевой самолет прочерчивает небо, пока уныло швырял камешки в никуда. Чуть погодя забирал мяч и топал обратно в дом.

И вот однажды явился Голям — с бумажным пакетом.

— Ты где был?

— Работал, — ответил Голям.

Он рассказал Адилю, как они с отцом нанялись на несколько дней кирпичи лепить. Голяму досталось месить раствор. Он таскал кадки с водой, мешки со строительной смесью и песком тяжелее его самого. Объяснил Адилю, как месить раствор в тачке, перекладывая лопатой смесь в воду, перемешивая, добавляя еще воды, потом песка, пока не получится пластичная консистенция, какая не крошится. После чего он волок тачку к каменщикам и спешил делать следующую порцию. Показал Адилю волдыри на ладонях.

— Ух ты, — сказал Адиль — как дурак, он сам это понимал, но не смог выдумать другого ответа. Работать руками — если это вообще считается — ему пришлось всего раз: года три назад он помог садовнику посадить несколько саженцев яблони на заднем дворе их дома в Кабуле.

— У меня для тебя сюрприз, — сказал Голям. Залез в пакет и кинул Адилю зидановскую майку.

— Не понял, — сказал Адиль с удивлением и осторожным восторгом.

— Я тут смотрю, один пацан в городе ходит в ней, — сказал Голям, поманив у Адиля мяч пальцами. Адиль передал мяч, и Голям принялся его подбрасывать, а сам продолжил рассказывать: — Представляешь? Я такой подхожу к нему и говорю: «Эй, это ж моего другана майка». Он такой зырк на меня. Короче, пошли выйдем. Под конец он умолял *меня*, чтоб я майку забрал! — Он поймал мяч в полете, сплюнул и улыбнулся Адилю. — Ну ладно, может, я ему ее загнал за пару дней до того.

— Так не пойдет. Если продал, майка его.

— Так что, она тебе не нужна теперь? После всего, что я пережил, лишь бы ее тебе вернуть? Знаешь ли, мы с ним не в одни ворота играли. Мне тоже досталось несколько приличных тумаков.

— И все-таки... — пробормотал Адиль.

— Ну и да, я ж тебя обдурил, и мне было совестно. Зато теперь майка у тебя. А у меня вот что... — Он указал себе на ноги, и Адиль увидел новенькие сине-белые кроссовки.

— Он как, тот пацан? — спросил Адиль.

— Жить будет. Ну так что, будем разговоры разговаривать или сыграем?

— А отец с тобой?

— Сегодня — нет. Он в суде в Кабуле. Давай, пошли.

Они поиграли, погоняли мяч туда-сюда. Потом пошли прогуляться, и Адиль нарушил обещание охраннику — забрели в сад. Поели мушмулы с дерева и выпили холодной «фанты» из банок, Адиль тайком стащил их в кухне.

Вскоре они уже встречались почти каждый день. Играли в мяч, гонялись друг за дружкой вдоль параллельных рядов деревьев. Болтали о спорте и фильмах, а когда не о чем было говорить, смотрели на Шадбаг-и-Нау, на пологие холмы в отдалении и на смутную цепочку гор еще дальше, и так тоже было хорошо.

Каждый день Адиль просыпался с желанием увидеть, как Голям пробирается по тропе, услышать его громкий уверенный голос. Он часто отвлекался на утренних занятиях, был рассеян и все думал, во что они будут сегодня играть, какие истории друг другу расскажут. Он боялся потерять Голяма. Боялся, что отец Голяма Икбал не найдет здесь постоянной работы и Голям уедет в другой город, в другую часть страны, и Адиль пытался приготовиться к такой возможности, закалить себя к возможному прощанью.

Как-то раз, когда они сидели на пне, Голям сказал:

— Ты был с девочкой, Адиль?

— В смысле...

— Да, в смысле.

У Адиля уши залило жаром. Он на миг подумал, не соврать ли, но знал, что Голям сразу его вычислит. Пробормотал:

— А ты?

Голям закурил сигарету, предложил Адилю. На сей раз Адиль согласился, предварительно глянув через плечо, не смотрит ли охранник из-за угла, не собрался ли Кабир наружу. Затянулся — и его тут же пробило долгим кашлем. Голям хмыкнул и заколотил его по спине.

— Так что, ты — да? — просипел Адиль, роняя слезы.

— Друган мой в лагере, — сказал Голям конспиративным шепотом, — постарше меня, сводил в публичный дом в Пешаваре.

Рассказал всю историю. Маленькая грязная комнатка. Оранжевые занавески, стены в трещинах, на потолке — голая лампочка, по полу носятся крысы. Слышно, как рикши гоняют по улице, топочут взад-вперед, тарахтят машины. Девушка на матрасе, доедает *бирьяни*, жует, смотрит на него без всякого выражения. Как он разглядел, даже при таком тусклом свете, что у нее милое лицо и что она едва ли старше его самого. Как она сгребла остатки риса сложенным кусочком *наана*, отпихнула тарелку, легла, вытерла пальцы о штаны и сдернула их.

Адиль пораженно, завороженно слушал. Никогда у него не было такого друга. Голям знал о мире больше, чем сводные братья Адиля, а те на несколько лет его старше. А его кабульские друзья? Они все были детьми технократов, чиновников и министров. У всех жизни — вариации на тему Адилевой. Проблески своего бытья, которыми Голям поделился с Адилем, говорили о существовании, исполненном бед, непредсказуемости, тягот, — но и приключений, о жизни, удаленной от Адиля на вселенные, хотя разворачивалась она буквально в одном плевке от него. Слушая истории Голяма, Адиль понял, насколько безнадежно уныло его существование.

— И что, ты это сделал? — спросил Адиль. — Ну то есть, засунул в нее это?

— Нет. Мы выпили чаю и обсудили Руми. А *ты* как думаешь?

286

Адиль вспыхнул.

— И как оно?

Но Голям уже сменил тему. Так у них часто складывались разговоры: Голям выбирал, о чем говорить, начинал со смаком рассказывать, увлекал Адиля, а потом терял интерес и бросал и историю, и Адиля без концовки.

На этот раз, вместо того чтобы дорассказать, Голям выдал:

— Бабушка говорит, что ее муж, мой дед Сабур, рассказал ей как-то историю про вот это дерево. Задолго до того как его срубил, конечно, когда они оба еще были детьми. А история такая: если есть у тебя желание, нужно встать на колени перед деревом и прошептать его. И если дерево согласится его исполнить, уронит в точности десять листьев тебе на голову.

— Никогда не слыхал такого, — сказал Адиль.

— Ты бы не стал, верно?

И тут до Адиля дошло, что именно говорит Голям.

— Погоди. Твой дед срубил наше дерево?

Голям обратил на него взгляд.

— Ваше дерево? Оно не ваше.

Адиль сморгнул:

— В каком смысле?

Голям вперился Адилю в лицо еще пристальнее. Адиль впервые не смог углядеть в лице друга ни привычной оживленности, ни фирменной ухмылки, ни беззаботного лукавства. Лицо его изменилось — стало сдержанным, поразительно взрослым.

— Это моей семьи дерево. И земля эта была у моей семьи. Нашей — испокон веку. Твой отец построил особняк на нашей земле. Пока мы были в Пакистане во время войны. — Он указал на сад: —

Здесь когда-то были дома. Но твой отец снес их бульдозером, сровнял с землей. И дом, где мой отец родился и вырос, он тоже снес.

Адиль сморгнул.

— Он объявил нашу землю своей и построил на ней вот *это*. — Голям ощерился и ткнул большим пальцем себе за спину, в забор.

Чувствуя, что его слегка подташнивает и тяжко стукает сердце, Адиль сказал:

— Я думал, мы друзья. Зачем ты мне говоришь эти ужасные враки?

— Помнишь, как я тебя надул и забрал у тебя майку? — спросил Голям, и краска прилила к его щекам. — Ты чуть не заревел. Не отрицай, я видел. По майке. *Майку* пожалел. Представь, как моей семье было, — мы приехали из Пакистана, вылезли из автобуса и вот *это* нашли у нас на земле. А твой бандит в фиолетовом пиджаке выгнал нас с нашей собственной земли.

— Мой отец — не вор! — выпалил Адиль. — Спроси любого в Шадбаге-и-Нау, спроси, что он сделал для этого города.

Он вспомнил, как Баба-джан принимал людей у городской мечети, присев на землю с чашкой чая, с четками на руке. Как люди торжественно подходили к нему, и очередь их тянулась от его подушки до главного входа, — мужчины с грязными руками, беззубые старухи, молодые вдовы с детьми, и все они нуждались в чем-то, все ждали своей очереди попросить о чем-нибудь: о помощи, о работе, о маленьком займе на починку крыши, на дренажную канаву или на молочную смесь. Отец кивал, слушал с бесконечным терпением, будто каждый человек важен ему был, как член семьи.

— Да-а? А с чего тогда у моего отца есть документы на эту землю? — сказал Голям. — Которые он отдал судье.

— Я уверен, если твой отец поговорит с Бабой...

— Твой Баба не будет с ним разговаривать. Он не признается в том, что сделал. Он проезжает мимо, будто мы бродячие псы.

— Вы не псы, — сказал Адиль. Трудно было выдерживать ровный тон. — Вы хапуги. Правильно Кабир сказал. Я и сам бы мог догадаться.

Голям встал, сделал пару шагов, остановился.

— Так вот знай, — сказал он. — Я против тебя ничего не имею. Ты просто глупый маленький мальчик. Но когда Баба в следующий раз соберется в Гильменд, попроси его взять тебя с собой на эту его фабрику. Посмотришь, что он там выращивает. Хочешь подскажу? Не хлопок.

В тот же вечер перед ужином Адиль лежал в ванне с горячей мыльной водой. До него доносились звуки из телевизора на первом этаже — Кабир смотрел старый фильм про пиратов. Злость, какой полн в нем весь день, вымылась из Адиля, и теперь ему казалось, что он слишком грубо обошелся с Голямом. Баба-джан как-то сказал ему: *Как бы ты ни старал*
ся, бедные все равно иногда говорят о богатых дурно. Они так делают в основном потому, что разочарованы в своей жизни. Ничего не попишешь. Это даже естественно. *И мы не должны их винить, Адиль,* — сказал он.

Адиль не был слишком уж наивным, чтоб не понимать: мир по сути — несправедлив, достаточно выглянуть из окна спальни. Но он представлял, что людей вроде Голяма знание этой правды никак не утешало. Может, людям вроде Голяма нужны виноватые, из плоти и крови, кого удобно считать источником их тягот, кого можно проклинать, обвинять, на кого злиться. Может, Баба-джан был прав, сказав, что правильная реакция — понимать, воздерживаться от суждений. Или даже отвечать добротой. Глядя, как мыльные пузыри всплывают на поверхность и лопаются, Адиль думал о построенных отцом школах и больницах и о том, что есть в городе люди, распускающие о нем жуткие слухи.

Когда он вытирался, к нему заглянула мать:

— Идешь ужинать?

— Я не хочу есть, — сказал он.

— О. — Она вошла внутрь, сняла с вешалки полотенце. — Давай. Сядь. Я тебе вытру голову.

— Я и сам могу, — сказал Адиль.

Пожал плечами. Она положила руку ему на плечо, взглянула так, будто ожидала, что он потрется щекой о ее ладонь. Не потерся.

— Мама, ты видела фабрику Бабы-джан?

Он заметил, что мать чуть помешкала с ответом.

— Конечно, — сказала она. — Да и ты.

— Не на фотографиях. Живьем. Ты там была?

— С чего бы? — ответила мать, склонив голову в зеркале. — В Гильменде опасно. Твой отец никогда не позволил бы, чтоб нам с тобой навредили.

Адиль кивнул.

Внизу стреляли пушки, пираты орали, идя в бой.

Голям появился вновь через три дня. Быстро подошел к Адилю и замер.

— Я рад, что ты пришел, — сказал Адиль. — У меня для тебя кое-что есть.

Он поднял с пня куртку, которую носил с собой со дня их размолвки. Из шоколадно-коричневой кожи, с мягкой каракулевой подкладкой и капюшоном, который можно отстегивать и пристегивать. Протянул ее Голяму:

— Я всего несколько раз надевал. Она мне велика. А тебе должна быть впору.

Голям не шелохнулся.

— Мы вчера съездили в Кабул на автобусе, были в суде, — сказал он без выражения. — Угадай, что нам сказал судья? Что у него плохие новости. Сказал, что у них случилось происшествие. Маленький пожар. Документы моего отца на собственность сгорели. Нету их. Уничтожены.

Адиль медленно опустил руку с курткой.

— Он нам это рассказывает — дескать, ничем не может помочь, раз бумаг больше нет, — а у самого на руке знаешь что? Новенькие золотые часы, которых на нем не было, когда отец его последний раз видел.

Адель сморгнул.

Голям перевел взгляд на куртку. Жесткий, безжалостный, укоризненный взгляд. Пристыдить получилось. Адиль поел кишкой. Почудилось, что куртка прямо у него в руках из миротворческого подношения превращается во взятку.

Голям развернулся и поспешил назад, к дороге, — быстрым, бойким шагом.

Вечером того же дня вернулся Баба-джан и устроил в доме праздник. Адиль сидел рядом с отцом во главе стола — вернее, скатерти, что постелили к ужину на полу. Баба-джан иногда предпочитал сидеть на земле и есть руками, особенно если встречался с друзьями давних лет джихада. *Вспоминаю наши пещерные дни*, — шутил он. Женщины ели за настоящим столом в гостиной, ложками и вилками, во главе — мать Адиля. Адиль слышал, как их болтовня эхом отскакивает от мраморных стен. Одна, женщина с толстыми бедрами и длинными волосами, покрашенными в рыжий, была помолвлена с одним из друзей Бабы-джан. В тот же вечер она показала матери Адиля снимки на цифровом фотоаппарате — из магазина свадебных товаров, когда они ездили в Дубай.

За чаем после ужина Баба-джан рассказал историю о том, как его взвод атаковал из засады советскую автоколонну и не пропустил ее в долину с севера. Все внимательно слушали.

— И вот когда они вошли в зону обстрела, — сказал Баба-джан, рассеянно поглаживая Адиля по волосам, — мы открыли огонь. Головную машину подбили, а потом еще несколько джипов. Думал, они сдадут назад или попытаются пробиться. Но эти сукины дети остановились, повылезали из машин и давай стрелять по нам. Представляете?

Гости забормотали. Закачались головы. Адиль знал, что не меньше половины людей в комнате — бывшие моджахеды.

— Мы их превосходили числом, может, три к одному, но они были тяжеловооружены, и вскоре уже *они* атаковали *нас*! Наши позиции в садах. Все разбежались. Мы с тем парнем, Мохаммедом или как его, драпали вместе. По винограднику, но не такому, со столбами и проволокой, а который по земле стелется. Пули летят, а мы спасаемся, и вдруг оба спотыкаемся и падаем. Через секунду я уже на ногах и бегу, а Мохаммеда или как его там — нет как нет. Поворачиваюсь, ору: «Вставай, задница ослиная!»

Баба-джан умолк для пущего драматизма. Прижал кулак ко рту, чтоб не рассмеяться.

— И тут он выскакивает и давай бежать. И — вы подумайте только! — этот чокнутый сукин сын тащит две полные руки винограда! По грозди в каждой!

Раздался смех. Адиль тоже смеялся. Отец потрепал его по спине, прижал к себе. Кто-то начал рассказывать другую историю, а Баба-джан потянулся к сигарете, что лежала рядом с его тарелкой. Но прикурить не удалось: где-то в доме внезапно разбилось стекло.

Женщины в гостиной завопили. Что-то металлическое — может, вилка или нож для масла — лязгнуло по мрамору. Мужчины вскочили на ноги. В комнату вбежали Азмарай и Кабир с пистолетами наготове.

— Это от входа, — сказал Кабир. Вслед за его словами разбилось еще одно стекло.

— Подождите тут, командир-сахиб, мы посмотрим, — сказал Азмарай.

— Черта с два, — рявкнул Баба-джан, срываясь с места. — Я под своей крышей не прячусь.

Он направился к прихожей, а за ним Адиль, Азмарай, Кабир и все остальные гости-мужчины. По дороге Адиль видел, как Кабир подобрал металлический прут, которым зимой они мешали угли в печи. Адиль видел, как мать побежала с ними, лицо бледное, вытянутое. Когда они добрались до прихожей, в окно влетел камень, пол засыпало осколками. Рыжая женщина, которая невеста, завопила. Снаружи кто-то орал.

— Как они прорвались мимо охранников? — спросил кто-то за спиной у Адиля.

— Командир-сахиб, нет! — рявкнул Кабир. Но отец Адиля уже открыл входную дверь.

Свет дня уже поблек, но стояло лето, и небеса все еще сияли бледно-желтым. Вдалеке Адиль увидел кучки огней — люди Шадбага-и-Нау и их семьи садились ужинать. Холмы, раскинувшиеся до горизонта, потемнели, и скоро уж ночь заполнит собой все пустоты. Но пока темнота еще не наступила и не смогла укрыть старика, стоявшего внизу у крыльца, и Адиль видел, что у него в обеих руках по камню.

— Отведи его наверх, — сказал Баба-джан матери Адиля. — Быстро!

Мать взяла Адиля за плечи и повела по лестнице наверх, потом через прихожую и в их с Бабой-джан спальню. Она закрыла дверь, задернула шторы и включила телевизор. Подтолкнула Адиля к кровати, села с ним рядом. На экране два араба в длинных куртах и тюбетейках возились с монстр-траком.

— Что они с тем стариком сделают? — спросил Адиль. Его трясло. — Мама, что они с ним сделают?

Он взглянул на мать, увидел, как по ее лицу пробежала тень, и вдруг понял, тут же: что бы сейчас ни вымолвил ее рот, ничему нельзя верить.

— Он поговорит с ним, — ответила она, и голос ее дрогнул. — Договорится. Вот что твой отец делает. Он договаривается с людьми.

Адиль покачал головой. Теперь он плакал, всхлипывал.

— Что он сделает, мама? Что он сделает с этим стариком?

Мать все повторяла одно и то же: все будет хорошо, все обойдется, никто никого не обидит. Но чем больше она это повторяла, тем больше он плакал, пока не умаялся и не заснул у нее на коленях.

Бывший полевой командир избегает покушения. Адиль прочитал статью у отца в кабинете, за его компьютером. Статья описывала атаку как «зверскую», а нападавшего — как бывшего беженца, «подозреваемого в связях с талибами». Посреди статьи цитировали отца Адиля — он выразил страх за безопасность своей семьи. *Особенно моего маленького невинного сына,* — сказал он. В статье имя нападавшего никак не значилось, равно как и не было сведений о том, что с ним произошло.

Адиль выключил компьютер. Ему не полагалось им пользоваться, и он нарушал границы, заходя к отцу в кабинет. Еще месяц назад он бы и не решился. Он вернулся к себе в комнату, лег на кровать и стал кидать старым теннисным мячиком в стену. *Бум! Бум! Бум!* Вскоре мать просунула голову в дверь и попросила, а потом и велела ему прекратить, но он не послушался. Она сколько-то постояла в дверях, после чего исчезла.

Бум! Бум! Бум!

С виду ничего не изменилось. Судя по ежедневному распорядку, Адиль вернулся к прежнему ритму жизни. Подъем как обычно, умывание, завтрак с родителями, уроки с учителем. Потом обедал, а вечерами валялся, смотрел кино с Кабиром или резался в видеоигры.

Но все стало другим. Голям, может, и приоткрыл ему дверцу, но именно Баба-джан толкнул Адиля в нее. Спящие шестеренки у Адиля в голове пришли в движение. Адиль чувствовал, будто за одну ночь обрел новое обостренное чутье, — оно позволяло ему воспринимать гораздо больше, чем раньше, такое, что было у него перед носом все эти годы. Он увидел, к примеру, как его мать носит в себе тайны. Стоило посмотреть на нее, и они чуть ли не проступали у нее на лице. Он видел, как она старательно прячет от него все, что знает, все, что она держала под замком, взаперти, под неусыпной охраной — как их самих в этом громадном доме. Он впервые увидел дом отца как уродство, оскорбление, памятник несправедливости — таким он был для всех остальных. Он увидел в стремлении людей угодить его отцу унижение, понял, что страх — подлинная суть их уважения и почитания. Он думал, что Голям гордился бы им и его озарениями. Впервые Адиль осознал более масштабные силы, что всегда управляли его жизнью.

Осознал, насколько невозможно противоположные истины могут уживаться в одном человеке. Не только в его отце, или матери, или Кабире.

Но и в нем самом.

Это открытие в некотором смысле поразило Адиля сильнее всего. От прозрений: чем, как ему теперь было известно, занимался его отец сначала во имя джихада, потом ради того, что он называл *справедливым воздаянием за жертву*, — голова у Адиля шла кругом. Во всяком случае, поначалу. Не один день после того вечера, когда камни прилетели им в окна, у Адиля всякий раз, когда отец входил в комнату, сводило нутро. Стоило заслышать, как отец лает в трубку мобильника или напевает в ванной, у Адиля корежило спину, а во рту все болезненно пересыхало. Отец целовал его на ночь, а Адилю инстинктивно хотелось отшатнуться. Его преследовали кошмары. Ему снилось, как стоит он у края сада, смотрит на возню за деревьями, металлический прут, поблескивая, ходит вверх-вниз, слышит, как лупит металл по плоти и костям. Он просыпался от этих снов с воем, застрявшим в груди. Непредсказуемо накатывали припадки слез.

И все же.

И все же.

Происходило кое-что еще. Новое осознание не поблекло у него в уме, но постепенно обзавелось компанией. Еще один — противоположный — поток сознания потек сквозь него, он не вытеснял первый, а требовал себе пространства рядом. Адиль чувствовал, как просыпается другая, более тревожащая часть его самого. Та часть его, что со временем, постепенно, почти неосязаемо примет это новое самоопределение, которое сейчас кололось, как мокрый шерстяной свитер. Адиль знал, что в конце концов он, как и его мать прежде, согласится с ходом вещей. Адиль поначалу сердился на нее, а сейчас научился прощать. Может, она приняла все это из страха перед мужем. Или как взятку за роскошную жизнь, которую вела. В основном, подозревал Адиль, потому же, почему это сделает он: ей пришлось. А каков выбор? Адиль не мог сбежать от своей жизни — так же как Голям не мог сбежать от своей. Люди учатся уживаться с самым невообразимым. И ему предстоит. Такова его жизнь. Такова его мать. Таков его отец. И таков он, хоть не всегда понимал это.

Адиль знал, что никогда уже не будет любить отца как прежде, когда счастливо засыпал, свернувшись в бухте его толстых рук. Теперь это стало немыслимым. И он научится любить его заново, хотя все теперь будет иначе — сложнее, запутаннее. Адиль почти чувствовал, как выпрыгивает из детства. Вскоре он приземлится взрослым. И, когда это произойдет, обратно уже не вернешься, ибо взрослость похожа на то, что отец говорил о героях войны: если им стал, им и умрешь.

Лежа ночью в постели, Адиль думал, как однажды — может, завтра, а может, послезавтра, а может, на следующей неделе — он выйдет из дома и доберется до поля за мельницей, где, по словам Голяма, его семья жила в палатке. Он думал, что никого в том поле не увидит. Он встанет у дороги, представит Голяма, его мать, его братьев и бабушку — семью, что идет вразброд, таща перевязанные веревкой пожитки, по пыльным обочинам проселков, ищет место, где бы осесть. Голям теперь глава семьи. Ему придется работать. Юность свою он потратит, расчищая каналы, копая канавы, лепя кирпичи, собирая урожаи с полей. Постепенно превратится в сутулого мужчину с продубленным лицом, каких Адиль видал за плугами.

Адиль думал, как постоит он в поле, глядя на холмы и горы, нависающие над Новым Шадбагом. И тогда, думал он, достанет из кармана то, что нашел однажды, бродя по саду, — левую половинку очков, линза в паутине трещин, дужка в запекшейся крови. Бросит этот обломок очков в канаву. Адиль подозревал: когда он развернется и отправится к дому, сильнее всех чувств в нем будет облегчение.

Глава восьмая

Осень 2010-го

Прихожу я сегодня домой из больницы, а на автоответчике у меня в спальне — сообщение от Талии. Прослушиваю его, пока снимаю ботинки и усаживаюсь за стол. Она рассказывает, что простыла — подцепила от мама́, потом спрашивает, как у меня дела, как работа в Кабуле. И в конце, прежде чем повесить трубку, говорит: *Оди все время талдычит, что ты не звонишь. Тебе-то она, конечно, не скажет. Поэтому скажу я. Маркос. Ради всего святого. Позвони матери. Осел ты этакий.*

Улыбаюсь.

Талия.

У меня на столе ее фотография — та, что я сделал много лет назад на пляже в Тиносе: Талия сидит на камне, спиной к объективу. Я вставил снимок в рамку, хотя, если приглядеться, видно темно-коричневое пятно в левом нижнем углу, спасибо одной чокнутой итальянке, когда-то попытавшейся сжечь это фото.

Включаю ноутбук, принимаюсь за вчерашние врачебные заметки. Моя комната — наверху, одна из трех спален второго этажа в доме, где я живу с тех пор, как прибыл в Кабул в 2002-м, а мой письменный стол — под окном с видом на сад. Мне видно мушмулы, что мы со старым хозяином, Наби, посадили несколько лет назад. Вижу и давнее обиталище Наби у дальней стены, мы его перекрасили. После его смерти я предложил это помещение одному голландцу, который помогает местным школам с компьютерами. А справа — «шевроле» Сулеймана Вахдати, 1940-х, десятки лет как неподвижен, убран ржавчиной, как валун мхом, а сейчас — еще и легкой вуалью вчерашнего раннего снегопада, первого в этом году. После смерти Наби я подумывал оттащить автомобиль на какую-нибудь кабульскую свалку, но так и не собрался с духом. Он мне кажется неотъемлемой частью прошлого этого дома, его истории.

Доделываю заметки, смотрю на часы. Уже 21.30. Восемь вечера в Греции.

Позвони матери. Осел ты этакий.

Если звонить мама́ сегодня, откладывать нельзя. Помню, Талия сообщала в одном своем электронном письме, что мама́ теперь укладывается все раньше. Вдох-выдох, надо собраться. Снимаю трубку, набираю номер.

Мы с Талией познакомились летом 1967-го, мне было двенадцать. Ее мать, Мадалини, приехала вместе с ней на Тинос — навестить нас с мама́. Мама́ — ее зовут Оделия — сказала, что они с ее подругой Мадалини виделись последний раз давным-давно, лет пятнадцать назад, если точнее. Мадалини уехала с острова в семнадцать лет, перебралась в Афины и стала там, хоть и ненадолго, умеренно известной актрисой.

— Я и не удивилась, — говорила мама́, — когда узнала, что она играет. Из-за внешности. Мадалини покоряла всех вокруг. Сам убедишься, когда познакомитесь.

Я спросил у мама́, почему она не рассказывала о ней раньше.

— Правда? Уверен?

— Уверен.

— Я бы прям забожилась. — А потом добавила: — Дочь. Талия. Будь с ней внимателен, у нее был несчастный случай. Ее собака покусала. У нее шрам.

Мама́ больше ничего не стала говорить, а я предпочел не давить на нее. Но это откровение заинтриговало меня куда больше, чем прошлое Мадалини в кино и на сцене, а мое любопытство распалило подозрение, что шрам этот должен быть и значительным, и видимым, чтобы девушка заслуживала специального отношения. С нездоровым энтузиазмом я ждал, когда этот шрам будет явлен мне воочию.

— Мы с Мадалини познакомились на службе в церкви, когда были маленькие, — сказала мама́. И тут же стали не разлей вода. Держались за руки — в школе под партой, на переменках, в церкви или бродя по ячменным полям. Поклялись, что останутся сестрами до самой смерти. Пообещали друг другу, что всегда будут жить рядом, даже после замужества. Жить по соседству, а если кто-то из мужей будет настаивать на переезде — потребуют развода. Помню, мама́ чуть ухмылялась, рассказывая мне это, насмехаясь над собой, будто пытаясь отдалиться от юношеской восторженности и глупости, от безоглядных клятв взахлеб. Но по ее лицу я видел, что есть там и невысказанная боль, тень разочарования, в какой мама́ из гордости не призналась бы.

Мадалини вышла замуж за богатого человека много старше себя, господина Андреаса Янакоса, который некогда продюсировал ее второй и, как оказалось, последний фильм. Сам он имел строительный бизнес, владел большой фирмой в Афинах. Последнее время они плоховато ладили, Мадалини и господин Янакос, ругались. Мама́ ничего такого не сообщала, я узнал об этом, тайком и впопыхах прочитав письмо, которое Мадалини отправила, уведомляя мама́ о своем намерении навестить ее.

Так утомительно, скажу я тебе, сделалось быть с Андреасом и его друзьями с их правыми убеждениями и военной музыкой. Я все время сижу рот на замок. Ничего не говорю, когда они восторгаются этими головорезами в погонах, обратившими нашу демократию в пародию. Скажи я хоть слово против, я уверена, меня заклеймят как коммунистку-анархистку, и даже у Андреаса тогда не хватит влияния, чтобы спасти меня от застенков. Иногда мне кажется, что именно этого он и добивается — чтобы я заспорила. Ах, как же скучаю я по тебе, дорогая моя Оди. Как скучаю по твоему обществу...

В день прибытия гостей мама́ проснулась спозаранку — прибраться. Мы жили в домике на склоне холма. Как многие дома на Тиносе, наш был из побеленного камня, крыша плоская, с красной черепицей ромбиками. В маленькой спальне наверху, где обитали мы с мама́, не было двери — узкая лестница вела прямо в комнату, зато было окно под коньком и небольшая терраса с кованой балюстрадой по пояс, с которой можно смотреть на крыши других домов, на оливы, коз, вьющиеся проулки и арки внизу и, конечно, на Эгейское море, синее и спокойное летним утром и белопенное после обеда, когда налетали с севера ветра *мельтеми.*

Покончив с уборкой, мама́ облачилась в то, что у нее считалось нарядным: она одевалась так каждое 15 августа, в праздник Успения в церкви Благовещения, когда на Тинос со всего Средиземноморья съезжались паломники — помолиться перед знаменитой иконой. Есть фотокарточка, где мать облачена в этот наряд: длинное бесформенное слежавшееся золотое платье с круглым вырезом, севший белый свитер, колготки, громоздкие черные туфли. Мама́ выглядит один в один угрюмой вдовой: лицо суровое, кустистые брови, вздернутый нос, и вся она — чопорность, обиженное благочестие, будто сама паломница. Я на этом снимке тоже есть — стою, как кол проглотил, у материного бедра. На мне белая сорочка, белые шорты и подтянутые белые гольфы. По моей насупленности видно, что мне велели стоять ровно и не улыбаться, лицо мне отмыли, а волосы пригладили мокрой расческой — против моей воли и с немалой борьбой. Между нами чувствуется напряжение. Его видно по тому, как мы застыли, и из того, что мы почти не соприкасаемся.

А может, и не чувствуется. Но я-то вижу все равно — всякий раз, когда смотрю на этот снимок, последний раз — два года назад. Никуда не денешься, вот они — и сторожкость, и напряжение, и нетерпение. Ничего не поделаешь, я вижу двоих людей, но они вместе лишь из генетического долга, обречены смущать и разочаровывать друг друга, и для каждого дело чести — перечить другому.

Из спальни наверху я смотрел, как мама́ ушла к паромной пристани Тиноса. Завязав платок под подбородком, мама́ шла на таран синего солнечного дня.

303

Была она хрупкой, тонкокостной женщиной с телом ребенка, но дорожку ей лучше не переходить. Помню, как она водила меня по утрам в школу; сейчас уже на пенсии, а раньше работала учительницей. Мама́ никогда не брала меня за руку. Другие матери своих детей брали, а моя — нет. Она говорила, ей надо обращаться со мной, как с любым другим учеником. Шагала впереди, стиснув в кулаке ворот кофты, а я с завтраком в коробке семенил следом, стараясь не отставать. В классе я всегда сидел на задах. Помню мать у доски и то, как она могла скворчащим взглядом пригвоздить к месту непослушного ученика — будто камнем из рогатки, хирургически точным попаданием. Она могла распороть надвое одним лишь недобрым взглядом или внезапным мигом тишины.

Превыше всего мама́ верила в преданность — даже ценой самоотречения. Особенно ценой самоотречения. А еще она верила, что всегда лучше говорить правду, попросту, без фанфар, и чем ужаснее правда, тем скорее надо ее говорить. Она не терпела бесхребетных. Она была — и *остается* — женщиной громадной силы воли, женщиной беспощадной, с такой не станешь спорить, хотя я так до сих пор толком и не понял, от Бога ли она такая или стала по необходимости, когда меньше через год после свадьбы погиб ее муж и оставил ее растить меня в одиночку.

Вскоре после ухода мама́ я задремал. Но вдруг проснулся от высокого и звонкого женского голоса. Сел на кровати — и вот она, передо мной, сплошь помада, пудра, духи, изящные изгибы, прямо-таки реклама авиаперевозок улыбается мне из-под вуали на шляпке-таблетке. Она стояла посреди комнаты —

неоново-зеленое мини-платье, кожаный саквояж у ног, каштановые волосы, руки-ноги длинные, — улыбалась мне, сияла ликом и разговаривала, а голос у нее бурлил самоуверенностью и живостью.

— Так вот он ты, малыш Маркос! Оди не сказала мне, какой ты красавец! О, я вижу ее в тебе, эти глаза — да, у тебя ее глаза, тебе наверняка это говорили уже. Я так хотела на тебя посмотреть. Мы с твоей мамой... Ой, Оди тебе рассказывала ведь, так что ты представляешь, воображаешь, какой восторг мне видеть вас обоих и с тобой познакомиться, Маркос. Маркос Варварис! А я — Мадалини Янакос, и, скажу тебе, я в экстазе!

Она сняла кремовые атласные перчатки до локтя — я видел, как элегантные дамы на журнальных фотографиях надевают такие на званые вечера или щеголяют в них, покуривая на ступенях оперного театра, или когда их подсаживают в блестящий черный автомобиль, а лица им озаряют фотовспышки. Мадалини пришлось подергать за каждый палец не один раз, прежде чем перчатка слезла с руки, после чего они слегка склонились и протянули мне руку.

— Очарована, — сказала она. Рука у нее была мягкая и прохладная, хоть и из перчатки. — А это моя дочь Талия. Дорогая, поздоровайся с Маркосом Варварисом.

Она стояла у входа в комнату, рядом с моей матерью, и смотрела на меня без выражения — худая, бледная девочка в обвислых кудряшках. Больше мне добавить нечего. Я не могу вспомнить ни цвета платья, в котором она была в тот день, — если на ней вообще было именно платье, — ни фасона туфель, в носках она была или без, надела ли часы, или ожерелье, или кольцо, или сережки. Не могу сказать, потому что, окажись вы в ресторане и кто-нибудь бы вдруг разделся догола, вскочил на стол и начал жонглировать десертными ложками, вы бы не просто поглядели на это — вы бы *только* на это и глядели. Маска, что закрывала нижнюю часть лица девочки, произвела точно такое же действие. Она отменила возможность любых других наблюдений.

— Талия, поздоровайся, дорогая. Не будь невежливой.

Мне показалось, что она едва заметно кивнула.

— Привет, — ответил я наждачным языком. По воздуху пошли круги. Токи. Я почувствовал заряд чего-то наполовину волнующего, наполовину устрашающего, — оно лопнуло внутри меня и раскрутилось пружиной. Я таращился, знал, что таращусь, и никак не мог прекратить, отлепить взгляд от небесно-синей ткани ее маски, что держалась на двух лентах, завязанных у нее на затылке, а спереди — узкая горизонтальная прорезь для рта. Немедленно понял, что не вынесу вида того, что скрывает маска. И рвался увидеть это. Ничто в моей жизни не пойдет своим чередом, порядком и ритмом, покуда не увижу я, от какого такого ужаса и кошмара защищает меня и других эта маска.

Другая вероятность — что маска, быть может, задумана, чтобы защитить Талию от нас, — ускользнула от меня. Во всяком случае, в головокружительных муках той первой встречи.

Мадалини и Талия остались наверху распаковывать вещи, а мама́ на кухне возилась с палтусом на ужин. Она попросила меня сделать Мадалини чашку *эллиникос кафес*, я сделал, и тогда она велела отнести ее наверх, что я тоже исполнил — на подносе, с тарелочкой *пастелли*.

306

Прошли десятки лет, а меня по-прежнему, будто теплая липкая жидкость, окатывает стыд, стоит мне вспомнить, что случилось дальше. До сего дня я могу представить ту сцену — застывшей, как фотография. Мадалини курит, стоя у окна спальни, смотрит на море через круглые очки с желтыми линзами, руку в бок уперла, щиколотки накрест. Шляпка-таблетка — на туалетном столике. Над ним — зеркало, а в зеркале — Талия, сидит на краю кровати, спиной ко мне. Склонилась над чем-то, что-то делает, может, шнурки развязывает, но мне видно, что маску она сняла. Та лежит рядом с ней на кровати. Холод пробегает вниз по моей спине, я пытаюсь сдерживаться, но руки трясутся, отчего фарфоровая чашка звякает на блюдце, отчего Мадалини поворачивает ко мне голову, отчего Талия вскидывает лицо. Я вижу ее отражение в зеркале.

Поднос выскользнул у меня из рук. Посуда вдребезги. Горячая жидкость расплескалась, а поднос, грохоча, скатился по ступенькам. Воцарился внезапный хаос: я упал на четвереньки и заблевал осколки фарфора, Мадалини запричитала. «О боже. О боже», — и мама́ примчалась наверх, вопя:

— Что случилось? Что ты натворил, Маркос?

Ее собака покусала, — в порядке предупреждения говорила мне мама́. — *У нее шрам*. Собака Талию не покусала за лицо — она его *съела*. И если и есть слова для описания того, что я увидел в зеркале, *шрам* точно не подойдет.

Помню, как руки мама́ схватили меня за плечи, вздернули на ноги, развернули к себе:

— Ты что вообще? Что с тобой такое?

Помню, как ее взгляд взмыл над моей головой. И застыл. Слова умерли у нее на губах. Лицо опустело.

Руки упали. И вот тогда я узрел самое невероятное — казалось, скорее император Константин явился бы к нам на порог собственной персоной, да еще и в костюме клоуна: одинокая слеза набухла у матери в уголке правого глаза.

— Ну и как она? — спрашивает мама́.

— Кто?

— Кто? Француженка. Племянница твоего хозяина, профессорша из Парижа.

Перекладываю трубку к другому уху. Поразительно, что она помнит. Всю мою жизнь мне казалось, что слова, которые я говорю мама́, истаивают в воздухе, будто между нами — белый шум, плохая связь. Временами, когда звоню ей из Кабула, вот как теперь, у меня возникает чувство, что она тихонько положила трубку и ушла, а я говорю в межконтинентальную пустоту, хоть и ощущаю присутствие матери на линии, слышу, как она дышит мне в ухо. А бывает, рассказываю ей, что повидал в больнице — о каком-нибудь окровавленном мальчике, которого принес отец, например, со шрапнелью в щеках, с оторванным вчистую ухом, еще одну жертву игр не на той улице не в то время не того дня, — и тут, без всякого предупреждения, раздается лязг и голос мама́ вдруг становится далеким и приглушенным, то тише, то громче, шаги, что-то волокут по полу, и я затыкаюсь и жду, покуда она не вернется, — а это в конце концов происходит, — всегда чуть запыхавшись, и не объяснит: *Я ей сказала, мне удобно стоя. Внятно сказала. Сказала: «Талия, я, когда говорю с Маркосом, хочу стоять у окна и смотреть на воду». А она мне: «Вы переутомляете себя, Оди, вам надо сесть». И вот по-*

жалуйста, она уже тащит кресло — ту кожаную громадину, которую она мне купила в прошлом году, — тащит его к окну. Бог мой, вот она сильная-то. Ты не видал это кресло. Ну конечно. Затем она вздыхает с притворным раздражением и предлагает мне продолжать, но я уже сбился. В итоге смутно ощущаю, что меня отчитали, причем по делу, обвинили в неких несказанных проступках, преступлениях, какие мне никто никогда не вменял. Даже если все-таки продолжить рассказ, он становится каким-то ерундовым. Ни в какое сравнение не идет с кресельной драмой Талии и мама́.

— Как там ее звали? — говорит она. — Пари какая-то, да?

Я рассказал ей о Наби — он был мне дорогим другом. Она лишь в общих чертах наслышана о его жизни. Она знает, что по завещанию он оставил свой дом племяннице, Пари, выросшей во Франции. Но я не рассказывал мама́ о Ниле Вахдати, о ее побеге в Париж после инсульта мужа, о тех десятках лет, когда Наби ухаживал за Сулейманом. *Ту* историю. Слишком много в ней бумеранговых параллелей. Все равно что читать приговор самому себе.

— Пари. Да. Она оказалась милой, — говорю я. — Душевной. Особенно для ученого.

— А кто бишь она? Химик?

— *Математик*, — говорю я, опуская крышку ноутбука. Опять пошел снег — легкие, крошечные снежинки крутятся в темноте, бросаются в мое окно.

Говорю мама́ о приезде Пари Вахдати в конце ушедшего лета. Действительно милая. Нежная, худенькая, седая, с длинной шеей в сетке синих вен, с теплой щербатой улыбкой. Она показалась хрупче и старше своих лет. Тяжелый ревматоидный артрит. Особенно руки — все в узлах, они еще действовали, но близился ее час, и она это знала. Я подумал о мама́ и о том, что и *ее* час близок.

Пари Вахдати пробыла со мной в кабульском доме неделю. Когда она прилетела из Парижа, я устроил ей экскурсию. Дом она последний раз видела в 1955 году и, кажется, удивилась живости своих воспоминаний об этом месте, о том, как тут все расположено: к примеру, что между гостиной и обеденной залой — две ступеньки, на которых, по ее словам, она сиживала солнечными утрами, читала книжки. Ее поразило, насколько маленьким показался ей дом в сравнении с тем, каким она его помнила. Я отвел ее наверх, и она узнала свою спальню; сейчас в ней живет мой коллега-немец из Всемирной продовольственной программы. Помню, как перехватило у нее дыхание, когда она увидела маленький гардероб в углу спальни — из того немногого, что уцелело с ее детства. Я знал его историю по письму Наби, которое он оставил мне перед смертью. Она присела рядом с гардеробом, провела пальцами по облупившейся желтой краске, по жирафам и хвостатым мартышкам на поблекших дверцах. Она глянула на меня, в глазах у нее стояли слезы, и она спросила, очень застенчиво и искательно, не мог бы я отправить ей эту вещь в Париж. Предложила заплатить за покупку замены. Из всего дома она желала себе лишь это. Я ответил, что с удовольствием все устрою.

В итоге, помимо гардероба, который я выслал через несколько дней после ее отъезда, Пари Вахдати забрала во Францию лишь блокноты Сулеймана Вахдати, письмо Наби и несколько стихотворений

Нилы, сохраненных Наби. Пока гостила, она попросила меня еще об одном: устроить ей поездку в Шадбаг — деревню, где она родилась и где надеялась найти сводного брата Икбала.

— Я так понимаю, она продаст дом, — говорит мама́, — теперь-то он ее.

— Вообще-то она сказала, что я могу здесь жить сколько хочу, — отвечаю я. — Бесплатно.

Я прямо вижу, как мама́ скептически поджимает губы. Она островитянка. Она сомневается в мотивах любого человека с большой земли, смотрит косо на их благие с виду поступки. В частности поэтому я знал, когда еще был мальчишкой, что рано или поздно уеду с Тиноса, как только выпадет случай. Когда люди рассуждают, как мама́, на меня всегда наваливается некоторое отчаяние.

— Как дела с голубятней? — спрашиваю я, лишь бы сменить тему.

— Пока отложила. Она меня утомила.

Полгода назад афинский невролог поставил ей диагноз. Я настоял на ее визите к врачу — после того как Талия рассказала мне, что у мама́ появились тики и она постоянно все роняет. Талия ее и отвезла. После невролога мама́ развила бурную деятельность. Я знаю это из электронных писем Талии. Перекрасила дом, починила краны, уговорила Талию помочь ей соорудить новый чулан наверху и даже собралась заменить треснутую черепицу на крыше, но Талия, к счастью, это пресекла. А теперь вот еще и голубятня. Представляю, как мама́, — засучив рукава, молоток в руке, спина в поту — заколачивает гвозди и шкурит деревяшки. Взапуски с умирающими нейронами. Выжимает из них все, до последней капли, пока есть время.

311

— Когда ты приедешь домой? — спрашивает мама́.

— Скоро, — говорю я. И в прошлом году я сказал ей *скоро* — в ответ на тот же вопрос. Последний раз я был на Тиносе два года назад.

Краткая пауза.

— Не тяни. Я хочу тебя увидеть до того, как меня переведут на искусственное дыхание.

Смеется. Старая привычка — шутить и валять дурака в виду у несчастья, ее презрение к малейшему проявлению жалости к себе. У этой привычки есть парадоксальное и, думается, расчетливое побочное действие: беда от этого одновременно и преуменьшается и преувеличивается.

— Приезжай на Рождество, если сможешь, — говорит она. — До четвертого января, во всяком случае. Талия говорит, над Грецией будет солнечное затмение, как раз в тот день. Она прочитала в интернете. Вместе посмотрим.

— Постараюсь, мама́, — отвечаю я.

Все равно что проснуться однажды и обнаружить, что в дом пробрался дикий зверь, — вот как это было. Не осталось ни одного безопасного места. Она была всюду — за каждым углом и поворотом, кралась, преследовала, постоянно промокая щеку носовым платком: у нее изо рта все время текли слюни. Дом наш был невелик, сбежать некуда. Особый ужас — приемы пищи: приходилось сносить, как Талия поднимает нижнюю часть маски, чтобы ложкой отправлять в рот еду. Меня выворачивало и от вида, и от звука. Ела она шумно, куски полупережеванной пищи вечно плюхались с мокрым чваканьем обратно ей в тарелку — или на стол, или даже на пол. Ей приходилось принимать все жидкости, включая суп, через соломинку — ее мать носила их запас в сумочке. Талия хлюпала и булькала, засасывая бульон через соломинку, он пачкал ей маску и стекал по щеке на шею. Первый раз я попросился из-за стола, за что мама́ сделала мне злые глаза. И тогда я научился отводить взгляд и не слышать, но давалось это нелегко. Я заходил в кухню и напарывался на нее — она сидела неподвижно, а Мадалини умащивала ей щеку снадобьем от натертости. Я начал вести календарь, мысленный обратный отсчет четырех недель — столько, со слов мама́, у нас прогостят Мадалини и Талия.

Я жалел, что Мадалини приехала не одна. Она-то мне вполне нравилась. Мы усаживались вчетвером в маленьком квадратном дворике перед входной дверью, она попивала кофе и курила одну за другой сигареты, и на контурах ее лица плясали тени от нашего оливкового дерева и ее соломенной шляпы-колокола, что должна была бы смотреться на ней абсурдно — и *смотрелась бы* так на ком угодно, на мама́, к примеру. Но Мадалини была из тех, кому элегантность давалась без усилий, словно врожденное свойство, как способность сворачивать язык в трубочку. С Мадалини в разговоре никогда не возникало заминок — истории из нее так и струились. Однажды утром она рассказала нам о своих странствиях — в Анкару, например, где она гуляла вдоль реки Энгури и пила чай, сдобренный *ракы*, или о том, как они с господином Янакосом поехали в Кению и катались на слонах средь колючих акаций и даже поели протертой кукурузы и риса с кокосом с местными селянами.

Истории Мадалини будили во мне давнюю неуспокоенность, вечное желание броситься очертя голову и ничего не страшась в большой мир. В сравнении с ее жизнью моя в Тиносе казалась сокрушительно обыденной. Я предвидел, как она, моя тиносская жизнь, будет непрекращающимся ничто, и почти все детство я провел, еле плетясь, чувствуя, что я — статист себя самого, посредник, будто мое подлинное «я» находится где-то, ждет соединения с этим блеклым, порожним «я». Словно меня высадили на необитаемом острове. Изгнанник в собственном доме.

Мадалини сказала, что в Анкаре она ходила в парк Кугулу смотреть, как лебеди скользят по воде. Сказала, что вода там ослепительная.

— Я треплюсь, — сказала она смеясь.

— А вот и нет, — сказала мама́.

— Старая привычка. Слишком много болтаю. Всегда так было. Помнишь, сколько у нас было бед из-за моей говорливости на уроках? Ты никогда не подставлялась, Оди. Ты была ответственной и прилежной.

— Ты интересные истории рассказываешь. У тебя интересная жизнь.

Мадалини закатила глаза:

— Ну, ты же знаешь китайское проклятие.

— Тебе понравилось в Африке? — спросила мама́ у Талии.

Талия промокнула платком щеку и не ответила, что меня порадовало. Речь ее производила дикое впечатление. Будто бы влажная, странная смесь шепелявости и булканья.

— Ой, Талия не любит путешествовать, — сказала Мадалини, давя окурок. Сообщила она это как незыблемую истину. Даже не глянула на Талию за подтверждением или опровержением. — Нет у нее этой тяги.

314

— Ну и у меня нет, — сказала мама́, вновь обращаясь к Талии. — Мне нравится дома. Похоже, я так и не нашла убедительной причины уехать с Тиноса.

— А я — остаться, — сказала Мадалини. — Кроме тебя, естественно. — Она дотронулась до запястья мама́. — Знаешь, чего я больше всего боялась, когда уезжала? О чем больше всего тревожилась? Как я буду жить без Оди. Клянусь, я каменела от одной мысли.

— Но у тебя, похоже, получилось, — медленно ответила мама́, отводя взгляд от Талии.

— Ты не понимаешь, — сказала Мадалини, и тут я осознал, что не понимаю, оказывается, я, потому что смотрела она прямо на меня. — Я бы не справилась без твоей матери. Она меня спасла.

— А вот теперь ты треплешься, — сказала мама́.

Талия запрокинула голову. Сощурилась. Высоко в синеве беззвучно прокладывал путь самолет — одинокий инверсионный след.

— От моего отца, — сказала Мадалини, — Оди меня и спасла. — Тут я уже не понял, ко мне ли она обращается. — Он из тех, кто рождается злобным. У него были глаза навыкате и толстая короткая шея с черной родинкой на загривке. И кулаки. Булыжники. Он приходил домой, и ему даже делать ничего не надо было — мне хватало и грохота его сапог в прихожей, звяканья ключей, бубнежа. Когда он злился, всегда сопел, зажмуривался, будто сильно задумался, а потом тер лицо и говорил: *Ладно, девчонка, ладно*, — и ясно было, что грядет буря, ее не остановишь. Никто не поможет. Бывало, он только принимался тереть лицо, и воздух свистел у него в усах, а у меня уже в глазах серело... Я и потом знавала таких мужчин. Лучше б не знала. Но увы. И поняла,

315

что стоит чуть-чуть копнуть — и оказывается, что все они примерно одинаковые. Некоторые, да, потоньше. Бывают даже слегка обаятельные — или не слегка — и могут заморочить голову. Но на самом деле они все — несчастные мальчики, плещутся в собственной злости. Чувствуют себя обманутыми. Будто им недодали чего-то. Никто их не любил как следует. Конечно же, они ждут, что ты будешь их любить. Хотят на ручки, чтобы их покачали, поддержали. Но давать им это — ошибка. Они не умеют принимать. Не способны принять именно то, в чем нуждаются. И в результате ненавидят тебя за это. И нет этому конца, потому что им и ненависти своей всегда мало. Нет конца страданиям, извинениям, обещаниям, этому банкротству, убожеству. У меня первый муж такой был.

Я остолбенел. Никто никогда не говорил при мне вот так впрямую, мама́-то уж точно. Никто из знакомых не вываливал свои неудачи. Мне было неловко за Мадалини, но я восхитился ее честностью.

Когда она помянула первого мужа, я впервые со дня знакомства с ней заметил, как тень легла на ее лицо, — мгновенное явление чего-то темного и отрезвляющего, ранящего, и оно не вязалось с энергичным смехом, поддразниваниями и свободным тыквенным платьем в цветочек, что было на ней. Помню, я подумал тогда, какая она, должно быть, хорошая актриса, раз ухитряется так скрывать разочарование и боль под налетом живости. Будто под маской, подумал я и про себя порадовался столь умному наблюдению.

Позднее, когда я стал постарше, эта ясность куда-то делась. Думая задним числом, я замечаю, что в том, как она примолкла, помянув первого мужа, в опущенных взорах, в том, как возник у нее ком в горле, как затрепетали губы, было нечто нарочитое — равно как и в ее бурливой энергии, в ее шутках, живом, шумном обаянии, даже в том, как прилетали ее пренебрежительные замечания — с парашютной мягкостью утешительных подмигиваний и смешков. Может, и то и другое — шитое белыми нитками притворство, а может, и нет. Все перемешалось: что спектакль, а что правда, — но во всяком случае, заставило меня думать о ней как о бесконечно *интересной* актрисе.

— Сколько раз прибегала я к тебе домой, Оди? — спросила Мадалини. Теперь она вновь улыбалась, похохатывала. — Бедные твои родители. Но этот дом был мне гаванью. Моим прибежищем. Да. Маленький остров внутри большого.

Мама́ сказала:

— Тебе здесь всегда были рады.

— Это твоя мать положила конец побоям, Маркос. Она тебе рассказывала?

Нет.

— Меня это не удивляет. Такая она у нас — Оделия Варварис.

Лицо у мама́ сделалось мечтательное, она все разглаживала и сворачивала край фартука на коленях.

— Прихожу я сюда как-то вечером, у меня кровь из языка, клок волос выдран на виске, в ухе все еще звенит от оплеухи. На этот раз он до меня добрался своими лапами. В каком я была состоянии. В каком состоянии! — Мадалини так это рассказывала, будто описывала роскошную трапезу или отличный роман. — Твоя мать не спрашивает, потому что все знает. Конечно, знает. Просто глядит на меня, долго глядит, а я стою перед ней и дрожу, и тут она мне — я до сих пор это помню, как Оди это говорит: *Так, вот и весь сказ.* Говорит: *Пойдем-ка навестим твоего отца, Мадди.* Я ее начинаю умолять. Я боялась, что он нас обеих убьет. Но ты знаешь, какая она бывает, твоя мать.

Да, знаю, подтвердил я, и мама́ метнула в меня косой взгляд.

— Она не стала слушать. У нее был такой вот вид. Уверена, ты знаешь, что это за вид. Срывается с места, но сначала берет отцовское охотничье ружье. Все время, пока мы идем к моему дому, я пытаюсь ее остановить, говорю ей, что он не так уж сильно меня бил. Но она не слушает. Подходим мы прямо к двери, а там мой отец на пороге, и Оди вскидывает дуло, тыкает ему в подбородок и говорит: *Только попробуйте еще раз, и я приду и пристрелю вас в лицо этим самым ружьем...* Отец хлопает глазами и на миг прикусывает язык. И слова вымолвить не может. И это еще не лучшая часть истории, Маркос. Смотрю я вниз и вижу, как маленькая лужица, — ну, ты понимаешь, чего это лужица, — тихонечко растекается на полу у его босых ног.

Мадалини отбросила назад волосы и сказала, вновь щелкнув зажигалкой:

— И это, дорогой мой, подлинная история.

Этого и не требовалось говорить. Я знал, что это правда. Я признал мамину простую, яростную преданность, ее громадную решимость. Ее импульс, ее потребность быть исправителем несправедливостей, стражником заблудших. И, да, я знал, что это правда, — по стону, который донесся из-за сомкнутых губ мама́ при упоминании этой последней детали. Она ее не одобрила. Возможно, сочла вульгарной — и не только по очевидной причине. По ее мнению, люди, даже если вели себя позорно, после смерти заслуживают хоть крупицу уважения. Особенно родственники.

Мама́ повозилась на стуле и сказала:

— Так если тебе не нравится путешествовать, Талия, чем же ты любишь заниматься?

Все взоры обратились на Талию. Мадалини говорила и говорила, и я, помню, думал, пока мы сидели в солнечных пятнах во дворе, что такова была ее способность поглощать внимание, втягивать все в свой водоворот столь полно, что про Талию все забывали. Я к тому же допускал возможность, что они освоили такую моду из необходимости: тихую дочь затмевал спектакль жадной до внимания, занятой собой матери, что самолюбование Мадалини являлось, быть может, благодеянием, материнской защитой.

Талия пробормотала что-то в ответ.

— Чуть громче, дорогая, — прилетело предложение от Мадалини.

Талия откашлялась — рокочущий, мокротный звук.

— Наукой.

Я впервые заметил цвет ее глаз — зеленый, как девственное пастбище, заметил глубокую, грубую тьму ее волос и что кожа у нее безупречна, как у ее матери. Подумал, была ли она когда-то миловидной, а может, даже красивой, как Мадалини.

— Расскажи им о твоих солнечных часах, дорогая, — сказала Мадалини.

Талия пожала плечами.

— Она соорудила солнечные часы, — сказала Мадалини. — Прямо у нас во дворе. Прошлым летом.

Никто не помогал. Во всяком случае, не Андреас. И точно не я. — Она хихикнула.

— Экваториальные или горизонтальные? — спросила мама́.

В глазах у Талии мелькнула вспышка удивления. Словно узнавание. Как у человека, идущего по людной улице в иностранном городе и вдруг слышащего обрывок родной речи.

— Горизонтальные, — ответила она своим странным мокрым голосом.

— А из чего гномон сделала?

Талия уперлась взглядом в мама́:

— Я разрезала открытку.

Тогда-то я впервые увидел, как это у них получается.

— Она, когда была маленькая, разбирала игрушки на части, — сказала Мадалини. — Ей нравились механические, чтоб с хитроумным устройством внутри. И не играла в них толком, правда, милая? Нет, она их ломала, дорогие те игрушки, потрошила их, не успеешь дать. Я, бывало, выходила из себя. А Андреас, надо отдать ему должное, Андреас говорил, дескать, пусть, это признак пытливого ума.

— Хочешь, сделаем такие вместе, — сказала мама́. — Солнечные часы, в смысле.

— Я уже умею.

— Что за манеры, дорогая, — сказала Мадалини, вытягивая и сгибая ногу, будто готовилась к танцевальному номеру. — Тетя Оди для тебя старается.

— Ну тогда, может, что-нибудь другое, — сказала мама́. — Что-нибудь другое построим.

— Ой-ой! — проговорила Мадалини, поспешно выдувая дым и пыхтя. — Как я могла забыть тебе сказать, Оди. У меня новости. Угадай.

320

Мама́ пожала плечами.

— Я снова буду играть! В кино! Мне предложили роль, главную, в большом проекте. Представляешь?

— Поздравляю, — проговорила мама́ нерешительно.

— У меня сценарий с собой. Я тебе дам почитать, Оди, но, боюсь, он тебе не понравится. Плохо дело, да? Меня это раздавит, прямо тебе говорю. Не переживу просто. Осенью съемки.

На следующий день после завтрака мама́ отвела меня в сторону:

— Так, ну и что это вообще? Что с тобой такое?

Я сказал, что не понимаю, о чем она.

— Ты это брось. Кривлянье вот это. Тебе не идет, — сказала она.

Она умела так сощурить глаза и самую малость склонить голову набок. И по сей день это на меня действует.

— Я не могу, мама. Не заставляй меня.

— И почему это?

Выскочило само, я ничего не успел поделать:

— *Она тупит.*

Рот у мама́ стал маленьким-маленьким. Она взглянула на меня не гневно, а разочарованно, будто я выпил из нее все соки. Была в этом взгляде бесповоротность. Обреченность. Так скульптор в конце концов бросает киянку и резец, махнув рукой на строптивый кусок камня, что никогда не примет замысленную мастером форму.

— Она — человек, переживший ужасное. Только попробуй ее обозвать так еще раз, я на тебя погляжу. Скажи — и увидишь, что будет.

И вот чуть погодя мы с Талией уже топали по мощеной улице меж каменных стен. Я старался идти в нескольких шагах впереди, чтобы прохожие — или, упаси господи, кто-то из школы — не подумали, что мы вместе, но они, конечно же, все равно бы подумали. Все видели. Но по крайней мере, я надеялся, что расстояние между нами даст всем знать о моем неудовольствии и нежелании. К моему облегчению, она и не пыталась догонять. Мы прошли мимо усталых, обожженных солнцем селян, возвращавшихся домой с рынка. Их ослики тащили плетеные корзины с непроданным товаром, копыта цокали по мостовой. Я почти всех их знал, но головы не поднимал и отводил взгляд.

Я привел Талию на пляж. Выбрал тот, что покаменистее, — я сюда иногда ходил, зная, что тут не будет столько народу, как на других пляжах вроде Агиос Романос. Закатал штаны, запрыгал с одного иззубренного камня на другой, выбрал какой поближе к прибойным волнам. Снял ботинки, опустил ноги в мелкую заводь, что получилась среди груды камней. Спугнул краба, и тот удрал от моих ног. Я видел, как Талия пристраивается на валуне справа, недалеко от меня.

Мы долго сидели молча и смотрели, как рокочет по камням море. Колкий ветер посвистывал в ушах, опрыскивал мне солью лицо. Над сине-зеленой водой, раскинув крылья, завис пеликан. Две дамы стояли рядком, подобрав юбки, по колено в воде. К западу мне был виден остров, белизна домов и мельниц, зелень ячменных полей, тускло-бурые зубчатые горы, с них каждый год сбегали ручьи. Мой отец погиб в тех горах. Работал в мраморном карьере и однажды, когда мама уже полгода была беременна мной, оступился и упал со стофутовой скалы. Мама сказала, что забыл пристегнуть страховочный трос.

— Ты бы перестал, — сказала Талия.

Я швырял камешки в старое эмалированное ведро — и вздрогнул от ее голоса. Промазал.

— А тебе-то что?

— В смысле, льстить себе. Мне это все не нужно — так же, как тебе.

Ветер плескал ее волосами, она прижала маску к лицу. Я подумал, может, она живет с этим страхом каждый день — что порыв ветра сорвет маску у нее с лица, ей придется у всех на виду гнаться за ней. Я промолчал. Швырнул еще один камень — и опять промахнулся.

— Осел ты, — сказала она.

Чуть погодя она встала, а я сделал вид, что остаюсь. Смотрел через плечо, как она идет по пляжу обратно к дороге, а потом натянул ботинки и пошел за ней домой.

Когда мы вернулись, мама́ на кухне крошила бамию, а Мадалини сидела рядом, красила ногти и курила, стряхивая пепел в блюдце. Я поежился от ужаса: блюдце было из того самого сервиза, который мама́ унаследовала от своей бабушки. Этот сервиз единственная по-настоящему ценная вещь из всего, чем владела мама́, она его почти не доставала с той полки под самым потолком, где он хранился.

Мадалини дула на ногти в паузах между затяжками и болтала про Паттакоса, Пападопулоса и Макарезоса — трех военных, совершивших в том году в Афинах военный переворот и установивших «Режим полковников», как его тогда называли. Она говорила, что знает одного сценариста — «милейшего человека», с ее слов, — которого посадили, обвинив в том, что он коммунистический подрывной элемент.

— Что, разумеется, абсурд! Просто абсурд. Знаешь, что они делают с людьми, эти, из военной полиции, чтоб те заговорили? — Она произнесла эти слова вполголоса, будто военная полиция пряталась где-то в доме. — Засовывают шланг в зад и включают воду на полную катушку. Это правда, Оди. Клянусь. Пропитывают тряпки последней мерзостью — человечьей мерзостью, ну, ты понимаешь — и суют людям в рот.

— Отвратительно, — сказала мама́ без выражения.

Я подумал, не устала ли она уже от Мадалини. Поток политических напыщенностей, баек про сборища, какие посещали Мадалини и ее муж, про поэтов, интеллектуалов и музыкантов, с которыми она чокалась шампанским, список ненужных, бессмысленных поездок, предпринятых ею в иностранные города. Козырянье своими взглядами на ядерную катастрофу, перенаселенность и экологическое загрязнение. Мама́ потакала Мадалини — слушала ее истории улыбаясь, с видом сдержанного изумления, но я знал: недобро она думает о Мадалини. Наверное, что Мадалини бахвалится. И быть может, мама́ было неловко за нее.

Вот что гноит, портит мамину доброту, ее акты спасения и храбрости. Тень задолженности. Требования и обязательства, которые она взваливает на спасенного. Свои благодеяния она использует как валюту: обменивает их на преданность и верность. Теперь-то я понимаю, почему Мадалини уехала много лет назад. Веревка, что некогда вытянула из омута, может стать петлей на шее. Люди, включая меня в конце концов, неизбежно разочаровывают мама́. Не могут они вернуть того, что задолжали, так, как она хочет. Мамин утешительный приз — мрачное удов-

324

летворение от собственной правоты, воля выносить приговоры со стратегически удачного шестка, поскольку это ее люди подводят.

Меня это огорчает, ибо я вижу в том нужду самой мама́, ее неуспокоенность, страх одиночества, ужас оказаться на мели, брошенной. А что оно говорит обо мне: что я, зная такое о своей матери, в точности зная эту ее потребность, тем не менее осознанно и непоколебимо отказывал в ее утолении, неизменно почти тридцать лет отгораживаясь от нее океаном, континентом, а еще лучше — и тем и другим?

— Они, хунта, не понимают, сколько иронии в их действиях, — говорила Мадалини, — в том, как они давят людей. В Греции! На родине демократии... А вот и вы! Ну и как? Что делали?

— Играли на пляже, — сказала Талия.

— И как, здорово? Вам было здорово?

— Да, отлично, — сказала Талия.

Мама́ переметнула скептический взгляд с меня на Талию и обратно, но Мадалини просияла и молча зааплодировала.

Прекрасно! Раз можно теперь за вас двоих не беспокоиться, мы с Оди побудем одни. Что скажешь, Оди? Столько всего надо наверстать!

Мама́ стоически улыбнулась и потянулась за капустным кочаном.

С того дня и далее нас с Талией предоставили самим себе. Нам полагалось исследовать остров, играть на пляже и развлекать друг друга, как этого ждут от детей. Мама заворачивала нам по бутерброду, и мы после завтрака вместе выходили из дома.

Убравшись из поля зрения матерей, мы частенько разбредались порознь. На пляже я плавал или валялся на камнях, сняв рубашку, а Талия уходила собирать ракушки или пускать блинчики, но мало что получалось: волны великоваты. Мы ходили гулять по тропам, что змеились через виноградники и ячменные поля, глядели на свои тени и думали каждый о своем. В основном просто бродили. Туризма на Тиносе в те дни толком не существовало. Это и впрямь был сельский остров, людей кормили их коровы, козы, оливковые деревья и пшеница. Нам становилось скучно, мы молча ели выданный нам обед где-нибудь в тени дерева или мельницы, жевали и смотрели на расщелины, поля колючих кустов, на горы и море.

Однажды я забрел в город. Мы жили на юго-западном берегу острова, а город Тинос находился всего в нескольких милях к югу. Там была маленькая лавка всяких безделиц, владел ею господин Руссос, вдовец с массивным лицом. В витрине этой лавки можно было всегда найти что угодно — от пишмашинки сороковых годов до пары кожаных рабочих сапог, или флюгер, или старую подставку под цветы, великанские восковые свечи, крест или, конечно же, икону Благовещения. Или даже медную гориллу. Хозяин к тому же был фотографом-любителем и устроил на задах лавки самодельную фотолабораторию. Когда на Тинос каждый август, чтобы навестить икону, съезжались паломники, господин Руссос продавал им фотопленку и потом за отдельную плату проявлял отснятое.

Примерно месяц назад я заметил в витрине фотоаппарат, выставленный на потертом кожаном чехле цвета ржавчины. Каждые несколько дней я приходил к магазину, таращился на этот прибор и представлял себя в Индии: чехол болтается на ремне у меня на плече, а сам я снимаю рисовые чеки и чайные плантации, какие видел в «Нэшнл джиогрэфик». Я бы фотографировал Тропу инков. Верхом на верблюде, или в пропыленном старом грузовике, или пешком я бы преодолевал жару, глядя на сфинксов и пирамиды, их тоже бы фотографировал, а потом увидел бы свои снимки на глянцевых страницах журналов. Вот что в то утро привело меня к витрине господина Руссоса, хотя сама лавка была в тот день закрыта, и я стоял снаружи, прижавшись лбом к стеклу, и грезил.

— Это какой?

Чуть подавшись назад, я увидел в стекле отражение Талии. Она промокнула платком левую щеку.

— Фотоаппарат.

Я пожал плечами.

— Похоже на «Си-3 Аргус», — сказала она.

— А ты откуда знаешь?

— За последние тридцать лет это единственный на 35 миллиметров, который лучше всего продается, — сказала она чуть ворчливо. — Хотя смотреть, в общем, не на что. Уродство. На кирпич похож. Ты, значит, фотографом хочешь быть? Ну, когда совсем вырастешь? Твоя мать мне сказала.

Я повернулся к ней:

— Мама́ тебе это сказала?

— И что?

Я снова пожал плечами. Мне стало неловко от того, что мама́ обсуждает такие вещи с Талией. Интересно, как именно она это сказала. Могла ведь расчехлить что-нибудь из своего арсенала издевательски-серьезных формулировок, в какие она облекала свое мнение о том, что считала легкомысленным или напыщенным. Она умела сморщить любой твой порыв прямо у тебя на глазах. *Маркос желает обойти глобус и запечатлеть его своим объективом.*

Талия села на тротуар, натянула юбку на колени. День выдался жаркий, солнце вгрызалось в кожу. Вокруг никого не видать, если не считать пожилой пары, торжественно тащившейся вверх по улице. На муже — его звали Демис-как-то — плоская серая шляпа и коричневый твидовый пиджак явно не по сезону. Лицо у него, помню, имело то застывшее круглоглазое выражение, какое бывает у некоторых стариков, будто они постоянно ошарашены этим чудовищным сюрпризом — старостью, и лишь годы спустя, учась медицине, я заподозрил у него болезнь Паркинсона. Они помахали мне, проходя мимо, я помахал в ответ. Увидел, что они заметили и Талию, на миг сбавили шаг, но потом двинулись дальше.

— У тебя есть фотоаппарат? — спросила она.

— Нет.

— А ты когда-нибудь фотографировал?

— Нет.

— И хочешь быть фотографом?

— Считаешь, это странно?

— Несколько.

— А если б я сказал, что хочу быть полицейским, ты бы и это сочла странным? Потому что я никогда ни на кого наручники не надевал?

Я заметил, как смягчился у нее взгляд и что она, если б могла, улыбнулась.

— Так ты, значит, умный осел, — сказала она. — Вот тебе совет: не заикайся о фотоаппарате при моей матери, иначе она тебе его купит. Ей так хочется всем нравиться. — Платок приник к щеке, вернулся на место. — Но подозреваю, Оделия не одобрит. Думаю, ты и сам это понимаешь.

328

Меня и впечатлило, и обеспокоило то, сколько всего она успела заметить за столь краткое время. Может, маска давала ей преимущество укрытия, свободу наблюдать, подмечать и разглядывать.

— Она, возможно, заставит тебя вернуть подарок.

Я вздохнул. Так и есть. Мама́ не позволила бы столь легких плат по ее счетам — тем более с применением денег.

Талия встала на ноги, отряхнула юбку от пыли сзади.

— Скажи, пожалуйста, а найдется ли у вас дома коробка?

Мадалини с мама́ пили на кухне вино, а мы с Талией сидели наверху и возились с черными фломастерами и обувной коробкой. Коробка принадлежала Мадалини и содержала новую пару ярко-зеленых кожаных туфель на высоком каблуке, еще завернутых в папиросную бумагу.

— Где она собиралась *это* носить? — спросил я.

Было слышно, как внизу Мадалини рассказывает об актерских курсах, которые она когда-то посещала, и как ведущий велел ей в порядке упражнения изобразить ящерицу, неподвижно сидящую на камне. Далее последовал взрыв — ее — хохота.

Мы уже прокрасили коробку в два слоя, и Талия сказала, что потребуется и третий, чтобы точно не пропустить ни одной точки. Черный должен быть равномерный и безупречный.

— Это, собственно, и есть фотоаппарат, — сказала она, — черный ящик с отверстием, пропускающим свет, и с тем, что этот свет поглощает. Давай иголку.

Я передал ей мамину швейную иглу. Относился я к потенциалу этой доморощенной камеры, мягко говоря, скептически: на что вообще способны обувная коробка и иголка? Но Талия взялась за эту затею с такой убежденностью и уверенностью в своих силах, что мне пришлось допустить малую вероятностью того, что, глядишь, все и сработает. Ей удалось меня убедить, что она знает кое-что неведомое мне.

— Я тут произвела кое-какие расчеты, — сказала она, аккуратно прокалывая боковину коробки иглой. — Без линзы мы в меньшей стороне отверстие делать не можем, слишком коробка длинная. А вот большая примерно подойдет. Главное — дырочка правильного размера. По моим прикидкам ноль шесть миллиметра должна быть. Вот. Теперь нужна шторка.

Голос Мадалини тем временем перешел на приглушенное взволнованное бормотание. Я не слышал, о чем она рассказывает, но различал, что говорит она медленнее, чем раньше, выговаривая слова, и представил, как она склоняется вперед, уперев локти в колени, смотрит в глаза не мигая. С годами я хорошо изучил эту манеру. Когда люди так разговаривают, они, скорее всего, рассекречивают что-то, обнажают, признаются в каком-нибудь ужасе, прося собеседника о чем-нибудь. Такие разговоры — конек команд личного оповещения о военных потерях, юристов, расписывающих достоинства сделки со следствием, полицейских, тормозящих машины в три часа ночи, неверных мужей. Сколько раз сам я применял такой тон в кабульских больницах? Сколько раз отводил я целые семьи в какой-нибудь тихий угол, просил их сесть, подтаскивал себе стул и, страшась грядущего разговора, собирал в кулак волю, чтобы выложить им новости?

— Она сейчас про Андреаса, — сказала Талия ровно. — Могу поспорить. Они здорово поссорились. Передай липкую ленту и ножницы.

— Какой он? Ну, помимо того что богатый?

— Кто? Андреас? Да нормальный. Много ездит. Когда он дома, у него всегда люди. Важные — министры, генералы, в таком роде. Они пьют у камина, говорят ночи напролет — в основном про бизнес и политику. Мне их слышно из моей комнаты. Когда у Андреаса гости, мне положено сидеть наверху. Но он мне покупает всякое. Платит за учителя, который ко мне ходит. И вполне мило со мной общается.

Она приклеила поверх отверстия прямоугольный кусок картона, который мы тоже закрасили черным.

Внизу все стихло. Я срежиссировал в голове сцену. Мадалини беззвучно плачет, теребит носовой платок, будто это кусок пластилина, от мамá не слишком много проку, вид у нее чопорный, лицо вытянутое, с малюсенькой улыбкой, будто у нее под языком тает что-то кислое. Мамá не выносит, когда люди при ней плачут. Она еле может смотреть на опухшие глаза и обложенные, умоляющие лица. Считает слезы признаком слабости, вульгарной мольбой о внимании, а она такому не потворствует. Не может она заставить себя утешать. Когда я вырос — понял, что это не самая сильная ее сторона. Скорбь должно оставлять при себе, думает она, а не размахивать ею. Когда был маленьким, однажды я спросил, плакала ли она, когда разбился отец.

На похоронах? В смысле, на захоронении?

Нет.

Потому что ты не грустила?

Потому что никого не касалось, грущу я или нет.

331

А ты бы заплакала, если б я умер, мама́? —

*Давай надеяться, что мы этого никогда не узна-
ем,* — ответила она.

Талия взяла коробку с фотобумагой и сказала:

— Тащи фонарик.

Мы забрались к мама́ в чулан, хорошенько закры-
ли дверь и напихали под двери полотенца, чтобы не
пробился дневной свет. Оказавшись в абсолютной
темноте, Талия велела включить фонарик, который
мы завернули в несколько слоев красного целлофана. В тусклом свете мне видны были только ее
тонкие пальцы — она отрезала кусок фотобумаги и
приклеила его внутри коробки на противоположной
от отверстия стороне. Фотобумагу мы купили накануне в лавке господина Руссоса. Когда подошли к
кассе, господин Руссос глянул на Талию поверх очков
и спросил: «Это ограбление?» Та наставила на него
указательный палец и дернула большим, будто взве-
ла боек.

Талия закрыла крышку обувной коробки, заслони-
ла отверстие шторкой. В темноте произнесла:

— Завтра сделаешь первый в своей карьере снимок.

Не разобрать было, шутит она или нет.

Мы выбрали пляж. Установили коробку на плос-
ком камне и крепко привязали ее веревкой: Талия
сказала, что, когда откроем шторку, шевелить аппарат будет нельзя, совсем. Она придвинулась ко мне
и глянула поверх коробки, словно в видоискатель.

— Отличный ракурс, — сказала она.

— Почти. Нужна модель.

Она глянула на меня, поняла, что я имею в виду,
и сказала:

— Нет, не буду я.

Мы немного поспорили, и наконец она согласилась, но при одном условии: без лица в кадре. Сняла туфли, влезла на гряду валунов в нескольких шагах от аппарата, раскинув руки, как канатоходец. Присела на один из камней, лицом на запад — к Сиросу и Кифносу. Устроила волосы так, чтобы они прикрывали тесемки маски на затылке. Глянула на меня через плечо.

— Помни, — прокричала она, — считай до ста двадцати.

Развернулась лицом к морю.

Я склонился над коробкой, поверх нее посмотрел на спину Талии, на ансамбль валунов вокруг нее, на плети водорослей, застрявшие между них, словно мертвые змеи, на маленький буксир, что болтался вдалеке, на усиливавшийся прилив, налетавший на иззубренный берег и отползавший прочь. Поднял шторку и принялся считать.

Раз... два... три... четыре... пять...

Мы лежим в постели. В телевизоре показывают дуэль двух аккордеонистов, но Джанна выключила звук. Ставни стригут полуденный свет, и он падает полосами на остатки пиццы «маргарита», что мы заказали в номер. Нам ее доставил высокий тощий человек с безупречно прилизанными черными волосами, в белой куртке и черном галстуке. На столике, что он вкатил в номер, — тонкая ваза с одинокой розой. Он с шиком поднял купол крышки, прикрывавшей пиццу, взмахнув рукой, будто фокусник, извлекший перед публикой кролика из цилиндра.

Вокруг нас среди мятых простыней — фотографии из моих путешествий последних полутора лет, я показывал их Джанне. Белфаст, Монтевидео, Танжер,

Марсель, Лима, Тегеран. Показываю ей снимки общины, к которой я ненадолго подселился в Копенгагене, жил с датчанами-битниками в драных футболках и вязаных шапочках; они создали на территории бывшей воинской части общину с самоуправлением.

А где же ты сам? — спрашивает Джанна. — *Тебя нет на фотографиях.*

А мне по другую сторону объектива больше нравится, — отвечаю я. Это правда. Я сделал сотни снимков, но меня нет ни на одном. Сдавая пленку в печать, я всегда заказываю два комплекта фотографий. Один оставляю себе, второй отправляю Талии.

Джанна спрашивает, как я финансирую свои поездки, и я объясняю, что оплачиваю их из наследства. Это правда лишь отчасти, потому что наследство это — Талии, не мое. В отличие от Мадалини, которую по очевидным причинам Андреас в своем завещании не упомянул ни разу, Талия в нем была. Она отдала мне половину своих денег. Предполагалось, что я потрачу их на университет.

Восемь... девять... десять...

Джанна приподнимается на локте, тянется ко мне через постель, маленькие груди скользят по моей коже. Добывает пачку сигарет, закуривает. Я встретил Джанну днем раньше на Пьяцца-ди-Спанья. Сидел на каменных ступенях, что соединяют площадь с церковью на холме. Она подошла и что-то сказала по-итальянски. Она смахивала на многих симпатичных, с виду праздных девушек, болтавшихся по римским церквям и пьяццам. Они курили, громко разговаривали и много смеялись. Я покачал головой и переспросил: «Прошу прощенья?» Она улыбнулась: «А!» — и затем по-английски с густым акцентом спросила: «Зажигалка? Сигарета». Я опять покачал головой и ответил — на своем английском с густым акцентом, — что не курю. Она ухмыльнулась. Взгляд у нее сиял и прыгал. Солнце позднего утра встало нимбом вокруг ее лица-брильянта.

Я чуть задремываю и просыпаюсь от ее тычков мне под ребра.

La tua ragazza? — спрашивает она. Обнаружила снимок Талии на пляже — тот самый, что я много лет назад сделал самодельным фотоаппаратом. — *Твоя девушка?*

Нет, — отвечаю я.

Сестра?

Нет.

La tua cugina? Твоя двоюродная, si?

Качаю головой.

Она изучает снимок, коротко затягиваясь сигаретой.

No, — вдруг говорит она резко и, к моему удивлению, даже сердито. — *Questa é la tua ragazza! Твоя девушка. Я думаю, ты врун, да!*

И тут — я не верю своим глазам — она щелкает зажигалкой и поджигает снимок.

Четырнадцать... пятнадцать... шестнадцать... семнадцать...

Примерно на полпути к автобусной остановке до меня доходит, что я потерял этот снимок. Говорю им, что мне надо вернуться. Необходимо вернуться, без вариантов. С нами топает Альфонсо, жилистый *уасо*, губы сжаты, наш чилийский гид-самовыдвиженец, — он вопросительно смотрит на Гэри. Гэри — американец. Альфа-самец нашей тройки. У него грязно-светлые волосы, щеки изрыты оспинами от прыщей. На таком лице трудная жизнь просто написана. У Гэри дурное настроение, которое еще и ухудшилось из-за голода, алкогольного воздержания и паршивой сыпи на правой голени — он накануне зацепил куст *литре*. Я встретил их в людном баре в Сантьяго, где после полудюжины заходов на *писколу* Альфонсо предложил добраться до водопадов у Сальто-дель-Апокиндо, куда его еще ребенком водил отец. Мы совершили этот поход на следующий же день, остались у водопада на ночь с палатками. Курили траву, в ушах у нас ревела вода, а над головой было громадное небо, забитое звездами. А теперь мы шли обратно к Сан-Карлосу-де-Апокиндо, на автобус.

Гэри сдвигает на затылок кордовскую шляпу, утирает лоб носовым платком. *Назад три часа ходу, Маркос,* — говорит он.

¿Tres horas, hágale comprende? — вторит ему Альфонсо.

Я знаю.

И все равно пойдешь?

Да.

¿Para una foto? — уточняет Альфонсо.

Киваю. Не болтаю — не поймут. Я и сам не уверен, понимаю ли.

Ты ж понимаешь, что заблудишься, — говорит Гэри.

Вероятно.

Раз так, амиго, удачи тебе, — говорит Гэри, подавая руку.

Es un griego loco, — говорит Альфонсо.

Смеюсь. Не впервые называют меня чокнутым греком. Пожимаем друг другу руки. Гэри поправляет лямки вещмешка, и они уходят дальше по тропе вдоль складок горы, закладывают крутой поворот, и Гэри не глядя машет мне еще раз. Я иду обратно — туда, откуда мы пришли. Прихожу в итоге через четыре часа, потому что заблудился, как Гэри и предвещал. Когда добираюсь до нашей стоянки, я совершенно вымотан. Обыскиваю все вокруг, прочесываю кусты, заглядываю под камни, все без толку, а внутри тем временем нарастает ужас. И тут, пока я пытаюсь приготовиться к худшему, замечаю что-то белое в кустах на покатом склоне. Фотография застряла в путанице веток. Выпрастываю ее оттуда, отряхиваю с нее пыль, а глаза у меня наливаются слезами облегчения.

Двадцать три... двадцать четыре... двадцать пять...

В Каракасе сплю под мостом. В Брюсселе — в хостеле. Иногда устраиваю кутеж — снимаю номер в хорошей гостинице, подолгу принимаю горячий душ, бреюсь, ем в банном халате. Смотрю цветное телевидение. Города, дороги, страны, люди, которых я повстречал, — все начинает сливаться. Говорю себе, что ищу что-то. Но все больше мне кажется, что я блуждаю, жду, чтобы со мной что-то произошло — такое, что все изменит, к чему вела вся моя жизнь.

Тридцать четыре... тридцать пять... тридцать шесть...

Четвертый день в Индии. Я бреду по проселку среди сбежавшего скота, мир кренится у меня под ногами. Я весь день блевал. Кожа у меня желтая, и незримые руки будто сдирают ее с меня живьем. Когда больше не остается сил идти, ложусь на обочину. Старик через дорогу перемешивает что-то в большом железном котелке. Рядом с ним клетка, а в клетке — сине-красный попугай. Темнокожий торговец толкает мимо меня тачку, набитую пустыми зелеными бутылками. Больше ничего не помню.

Сорок один... сорок два...

Просыпаюсь в просторной комнате. Воздух густ от жара и того, что смахивает на гнилую дыню. Я лежу на широкой железной кровати, между мной и жесткой рамой без пружин — матрас не толще книжки в мягком переплете. Комната заставлена такими же койками. Я вижу свисающие костлявые руки, темные ноги-спички, торчащие из-под заляпанных простыней, редкозубые открытые рты. Неподвижные потолочные вентиляторы. Стены испятнаны плесенью. Окно рядом со мной впускает горячий липкий воздух и солнечный свет, протыкающий глазные яблоки. Медбрат — дюжий сердитый мусульманин по имени Гуль — говорит, что я могу умереть от гепатита.

Пятьдесят пять... пятьдесят шесть... пятьдесят семь...

Спрашиваю, где мой рюкзак. *Какой рюкзак?* — спрашивает Гуль безразлично. Пропали все мои вещи — одежда, наличные, книги, фотоаппарат. *Вор тебе только это оставил,* — говорит Гуль на переливчатом английском, указывает на подоконник рядом со мной. Фотография. Беру ее в руки. Талия, волосы реют на ветру, вода бурлит пеной вокруг, голые стопы — на валунах, а перед ней — Эгейское море. У меня ком в горле. Не хочу я умереть тут, среди чужих людей, так далеко от нее. Засовываю снимок в щель между стеклом и оконной рамой.

Шестьдесят шесть... шестьдесят семь... шестьдесят восемь...

У мальчика на соседней кровати лицо старика — осунувшееся, вытянутое, в морщинах. У него опухоль в низу живота размером с шар для боулинга. Когда медбрат его там трогает, глаза у мальчика зажмуриваются, а рот распахивается в молчаливом вое агонии. Сегодня утром другой медбрат, не Гуль, пытается скормить ему лекарства, но мальчик крутит головой и стонет так, будто скребут по дереву. Наконец медбрат насильно открывает ему рот и запихивает туда таблетки. Когда он уходит, мальчик медленно поворачивает ко мне голову. Мы разглядываем друг друга на расстоянии между нашими койками. У него по щеке сбегает одинокая слеза.

Семьдесят пять... семьдесят шесть... семьдесят семь...

Страдание и отчаяние этого места накрывают волной. Она катится от койки к койке, разбивается о плесневелые стены и возвращается. В ней можно утонуть. Я много сплю. А когда не сплю — чешусь. Пью выдаваемые мне таблетки и опять сплю — из-за них. Или же смотрю на людную улицу из окна этой палаты, на солнечный свет, что скачет по рынкам под тентами и чайным на задах. Смотрю, как дети играют в шарики на тротуарах, перетекающих в грязные канавы, как старухи сидят у порогов домов, смотрю на уличных торговцев в *дхоти*, устроившихся на корточках на циновках: они чистят кокосы, навязывают прохожим гирлянды из бархатцев. Кто-то в нашей комнате вдруг душераздирающе орет. Я засыпаю.

Восемьдесят три... восемьдесят четыре... восемьдесят пять...

Мальчика, оказывается, зовут Манаар. Это означает «путеводный свет». Его мать была проституткой, отец — вором. Он жил со своими тетей и дядей, они его били. Никто не знает, что за болезнь его убивает, но, да, убивает, это известно. Никто его не навещает, а когда он умрет — через неделю или через месяц, ну два, не больше, — никто не придет забрать тело. Никто не станет горевать. Никто не вспомнит. Он умрет в той же щели, где и жил. Когда он спит, я смотрю на него, на его запавшие виски, на голову, слишком большую для таких плеч, на потемневший шрам на нижней губе — об это место, со слов Гуля, сутенер его матери привык тушить сигарету. Я пытаюсь говорить с ним по-английски, потом — теми немногими словами на урду, что мне известны, но он лишь устало моргает. Иногда я складываю руки и делаю теневой театр зверей, чтобы заслужить хотя бы его улыбку.

Восемьдесят семь... восемьдесят восемь... восемьдесят девять...

Однажды Манаар тыкает куда-то в окно. Я следую взглядом за его пальцем, поднимаю голову, но ничего не вижу в синем ломте неба за облаками, а под ним только дети плещутся возле уличной колонки, только автобус пыхтит выхлопом. И тут понимаю, что показывает он на фотокарточку Талии. Вынимаю ее из щели в окне, протягиваю ему. Он держит ее у лица, за паленый уголок, смотрит долго-долго. Думаю, может, это море так его притянуло. Размышляю, пробовал ли он когда-нибудь соленую воду, кружилась ли голова, когда смотрел он, как прибой убегает от ног. А может, хоть и не видно ее лица, он чувствует с ней родство — и Талия знает, что такое боль. Он собирается вернуть мне снимок. Я качаю головой. *Оставь себе,* — говорю я. Тень недоверия пробегает по его лицу. Я улыбаюсь. И хоть и не наверняка, но, мне кажется, он улыбается в ответ.

Девяносто два... девяносто три... девяносто четыре...

Я побеждаю гепатит. Как ни странно, не могу сказать, рад Гуль этому или разочарован, что оказался не прав. Но знаю точно, что застал его врасплох, спросив, можно ли мне остаться добровольцем. Он склоняет голову, хмурится. В итоге я беседую с одним из старших медбратьев.

Девяносто семь... девяносто восемь... девяносто девять...

В душевой пахнет мочой и серой. Каждое утро я ношу сюда Манаара, стараясь не мотать его голое тело, — видел, как один доброволец нес его, вскинув на плечо, как мешок с рисом. Осторожно сажаю его на лавку, жду, пока отдышится. Мою его маленькое тщедушное тело теплой водой. Манаар всегда сидит тихо, терпеливо, руки на коленях, повесив голову. Будто пугливый, костлявый старичок. Протираю мыльной губкой его ребра, шишки позвонков, лопатки, торчащие акульими плавниками. Несу его назад в койку, даю таблетки. Ему легче, если разминать ему стопы и голени, и я не спеша делаю ему массаж. Когда он спит, фотография Талии всегда торчит у него из-под подушки.

Сто один... сто два...

Я подолгу бесцельно гуляю по городу, лишь бы убраться из больницы, от дыханья больных и умирающих. Бреду в пыльные закаты по улицам, обрамленным изрисованными стенами, мимо крытых жестью хлевов, понастроенных вплотную друг к дружке, перехожу дорогу девочкам, несущим на головах полные корзины свежего навоза, женщинам, покрытым черной копотью, кипятящим тряпки в громадных алюминиевых котлах. Петляя по путанице узких улочек, я много думаю о Манааре, о его ожидании смерти в комнате, набитой такими же развалинами, как он сам. Я много думаю о Талии, сидящей на камнях у моря. Я чувствую, как что-то тянет меня, дергает, как подводное течение. Хочу сдаться ему, позволить ему захватить меня. Хочу отказаться от того, что я есть, выскользнуть из себя, сбросить все, как змея сбрасывает старую кожу.

Я не говорю, что Манаар все изменил. Нет. Я еще год шляюсь по миру, пока не оказываюсь за угловым столом в Афинской библиотеке, передо мной — анкета медицинского института. Между Манааром и анкетой — две недели в Дамаске, о которых я практически ничего не помню, кроме ухмыляющихся лиц двух женщин с сильно подведенными глазами и золотыми зубами, по одному на каждую. Или три месяца в Каире в подвале полуразрушенных владений обдолбанного гашишем хозяина. Я трачу деньги Талии, катаясь на автобусах по Исландии, таскаясь за панк-группой по Мюнхену. В 1977-м я ломаю локоть на антиядерной демонстрации в Бильбао.

Но в редкие минуты тишины, в долгих поездках на задах автобуса или на скамье в грузовике я всегда мысленно возвращаюсь к Манаару. Мысли о нем, о его страданиях последних дней и моем бессилии перед лицом этого угасания превращают все, что я до сих пор делал, и все, что хочу еще сделать, в нечто настолько же несущественное, как маленькие обещания, которые даешь себе перед сном, — их, проснувшись, забываешь.

Сто девятнадцать... сто двадцать.

Я опускаю шторку.

Как-то вечером, ближе к концу лета, я узнал, что Мадалини уезжает в Афины, а Талию оставляет с нами — во всяком случае, на какое-то время.

— Всего на пару недель, — сказала она.

Мы ужинаем вчетвером — супом из белой фасоли, который мама́ с Мадалини приготовили вместе. Я глянул через стол на Талию — проверить, одному ли мне вывалили сейчас эту новость. Похоже, да. Талия спокойно отправляла в рот ложку за ложкой, чуть приподнимая маску навстречу каждой порции. Ее манера есть и разговаривать меня уже никак не беспокоила — ну или, по крайней мере, не более, чем созерцание того, как ест пожилой человек с паршиво подогнанными зубными протезами, как мама́ много лет спустя.

Мадалини сказала, что пришлет за Талией, когда закончатся съемки, а это, по ее словам, должно произойти задолго до Рождества.

— В самом деле, давайте вы все приедете в Афины, — сказала она, и лицо ее омыла привычная оживленность. — И мы все отправимся на премьеру! Чудесно же будет, правда, Маркос? Все вчетвером, нарядимся и стильно пригарцуем в кинотеатр?

Я ответил, что да, чудесно, хотя с трудом представлял себе, как мама́ в вечернем платье где-либо гарцует.

Мадалини рассказала, как все будет замечательно, как Талия опять начнет учиться, когда через пару недель откроется школа, — разумеется, учиться она будет дома, с мама́. Она сказала, что будет слать нам открытки, письма и фотографии со съемочной площадки. Она еще что-то говорила, но я почти не слушал. Лишь ощущал громадное облегчение и чуть ли не головокружение. Ужас приближающегося конца лета скручивал мне нутро в узел, и с каждым днем этот узел затягивался все туже — я мужался перед предстоящим прощанием. Теперь я каждое утро просыпался и рвался увидеть Талию за завтраком, услышать странный ее голос. Мы едва успевали поесть, как уже мчались лазать по деревьям, гоняться друг за дружкой по ячменным полям, рыская меж стеблей и выкрикивая боевые кличи, и ящерицы бросались врассыпную у нас из-под ног. Прятали воображаемые сокровища в пещерах, находили места на острове, где было самое отчетливое и громкое эхо. Фотографировали мельницы и голубятни нашим самодельным аппаратом, таскали отснятое к господину Руссосу, и он проявлял наши снимки. Он даже пустил нас в свою лабораторию и научил разным способам проявки и закрепления.

В тот вечер, когда Мадалини объявила о своих планах, они с мама́ выпили бутылку вина, в основном — Мадалини, а мы с Талией сидели тем временем наверху и играли в нарды. У Талии уже сложилась *мана*, и она перетащила половину своих шашек на свою половину доски.

— У нее любовник, — сказала Талия, кидая кости.

Я аж подпрыгнул:

— Кто?

— Что «кто»? А ты как думаешь?

Я научился считывать выражение лица Талии по ее глазам, и сейчас она смотрела на меня так, будто я стоял на пляже и спрашивал, где тут вода. Я постарался быстро исправить положение.

— Знаю я кто, — сказал, а у самого щеки горят, — в смысле, кто он... этот...

Мне было двенадцать лет. В моем словаре еще не появилось слов типа «любовник».

— Сам не догадался? Режиссер.

— Как раз собирался сказать.

— Элиас. Он что-то с чем-то. Волосы назад зализывает, как будто сейчас 1920-е. А еще у него такие тоненькие усики. Он, видимо, думает, что лихо смотрится. Нелепый он. Считает себя великим творцом, разумеется. Мать тоже так думает. Ты бы видел, какая она с ним — вся такая робкая, послушная, будто жаждет ему кланяться и баловать его, потому что он гений. Не понимаю, как она не видит его насквозь.

— А тетя Мадалини за него замуж пойдет?

Талия пожала плечами:

— У нее худший вкус на мужчин. Хуже *некуда*. — Талия потрясла кости в кулаке и, похоже, передумала. — Ну, может, не считая Андреаса. Он милый. Довольно-таки. Но конечно, она его бросит. Она все время втюривается в ублюдков.

— Типа твоего отца?

Она чуть нахмурилась:

— Мой отец ей был чужой человек, которого она встретила по пути в Амстердам. На вокзале в грозу. Они полдня провели вместе. Понятия не имею, кто он. Да и она тоже.

— А-а. Помню, она говорила что-то про своего первого мужа. Что он пил. Ну я и решил...

— А, так то Дориан, — сказала Талия. — Он тоже был что-то с чем-то. — Сдвинула еще одну шашку на свое поле. — Он сс бил. Мог переключиться в один миг с милого и приятного на бешеного. Как погода — знаешь, когда меняется ни с того ни с сего? Вот он такой был. Пил, считай, весь день, почти ничего не делал, только валялся дома. Когда пил, вообще ничего не помнил. Оставлял краны открытыми, например, и затапливал дом. Помню, забыл раз выключить плиту и все сжег дотла.

Она выстроила из шашек маленькую башенку. Тихонько повозилась, выровняла.

— Дориан по-настоящему любил только Аполлона. Все соседские дети его боялись — Аполлона, в
смысле. Его никто, в общем, и не видел — только
слышали, как он лает. Но и этого хватало. Дориан
держал его на заднем дворе на цепи. Скармливал ему
баранину целыми шматами.

Талия больше ничего не рассказала. Но я легко
представил и сам. Дориан напился и отключился,
забыл про пса, тот шлялся по двору отвязанный.
Открытая дверь в дом.

— Сколько тебе было? — спросил я тихо.

— Пять.

И тогда я задал вопрос, что болтался у меня в
голове с самого начала лета:

— А разве ничего нельзя... в смысле, может, они...

Талия резко отвела взгляд.

— Не спрашивай, пожалуйста, — сказала она
тяжко, и я услышал в ее голосе глубокую боль. —
Меня это утомляет.

— Прости, — сказал я.

— Когда-нибудь расскажу.

И она рассказала — позднее. О неудачной опера-
ции, катастрофической постоперационной инфекции,
сепсисе, отказе почек, отказе печени, отторжении
вновь пришитого лоскута ткани, вынужденном удале-
нии не только его, но и остатка щеки и части кости
скулы. Осложнения продержали ее в больнице без
малого три месяца. Она почти умерла — должна
была умереть. После этого врачей к себе она больше
не подпускала.

— Талия, — сказал я, — мне стыдно, что все так
вышло, когда мы познакомились.

Она вскинула на меня взгляд. Вернулся прежний
игривый блеск.

— Тебе и должно быть стыдно. Впрочем, я знала еще до того, как ты заблевал все вокруг.

— Что знала?

— Что ты осел.

Мадалини уехала за два дня до начала школьных занятий. На ней было масляно-желтое платье без рукавов, туго облегавшее ее стройную фигуру, очки от солнца в роговой оправе и белый шелковый платок, туго затянутый на волосах. Она оделась так, будто боялась, что какие-нибудь ее части разбегутся, — словно буквально собирала себя в кучу. На паромной пристани в Тиносе обняла нас всех. Талию — крепче и дольше, прижала губы к ее макушке в протяженном непрерывном поцелуе. Очки от солнца не сняла.

— Обними меня, — услышал я ее шепот.

Талия механически подчинилась.

Когда паром охнул и дернулся прочь, оставляя за собой след вспененной воды, я подумал, что Мадалини будет стоять на корме, махать нам и слать воздушные поцелуи. Но она быстро прошла к носу и села. Не оборачивалась.

Когда вернулись домой, мама велела нам сесть. Встав перед нами, она объявила:

— Вот что, Талия, тебе не нужно больше носить эту штуку у нас в доме. По крайней мере, для меня. И для него. Носи, только если тебе так удобнее. Вот и весь сказ.

И вот тогда-то я понял с внезапной ясностью то, что мама́ уже осознала. Маска — это для Мадалини. Чтобы *ей* не было стыдно и неловко.

Талия долго не двигалась и не произносила ни слова. А потом медленно подняла руки и распустила тесемки на затылке. Опустила маску. Я посмотрел ей прямо в лицо. Почувствовал непроизвольный порыв отшатнуться — как от внезапного громкого звука. Но не стал. Удержал взгляд. И старательно не моргал.

Мама́ сказала, что будет учить на дому и меня, пока не вернется Мадалини, чтобы Талия не сидела дома одна. Она занималась с нами по вечерам, после ужина, а домашние задания мы должны были делать по утрам, когда она была в школе. Вроде выполнимо — по крайней мере, теоретически.

Однако заниматься, особенно в мамино отсутствие, оказалось почти невозможно. Новость об увечье Талии распространилась по всему острову, и люди, пылая любопытством, все время стучались к нам. Можно было подумать, что на всем острове внезапно закончилась мука, чеснок и даже соль и добыть все это можно только у нас. Они почти не пытались скрыть свои намерения. В дверях они постоянно заглядывали мне через плечо. Тянули шеи, вставали на цыпочки. Большинство даже не были нашими соседями. Они топали не одну милю за чашкой сахара. Разумеется, внутрь я никогда не впускал. С особым удовлетворением закрывал дверь перед их носом. Но меня это удручало, обескураживало и показывало, что, если я останусь на острове, моя жизнь окажется слишком сильно затронута этими людьми. Я в конце концов стану таким же.

Хуже всех оказались дети — гораздо борзее. Каждый день я ловил хотя бы одного — они шныряли снаружи, карабкались на стены. Мы занимаемся, а Талия постукивает меня карандашом по плечу, опускает подбородок, а я поворачиваюсь и вижу лицо — иногда не одно, — прижатое к стеклу. И так стало невмоготу, что мы уходили учиться наверх, задергивали все шторы. Однажды я открыл дверь мальчишке из школы, Петросу и трем его дружкам. Он предложил мне горсть монет, чтоб я дал им глянуть одним глазком. Я отказал: он что думает, тут цирк, что ли?

Наконец пришлось сказать мама́. Все лицо у нее пошло темным багрянцем. Она стиснула зубы.

На следующее утро она сложила наши учебники и два бутерброда на кухонный стол. Талия поняла быстрее моего и пожухла, как лист. А протестовать начала, когда пришло время выходить.

— Тетя Оди, нет.

— Давай руку.

— Нет. Пожалуйста.

— А ну. Давай руку.

— Я не хочу.

— Мы опоздаем.

— Не заставляйте меня, тетя Оди.

Мама́ поставила Талию на ноги, склонилась к ней и вперилась в нее взглядом, который я хорошо знал. Ничто на этой планете уже не могло ее остановить.

— Талия, — сказала она, и ей это удалось одновременно и мягко, и твердо, — я тебя не стыжусь.

Мы вышли втроем, мама́ с плотно сжатыми губами шагала с нажимом, будто против жестокого ветра, мелкими рублеными шажками. Я представлял, что вот так же много лет назад с ружьем наперевес она вошла в дом к отцу Мадалини.

Люди таращились и охали, а мы неслись мимо по извилистым дорожкам. Они останавливались поглазеть. Некоторые тыкали пальцами. Я старался не смотреть на них. Они слились на границе моего зрения в мешанину бледных лиц, открытых ртов.

На школьном дворе дети расступились, пропуская нас. Я слышал, как завопила какая-то девочка. Мама́ прокатилась меж ними, как шар меж кеглей, волоча Талию за собой. Она протолкалась и пробилась в угол двора, где была скамейка. Влезла на нее, помогла Талии встать рядом и трижды свистнула в свисток. Воцарилась тишина.

— Это Талия Янакос, — закричала мама́. — С сегодняшнего дня... — Мама́ выдержала паузу. — Кто там вопит, а ну закройте рот, пока я не объяснила почему. Итак, с сегодняшнего дня Талия — ученица этой школы. Вы все будете обращаться с ней достойно и в подобающей манере. Если до меня дойдут слухи, что ее кто-нибудь дразнит, я вас найду и вы у меня пожалеете. Вы меня знаете. Вот и весь сказ.

Она слезла со скамьи, подала Талии руку и направилась в класс.

С того дня Талия больше не надевала маску — ни на людях, ни дома.

За пару недель до Рождества мы получили письмо от Мадалини. В съемках возникла неожиданная заминка. Во-первых, оператор-постановщик — Мадалини обозначила его ОП, и Талии пришлось объяснять нам с мама́, кто это, — упал с лесов и сломал руку в трех местах. А к тому же погода усложнила натурные съемки.

Поэтому мы тут все несколько в «режиме ожидания», как говорится. Это не так уж и плохо, поскольку теперь есть время подтянуть кое-какие неувязки в сценарии, однако выходит так, что мы не соберемся все вместе, как я надеялась. Сокрушаюсь, дорогие мои. Так скучаю по вам, особенно по тебе, Талия, любовь моя. Остается лишь считать

350

дни до весны, когда завершатся съемки и мы снова будем вместе. Ношу вас троих в сердце — каждую минуту каждого дня.

— Она не вернется, — равнодушно сказала Талия, возвращая письмо мама́.

— Вернется-вернется! — сказал я ошарашенно. Глянул на мама́, ожидая, что и она что-нибудь скажет или хотя бы бросит пару слов ободрения. Но мама́ сложила письмо, оставила его на столе и тихо пошла греть воду для кофе. Помню, я подумал, как это бездушно с ее стороны — не поддержать Талию, пусть и она тоже решила, что Мадалини не вернется. Но я тогда не знал — пока, — что они с Талией ужс поняли друг друга, быть может, даже лучше, чем я понимал их обеих. Мама́ слишком уважала Талию, чтобы с ней сюсюкать. Чтобы оскорблять ее фальшивыми утешениями.

Во всем своем зеленом великолепии пришла и ушла весна. Мы получили от Мадалини еще одну открытку и некое в спешке написанное письмо, в котором она сообщала о новых бедах на съемках, на сей раз — со спонсорами, пригрозившими прекратить финансирование из-за всех этих задержек. В том письме она уже не обозначила никакого времени своего возвращсния.

Однажды теплым вечером в начале того лета — в 1968-м — мы с Талией и еще одной девочкой, Дори, пошли на пляж. К тому времени Талия уже прожила с нами на Тиносе год, и ее увечье более не вызывало ни шепотков, ни липких взглядов. Она по-прежнему оставалась — и всегда будет — окружена ореолом любопытства, но и то уже приувяло. У нее завелись свои друзья — например, Дори, — которых не отпугивала ее внешность, и с ними она обедала, сплетничала, играла после уроков, делала домашние задания. Почти невероятно, однако она стала почти обыкновенной, и мне пришлось признать, чуть ли не с восхищением, что островитяне приняли ее как свою.

В тот день мы втроем собирались купаться, но вода еще не прогрелась, и мы в итоге дремали, развалившись на камнях. Когда мы с Талией вернулись домой, мама́ в кухне чистила морковь. На столе мы увидели нераспечатанное письмо.

— Это от твоего отчима, — сказала мама́.

Талия взяла письмо и ушла наверх. Спустилась она не скоро. Бросила лист бумаги на стол, села, взялась за нож и морковь.

— Он хочет, чтобы я вернулась домой.

— Понятно, — сказала мама́. Мне показалось, что в ее голосе я услышал легчайшую дрожь.

— Ну, не совсем домой. Он говорит, что связался с частной школой в Англии. С осени я могу начать там учиться. Написал, что оплатит.

— А как же тетя Мадалини? — спросил я.

— Она уехала. С Элиасом. Они сбежали.

— А фильм?

Мама и Талия глянули друг на друга и одновременно покосились на меня. Тут я понял то, что они знали с самого начала.

Однажды утром, в 2002 году, больше тридцати лет спустя, примерно когда я собираюсь переехать из Афин в Кабул, — натыкаюсь на газетный некролог Мадалини. Фамилия по некрологу у нее Курис, но я узнаю лицо этой старухи: знакомая яркоглазая улыбка и не одни лишь остатки былой красы. Краткий абзац под фото сообщает: после недолгой карьеры актрисы в молодости она в начале 1980-х основала собственную театральную труппу. Несколько ее спектаклей признала критика, особенно — долго не сходившие со сцены пьесы: «Долгий день уходит в ночь» Юджина О'Нила (середина 1990-х), чеховскую «Чайку» и «Обязательства» Димитриоса Мпогриса. В некрологе говорится, что в афинской художественной среде она была знаменита благотворительностью, вкусом, шикарными вечеринками и готовностью возиться с безвестными драматургами. Сообщается, что она умерла после протяженной борьбы с эмфиземой, но не упоминаются ни супруг, ни дети. Еще сильнее меня поражает, что она более двадцати лет жила в Колонаки — чуть ли не в шести кварталах от меня.

Откладываю газету. К собственному удивлению, ощущаю раздражение на эту мертвую женщину, с которой не виделся больше тридцати лет. Прилив неприятия к тому, как сложилась ее судьба. Я долго представлял жизнь Мадалини бурной, беспутной, с годами тягот и невзгод, рывков, остановок, падений, сожалений и опрометчивых безнадежных любовных эскапад. Мне всегда казалось, что она сама себя сведет в могилу, скорее всего алкоголем, умрет той смертью, какую люди называют *трагической*. Что-то внутри меня допускало такую возможность: Мадалини, предвидя все это, привезла Талию на Тинос, чтобы избавить, уберечь от катастроф, какие она не имела сил предотвратить. Но теперь я вижу ее так, как всегда видела мама: Мадалини — картограф, вдумчиво рисующий карту своего будущего и аккуратно исключающий из его пределов обременительную дочь. И у нее все получилось блестяще — во всяком случае, судя по некрологу и этому конспекту вычурной жизни — жизни, богатой достижениями, величием, уважением.

353

Я обнаруживаю, что не могу смириться с этим. С успехом, с тем, что все сошло ей с рук. Это дико. Где же расплата, заслуженное возмездие?

И все же, сложив газету, я ощущаю, как просыпается во мне назойливое сомнение. Смутная догадка, что я сужу Мадалини слишком строго — и что мы с ней, вообще-то, не слишком разнимся. Разве не жаждали мы оба сбежать, заново изобрести себя, найти себя новых? Не оба ли мы рубили якорные цепи, обременявшие нас? Я презрительно усмехаюсь, говорю себе, что между нами ничего общего, хоть и чувствую, что злость моя к ней может быть маской зависти: ей все удалось лучше, чем мне.

Бросаю газету. Если Талия и узнает, то не от меня.

Мама́ сгребла ножом морковные очистки со стола, сложила в плошку. Она терпеть не могла, когда люди выбрасывают еду. Из очистков сделает банку джема.

— Ну, тебе предстоит принять важное решение, Талия, — сказала она.

Талия удивила меня, обернувшись ко мне и сказав:

— А ты бы как поступил, Маркос?

— Ой, что *он* бы сделал, мне известно, — тут же сказала мама́.

— Я бы поехал, — ответил я Талии и глянул на мама́, с удовольствием изображая бунтаря, каким она меня представляла. Разумеется, я именно так и думал. У меня в голове не умещалось, что Талия колеблется. Да я бы рванул стремглав. Частное образование. В Лондоне.

— Ты подумай хорошенько, — сказала мама́.

— Я уже подумала, — ответила Талия нерешительно. А потом, еще нерешительнее, встретилась взглядом с маминым. — Но я не хочу ничего допускать.

Мама́ отложила нож. Я услышал, как она еле заметно выдыхает. Она что, задержала дыханье? Если и да, ее стоическое лицо не выдало никакого облегчения.

— Ответ «да». Конечно же — да.

Талия потянулась через стол, коснулась маминой руки:

— Спасибо, тетя Оди.

— Я скажу это лишь раз, — влез я. — Мне кажется, ты делаешь ошибку. Вы обе делаете ошибку.

Они повернулись ко мне.

— Ты хочешь, чтоб я уехала, Маркос? — спросила Талия.

— Да, — ответил я. — Я буду по тебе скучать, сильно, и ты сама это знаешь. Но нельзя же отказываться от образования в частном заведении. Ты потом в университет могла бы поступить. Могла бы стать исследователем, ученым, преподавателем, изобретателем. Ты разве не этого хочешь? Я же умнее тебя никого не знаю. Ты могла бы стать кем захочешь.

Я замолчал.

— Нет, Маркос, — выговорила Талия. — Не могла бы.

В ее словах слышалась тяжкая окончательность, которая отрезала пути для каких бы то ни было возражений.

Много лет спустя, когда я уже начал учиться на пластического хирурга, я понял то, что не дошло до меня в том кухонном споре с Талией о ее учебе в пансионе. Я постиг, что мир не видит тебя изнутри, его нисколько не волнуют твои надежды, мечты и

355

скорби, что скрыты под кожей и костями. Вот так все просто, абсурдно и жестоко. Об этом знали мои пациенты. Они видели: многое в том, что они есть, чем хотели бы, могли бы стать, зависит от симметрии их костяка, расстояния между глазами, длины подбородка, контура носа, идеальности носолобного угла.

Красота — колоссальный, неоценимый дар, и он вручается случайно, бездумно.

И поэтому я выбрал себе такую специальность — чтобы уравнивать шансы для таких людей, как Талия, чтобы каждым движением скальпеля исправлять случайную несправедливость, бороться хоть в малом с мировым порядком, который я считал бесчестным: собачий укус мог отнять у маленькой девочки ее будущее, сделать ее изгоем, объектом насмешек.

Ну или по крайней мере, так я говорю самому себе. Думаю, были и другие причины моего выбора профессии. Деньги, к примеру, а также престиж, общественное положение. Сказать, что я выбрал стезю исключительно из-за Талии, было бы слишком просто — хоть и мило, — но слишком благонравно и разумно. Если я что и понял в Кабуле, так это что поведение людей запутанно, непредсказуемо и не связано с удобными симметричностями. Но я утешаюсь мыслью о закономерности, о том, что повествование моей жизни обретает форму, как фотография в лаборатории, как сказанье, что постепенно проявляется и утверждает добро, какое я всегда желал в себе видеть. Меня это сказанье поддерживает.

Половину своей практики я вел в Афинах — убирал морщины, подтягивал веки и щеки, перелепливал неудачные носы. Вторую половину я посвятил тому, что *действительно* хотел делать: летал по всему свету — в Центральную Америку, Центральную Африку, Южную Азию, на Дальний Восток, работал там с детьми, исправлял заячьи губы, волчьи пасти, убирал лицевые опухоли, исцелял увечья на лицах. Работа в Афинах и близко не была такой благодарной, однако денег хватало, и на них я мог неделями или даже месяцами трудиться добровольцем.

И вот в начале 2002 года мне в приемную позвонила одна знакомая. Ее звали Амра Адемович. Медсестра из Боснии. Несколько лет назад мы с ней познакомились на конференции в Лондоне, и у нас случилось приятное приключение выходного дня, по взаимному согласию — без продолжения, но связь мы не утеряли и виделись изредка по разным случайным поводам. Она сообщила, что сейчас трудится на одну НКО в Кабуле и ищет пластического хирурга работать с детьми — заячьи губы, лицевые ранения от шрапнели и пуль, типа такого. Я тут же согласился. Собирался посхать на три месяца. Отбыл весной 2002-го. И не вернулся.

Талия забирает меня с пристани. На ней зеленый шерстяной шарф и толстое блекло-розовое пальто поверх кофты и джинсов. У нее теперь длинные распущенные волосы, рассыпаны по плечам, с прямым пробором. Совершенно седая, и именно это, а не искореженная нижняя часть лица ошарашивает меня, застает врасплох, когда я вижу ее. Не удивляет, нет: Талия начала седеть к середине четвертого десятка, а к концу пятого стала белоснежной. Знаю, я и сам изменился: упрямо отросло пузо, столь же решительно отступила линия волос на лбу, но увядание собственного тела всегда постепенно, почти столь же неуловимо, сколь и коварно. Седовласая Талия — сокрушительное свидетельство ее неуклонного, неизбежного движения к старости; а значит, и моего.

— Ты замерзнешь, — говорит она, затягивая шарф вокруг шеи. На дворе январь, позднее утро, небо пасмурно, серо. Холодный ветер тарахтит пожухшей листвой.

— Приезжай в Кабул — вот где холод-то, — говорю я. Берусь за чемодан.

— Как скажете, доктор. Автобусом или пешком? Выбирай.

— Давай пешком, — отвечаю я.

Шагаем на север. Проходим через городок Тинос. Лодки и яхты стоят на якоре в марине. Киоски с открытками и футболками. Перед кафе люди пьют кофе за круглыми столиками, читают газеты, играют в шахматы. Официанты раскладывают приборы к обеду. Через час-два из кухонь поплывет дух жареной рыбы.

Талия энергично докладывает о новых беленых бунгало с видом на Миконос и Эгейское море, которые застройщики городят к югу от Тиноса. В основном там будут жить туристы или состоятельные дачники, которые ездят на Тинос с 1990-х. Говорит, на участке будет открытый бассейн и тренажерный зал.

Мы годами общаемся по электронной почте, она пишет мне об изменениях в облике Тиноса. Прибрежные гостиницы со спутниковыми антеннами и интернетом, ночные клубы, бары и таверны, рестораны и магазины для туристов, такси, автобусы, толпы приезжих, иностранки, загорающие на пляжах в одних трусах. Селяне теперь ездят на пикапах, а не на ослах, — во всяком случае, те, кто остался на острове. Большинство давным-давно уехали, хотя некоторые возвращаются — доживать здесь пенсионные годы.

— Оди это все не нравится, — говорит Талия, имея в виду перемены. Об этом она мне тоже писала — о подозрительности старых островитян к новичкам и к изменениям, что приходят с ними.

— Тебе-то, похоже, это все безразлично, — говорю я.

— Не вижу смысла бухтеть о неизбежном, — говорит она. А потом добавляет: — Оди говорит, дескать, конечно, Талия, *тебе-то* что, ты здесь не родилась. — Она громко и гулко смеется. — Казалось бы, после сорока лет на Тиносе я вроде как заработала себе это право. Но вот поди ж ты.

Талия тоже изменилась. Даже через зимнее пальто я вижу, что она раздалась в бедрах, раздобрела — не порыхлела, а эдак крепко раздобрела. Появились сердечная задиристость, лукавое подтрунивание, с каким она говорит о том, чем я занимаюсь, — сдается мне, она считает эту работу какой-то бестолковой. Огонек в глазах, новый этот утробный смех, постоянный румянец на щеках — ни дать ни взять крестьянская жена. Бой-баба, чье грубоватое дружелюбие намекает на силу, властность и твердость, какие не след ставить под сомнение.

— Как идут дела? — спрашиваю. — Работаешь?

— Как придется, — отвечает. — Ты же знаешь, какие нынче времена.

Мы оба качаем головами. Я следил за новостями о мерах жесткой экономии. Смотрел по «Си-эн-эн», как под стенами парламента греческая молодежь в масках забрасывает полицию камнями, а легавые отвечают слезоточивым газом и дубинками.

У Талии нет своего дела как такового. В доцифровую эпоху она была, по сути, на все руки мастером. Ходила по домам и паяла транзисторы в телевизорах, заменяла конденсаторы в старых ламповых радиоприемниках. Ее приглашали починить неисправный термостат в холодильнике, залатать потекшую трубу. Люди платили, сколько могли. А если заплатить было нечем, она все равно помогала. *Мне на самом деле деньги-то и не нужны*, — говорила она мне. — *Я за интерес работаю. Жив во мне еще восторг потрошить вещи и смотреть, как они устроены.* А теперь она сама себе компьютерная фирма. Всему, что умеет, научилась по ходу. Берет с людей ниже некуда и чинит им компьютеры, регулирует зависающие программы, растормаживает процессоры, меняет установки, делает апгрейды, устраняет ошибки при загрузке. Не раз я, беспомощный перед своим «Ай-би-эмом» в отказе, звонил ей из Кабула.

Придя к маминому дому, стоим недолго во дворе, под старой оливой. Я вижу признаки маминых недавних лихорадочных усилий: перекрашенные стены, недоделанную голубятню, молоток и раскрытый ящик с гвоздями на деревянном чурбане.

— Как она? — спрашиваю.

— Ой, колючая, как обычно. Потому я и поставила вон ту штуку, — она указывает на спутниковую тарелку на крыше. — Смотрим иностранные сериалы. Лучше всего арабские — или хуже всего, без разницы. Разбираемся в сюжетных линиях. Как-то спасаюсь от ее когтей. — Она влетает внутрь. — Добро пожаловать домой. Сейчас что-нибудь тебе приготовлю.

Странно возвращаться в этот дом. Я вижу кое-что незнакомое — серое кожаное кресло в гостиной и белый плетеный столик рядом с телевизором. Но все остальное более-менее там же, где и прежде. Кухонный стол теперь покрыт виниловой скатертью с узором из баклажанов и груш, бамбуковые стулья с прямыми спинками, старая керосиновая лампа с плетеной ручкой, зубчатая каминная труба, прокопченная от дыма, фото нас с мама́ — я в белой рубашке, мама́ в своем лучшем платье — все еще висит над каминной полкой в гостиной, мамин сервиз — по-прежнему на верхней полке.

И все же, ставя чемодан, я среди всего этого ощущаю огромную брешь. Для меня те десятилетия, что моя мать прожила с Талией, — темные безбрежные пространства. Меня здесь не было. Я отсутствовал на всех трапезах, что Талия и мама́ разделили за этим столом, отсутствовал, когда они смеялись, ссорились, скучали, болели — в череде простых ритуалов, из которых состоит жизнь. Я вхожу в дом своего детства чуть растерянным, словно читаю конец романа, который много лет назад начал, но забросил.

— Хочешь яичницу? — спрашивает Талия, уже натягивая цветастый фартук с тесемками, наливая масла на сковородку. По кухне она движется уверенно, по-хозяйски.

— Запросто. А где мама́?

— Спит. У нее была трудная ночь.

— Я быстренько гляну.

Талия выуживает из ящика стола венчик.

— Разбудишь — со мной будешь иметь дело, доктор.

Я крадусь на цыпочках в спальню. Там темно. Единственный длинный узкий ломоть света падает меж задернутых штор, поперек маминой кровати. Воздух набряк болезнью. Это даже не запах — скорее, физическое присутствие. Знаком всякому врачу. Болезнь наполняет пространство, как пар. Стою на пороге, даю глазам привыкнуть. Темноту нарушает прямоугольник цветного света на тумбочке у другой стороны кровати — теперь Талии, когда-то моей. Это цифровая фоторамка. Рисовые плантации, деревянные домики под крышами из серой черепицы перетекают в людный базар — освежеванные козлиные туши на крюках, смуглый человек сидит на корточках у мутной реки, чистит пальцем зубы.

Подтаскиваю стул, сажусь у постели мамá. Вглядываюсь в нее, когда глаза освоились в темноте, и что-то внутри у меня опускается. Меня поражает, как сильно усохла моя мать. Уже. Пижама в цветочек велика для ее узких плеч, уплощенной груди. Мне не важно, как она сейчас смотрится, — что у нее открыт рот, уголками книзу, будто она смотрит неприятный сон. Мне не нравится, что ее вставные челюсти соскакивают с места, когда она спит. Веки чуть трепещут. Я сколько-то времени сижу рядом. Спрашиваю себя: а чего я ожидал? Слушаю, как тикают часы на стене, как внизу Талия позвякивает лопаткой по сковороде. Подмечаю обыденности маминой жизни в этой комнате. Плоский экран телевизора на стене; компьютер в углу; незаконченная игра судоку на тумбочке, очки для чтения помечают нужную страницу; пульт от телевизора; тюбик стероидной мази; тюбик клея для зубных протезов; флакончик с таблетками; на полу — пара косматых тапочек цвета устриц. Она такие никогда раньше не носила. Рядом с тапками — открытая упаковка подгузников. Не вяжутся у меня с матерью все эти вещи. Я против. Они все — будто вещи чужого человека. Бездельного, безобидного. На такого невозможно сердиться.

По ту сторону кровати цифровая рамка снова меняет картинку. Смотрю на несколько подряд. И тут до меня доходит. Я узнаю эти фотографии. Я сам их сделал. Когда был... Где? По всему свету, похоже. Я же всегда заказывал по два комплекта оттисков и один высылал Талии. А она их хранила. Все эти годы. Талия. Обожание сочится сквозь меня, сладкое, как мед. Она — моя подлинная сестра, мой манаар, с самого начала.

Она выкликает снизу мое имя.

Тихонько встаю. Уходя из комнаты, вдруг цепляюсь за что-то взглядом. За что-то в рамке, висящей на стене под часами. Впотьмах не разобрать. Откидываю крышку мобильного, приглядываюсь в его серебристом свете. Это репортаж «Ассошиэйтед Прссс» об НКО, на которую я работаю в Кабуле. Помпю это интервью. Журналист — милый американский кореец, слегка заикался. Мы съели по тарелке *кабули* — афганского плова из бурого риса с изюмом и бараниной. В центре статьи — групповой снимок. Я, несколько детишек, позади нас — Наби, стоит прямо, руки за спиной, одновременно зловещий, застенчивый и величавый, как это часто удается афганцам на фотографиях. Амра тоже есть, со своей удочеренной Роши. Все дети улыбаются.

— Маркос.

Я захлопываю телефон, спускаюсь к ней.

Талия ставит передо мной стакан молока и тарелку с горячей яичницей на подушке из помидоров.

— Не волнуйся, сахар в молоко я уже насыпала.

— Все ты помнишь.

Она присаживается рядом, не снимая фартука. Упирает локти в стол, смотрит, как я ем, время от времени промокает щеку платком.

Сколько раз я предлагал ей поработать с ее лицом. Говорил ей, что хирургические методы с 1960-х ушли далеко вперед и я уверен в своих силах если не вылечить совсем, то хотя бы значительно подправить ее увечье. Талия отказалась — к моей невероятной растерянности. *Это то, что я есть*, — сказала она мне. Какой унылый, неудовлетворительный ответ, подумал я тогда. Что это вообще значит? Я не понял. Приходили в голову немилосердные мысли о заключенных пожизненно, которые боятся жизни снаружи, кого устрашает отпуск на поруки, отвращают перемены, устрашает сама возможность новой жизни по ту сторону колючей проволоки и караульных вышек.

Мое предложение Талии действительно по сей день. Знаю, она его не примет. Но теперь понимаю. Это потому что она права — такова она и *есть*. Не стану делать вид, что знаю, как это — смотреть каждый день в зеркало на такое лицо, на эту кошмарную руину и собирать волю в кулак, чтобы ее принять. Каковы этот невыносимый груз, это усилие, это терпение. Ее принятие, что оформлялось медленно, годами, подобно тому, как удары волн ваяют прибрежные валуны. Собака сотворила это с Талией за минуты, но потребовалась целая жизнь, чтобы лицо это стало частью того, что Талия есть. Она не позволит моему скальпелю отменить этот путь — нанести свежую рану поверх старой.

Ем энергично — я знаю, ей это приятно, — хоть и не очень голоден.

— Вкусно, Талия.

— Ну как, волнуешься?

— В смысле?

Она выдвигает ящик из кухонной стойки за спиной. Достает пару солнечных очков с квадратными линзами. На миг я в замешательстве. А потом вспоминаю. Затмение.

— А, конечно.

— Поначалу, — говорит она, — думала, посмотрим через маленькую дырочку. Но Оди сказала, что ты приедешь. И тогда я сказала: «Ну, тогда все сделаем с шиком».

Болтаем о затмении, которое ожидается на следующий день. Талия говорит, что начнется утром, а полное наступит примерно к полудню. Она следила за прогнозом погоды и с облегчением сообщает, что над островом облаков не ожидается. Спрашивает, не хочу ли я еще яичницы, я соглашаюсь, она рассказывает о новом интернет-кафе, что открылось на том месте, где когда-то был ломбард господина Руссоса.

— Я видел фотографии, — говорю. — Наверху. И статью.

Она ладонью собирает со стола мои крошки, не глядя кидает их через плечо в кухонную мойку.

— А, это просто. Ну, в смысле, отсканировать и загрузить. Труднее было рассортировать их по странам. Пришлось разобраться, что откуда, ты же никогда не писал, только слал снимки. Она очень настаивала — чтобы все было по странам. Ей только так подавай. Настояла.

— Кто?

Талия вздыхает.

— Кто, кто, — отвечает она. — Оди. Кто ж еще?

— Это она захотела?

— И статью тоже она. Сама ее в сети и нашла.

— Мама́ следит за мной в интернете? — спрашиваю.

— Не надо было ей показывать, как это делается. Теперь не оттащишь. — Талия хихикает. — Каждый день проверяет. Правда. У тебя есть поклонница в интернете, Маркос Варварис.

Мама́ спускается после обеда. На ней темно-синий халат и те косматые тапки, которые я уже успел возненавидеть. Кажется, она причесалась. Сходит по ступенькам, раскрывает мне объятия, улыбается сонно, а я с облегчением отмечаю, что двигается она нормально.

Мы усаживаемся пить кофе.

— А где Талия? — спрашивает она, дуя в чашку.

— Пошла купить вкусного. На завтра. Это твоя, мама́? — Киваю на трость, прислоненную к стене за новым креслом. Когда вошел, я ее не заметил.

— Ой, да я с ней почти не хожу. В плохие дни только. На дальние прогулки. Да и то в основном ради душевного спокойствия, — говорит она слишком уж пренебрежительно, и мне ясно, что на трость она полагается куда больше, чем признается. — Я вот за тебя беспокоюсь. Новости в этой твоей ужасной стране. Талия не разрешает мне слушать. Говорит, я разволнуюсь.

— Ну, у нас бывает, — говорю, — но вообще все живут обычной жизнью. Я всегда осторожен, мама́.

Разумеется, я воздерживаюсь от рассказов о стрельбе по съемному дому через дорогу, или о недавней волне нападений на работников иностранных гуманитарных служб, или о том, что мое «осторожен» означает, что я вожу с собой по городу 9-миллиметровый ствол, чего, вообще-то, делать совсем не стоит.

Мама́ отпивает кофе, чуть морщится. Она не напирает. Не уверен, хороший ли это знак. Не уверен, не отплыла ли она куда-то в себя, как это часто бывает у стариков, или, может, это ее способ не загонять меня в угол, чтобы я не заврался или не рассказал что-нибудь такое, что ее лишь огорчит.

— Нам тебя не хватало в Рождество, — говорит она.

— Я не смог выбраться, мама́.

Кивает:

— Но вот ты приехал. Остальное не важно.

Отпиваю кофе. Помню, когда был маленький, мы с мама́ каждое утро завтракали за этим столом, тихо, почти торжественно, а потом вместе шли в школу. Так мало говорили друг с другом.

— Знаешь, мама́, я тоже за тебя волнуюсь.

— А зря. У меня все в порядке.

Вспышка старой дерзкой гордости — будто тусклый огонек в тумане.

— Надолго ли?

— Сколько смогу.

— А когда не сможешь, тогда что?

Я не бросаю ей вызов. Я спрашиваю, потому что не знаю. Не знаю, какова будет моя роль, — если она вообще мне уготована.

Она вперяет в меня спокойный взгляд. Потом добавляет себе ложку сахара, не спеша перемешивает.

— Забавно это, Маркос, но у большинства людей бывает наоборот. Они думают, что живут тем, чего хотят. Но на самом деле их ведут страхи. То, чего они *не* хотят.

— Не понимаю, мама́.

— Ну вот взять тебя, к примеру. Твой отъезд. Твою жизнь, какой ты ее себе создал. Ты боялся здесь застрять. Со мной. Боялся, что я тебе буду обузой. Или вот Талия. Она осталась, потому что не хотела, чтобы на нее глазели.

Я смотрю, как она пробует кофе, кладет еще ложку сахара. Помню, как еще мальчишкой никогда не был готов с нею спорить. Она говорила так, что не оставалось никакого пространства для возражений, проезжалась по мне катком своей правды, произносимой сразу, попросту, прямо. Я всегда задирал лапки, не успев сказать и слова. И всегда это казалось несправедливым.

— А ты, мама́? — спрашиваю. — Чего боишься ты? Чего ты не хочешь?

— Быть обузой.

— Ты не будешь.

— Ой, как же ты, Маркос, тут прав.

Из-за этой последней загадочной фразы во мне растекается непокой. Вспоминаю письмо, что Наби дал мне в Кабуле, его посмертное покаяние. Пакт, который Сулейман Вахдати заключил с ним. Не могу отделаться от мысли, что мама́, быть может, заключила похожее соглашение с Талией, если выбрала Талию в спасительницы, когда придет время. Уверен, Талия сдюжит. Она теперь сильная. Она спасет мама́.

Мама́ вглядывается в мое лицо.

— У тебя есть жизнь и работа, Маркос, — говорит она помягче, меняя течение разговора, будто заглянула в мои мысли, заметила мою тревогу. Вставные челюсти, подгузники, лохматые тапки — из-за

368

всего этого я ее недооценил. Она все еще одерживает верх. И всегда будет. — Я не хочу тебя тяготить.

Вот наконец-то ложь — эта последняя фраза, — но ложь милосердная. Не меня она отяготит. И она понимает это не хуже моего. Я отсутствую, я в тысячах миль отсюда. Все неприятности, вся возня и мытарства достанутся Талии. Но мама́ включает меня в этот круг, жалует меня тем, чего я не заслужил — и даже не пытался.

— Ты не отяготишь, — говорю я вяло.

Мама́ улыбается:

— Кстати, о твоей работе. Ты, видимо, догадываешься, что я, вообще-то, не одобрила твой выбор страны.

— Да, я это подозревал.

— Я не поняла, зачем тебе туда. Зачем от всего отказываться — от практики, денег, дома в Афинах, от всего, ради чего ты трудился, — и забраться в это лютое место?

— У меня были причины.

— Я знаю. — Она подносит чашку к губам, но опускает ее, не отпив. — Не умею я такое говорить, — выдаст она медленно, почти застенчиво, — но что я тут пытаюсь тебе сказать: из тебя вышел толк. Я тобой горжусь, Маркос.

Упираю взгляд в руки. Чувствую, как ее слова проникают в мою глубину. Она меня ошарашила. Застала врасплох. Своими словами. Или этим мягким светом в глазах, когда она это сказала. Я растерянно ищу, что же ответить.

— Спасибо, мама́, — бормочу.

Мне нечего добавить, и мы сидим тихо, меж нами густо от неловкости и осознания, сколько времени потеряно, сколько возможностей растрачено.

— Я хотела тебя спросить кое о чем, — говорит мама́.

— О чем же?

— Джеймс Паркинсон. Джордж Хантингтон. Роберт Грейвз. Джон Даун. А теперь еще и этот мой Лу Гериг. Как мужчинам удалось монополизировать и названия болезней?

Я смаргиваю. Смаргивает в ответ моя мать. А потом она смеется — и смеюсь я. Пусть даже внутри у меня все сжимается.

На следующее утро мы располагаемся в шезлонгах во дворе. На мама́ — толстый шарф и серая куртка, ноги укрыты от колкого холода пуховым одеялом. Мы попиваем кофе, щиплем айву, печенную с корицей,— Талия купила по такому случаю. Мы все втроем — в очках для затмения, смотрим в небеса. От солнца с северного бока уже откушен ломтик, и теперь оно похоже на логотип «Эппл» на ноутбуке Талии, — она время от времени рапортует на какой-то онлайн-форум. Люди устроились на тротуарах и крышах по всей улице, глазеют на представление. Некоторые целыми семьями отправились на другую оконечность острова: там Греческое астрономическое общество установило телескопы.

— Во сколько ожидается пик? — спрашиваю.

— Ближе к десяти тридцати, — отвечает Талия. Приподнимает очки, сверяется с часами. — Примерно через час. — Трет руки в предвкушении, что-то печатает.

Я смотрю на обеих: мама́ в темных очках, руки в голубых венах сплела на груди, Талия ожесточенно лупит по клавишам, из-под вязаной шапочки расплескались седые волосы.

370

Из тебя вышел толк.

Прошлой ночью, лежа на диване, я думал о том, что сказала мама́, и уплыл мыслями к Мадалини. Я вспомнил, как меня еще мальчишкой допекало, сколько всего мама́ не делала из того, что положено делать всем матерям. Водить меня за руку. Сажать меня на колени, читать на ночь, целовать меня перед сном. Все так и было, правда. Однако все эти годы я в упор не замечал большей правды, что осталась незримой, неоцененной, погребенной под моими обидами. Вот она: моя мать никогда бы меня не бросила. Таков был ее дар мне, железное правило: никогда она не поступила бы со мной так, как Мадалини — с Талией. Она мне мать, и она меня не бросит. Это я просто принял как должное. Я не благодарил ее за это, как не благодарят солнце за его свет.

— Смотрите! — кричит Талия.

Внезапно вокруг нас — на земле, на стенах, на одежде — возникли сияющие серпики света, солнечные полумесяцы пронизывали крону старой оливы. Я нахожу полумесяц у себя в чашке с кофе, еще один — на шнурках от ботинок.

— Покажите руки, Оди, — говорит Талия. — Скорее!

Мама́ раскрывает ладони. Талия вытаскивает из кармана квадратик граненого стекла. Держит над мамиными руками. И вот крошечные радужные полумесяцы трепещут на морщинистой коже. Мама́ охает.

— Ты посмотри, Маркос! — говорит она и восторженно улыбается во все лицо, как школьница. Никогда прежде не видел я у нее такой улыбки — чистой, простодушной.

Мы сидим и смотрим, все трое, на дрожащие маленькие радуги на руках моей матери, — и грусть, и старая боль хватают меня за горло.

Из тебя вышел толк.

Я тобой горжусь, Маркос.

Мне пятьдесят пять. Я всю жизнь ждал этих слов. Может, теперь уже поздно? Нам с ней? Может, мы с ней слишком долго растрачивали слишком многое? А где-то внутри я думаю, что лучше оставить все как есть, делать вид, что мы не знаем, насколько не годились друг другу. Не так больно. Может, даже лучше, чем этот запоздалый дар. Этот хрупкий, дрожащий проблеск того, как оно могло бы меж нами статься. От этого родится лишь сожаление, говорю я себе, а что в нем хорошего? Ничего оно не принесет. Потерянное нами невозвратимо.

И все же, когда мама́ говорит:

— Правда красиво, Маркос? — а я отвечаю ей:

— Да, мама. Красиво, — что-то во мне начинает распахиваться, и я беру маму за руку.

Глава девятая

Зима 2010-го

Когда я была маленькой, у нас с отцом был ежевечерний ритуал. После того как я отчитала свои двадцать один раз *бисмиллах*, отец, уложив меня спать, присаживался на край кровати и ощипывал с моей головы дурные сны. Пальцы его скакали по мне от лба к вискам, терпеливо искали за ушами, на затылке, и с каждым изничтоженным кошмаром он делал губами «чпок» — словно бутылку открывал. Один за другим складывал их в невидимый мешок, что лежал у него на коленях, и туго затягивал тесемку. Затем он прочесывал воздух вокруг и выискивал счастливые сны — вместо тех, что забрал. Я смотрела, как он чуть склоняет голову и хмурится, рыщет глазами, будто пытается уловить далекую музыку. Я затаивала дыхание и ждала, когда отцовское лицо вдруг расплывалось улыбкой, и он напевал: *Ага, вот он*, — складывал ладони лодочкой, куда опускался сон — как лепесток, что медленно кружит вниз с дерева. Тихонько, очень тихонько — отец говорил, что все хорошее в жизни хрупко и так легко теряется, — подносил он ладони к моему лицу и втирал счастье мне в голову.

Что мне сегодня приснится, баба? — спрашивала я.

Хм, сегодня. Сегодня — особый случай, — всегда отвечал он, перед тем как все рассказать. И на ходу придумывал историю. В одном его сне я стала величайшим на свете художником. В другом — королевой зачарованного острова, и у меня был летающий трон. А в одном он дал мне мой любимый десерт — желе. Во сне у меня была чудесная сила одним лишь мановением волшебной палочки превращать что угодно в это самое желе — школьный автобус, «Эмпайр-стейт-билдинг», весь Тихий океан, стоит мне только пожелать. Не раз и не два я, взмахнув волшебной палочкой, спасала планету от уничтожения метеоритом. Мой отец мало рассказывал о своем отце, но говорил, что от него унаследовал способность к сказкам. Его отец иногда садился с ним — когда бывал в настроении, что случалось нечасто, — и рассказывал истории, где обитали *джинны*, феи и *дэвы*.

Иногда я сама беру быка за рога. Баба закрывает глаза, и я провожу ладонями ему по лицу, начиная со лба, по колючей щетине на щеках, по жестким усам. *И какой же будет у меня сегодня сон?* — шепчет он, беря меня за руки. И лицо у него распахивается улыбкой. Потому что он знает, какой сон я ему выдам. Всегда один и тот же. Он и его маленькая сестра лежат под цветущей яблоней, их накрывает послеобеденной дремой. Солнце греет им щеки, высвечивает травинки, листья и кутерьму цветков над ними.

Я была единственным и частенько одиноким ребенком. Родив меня, мама и папа, познакомившиеся в Пакистане, когда обоим было к сорока, решили больше судьбу не испытывать. Помню, как смотрела с завистью на соседских детей, на ребят в школе, у кого были братики или сестрички. Меня потрясало, как они иногда обращались друг с другом, не понимая своей везучести. Как бродячие псы. Щипались, дрались, толкались, предавали друг друга как только могли. Да еще и потешались над этим. Не разговаривали друг с другом. Уму непостижимо. Я почти все детство мечтала о брате или сестре. А по-настоящему желала себе близнеца — чтоб ревел со мной вместе в колыбели, спал рядом, кормился от материнской груди вместе со мной. Чтоб было кого любить — беспомощно и бесконечно; в чьем лице я всегда находила бы свое.

Вот так Пари, сестренка бабы, стала моей тайной подружкой, не видимой никому, только мне. Она была *моей* сестрой, которую я так хотела получить от родителей. Я видела ее в зеркале ванной, чистя зубы по утрам. Мы вместе одевались. Она шла со мной в школу и сидела рядом на занятиях — смотрела строго на доску, и краем глаза я всегда видела черноту ее волос и белизну профиля. Я брала ее с собой играть на переменках, ощущала ее за спиной, скатываясь с горки, прыгая с турника на турник. После школы я усаживалась за кухонный стол рисовать, а она выводила загогулины рядом или стояла у окна, пока я не закончу, и мы не побежим на улицу прыгать в резиночку, и наша двойная тень заскачет вверх-вниз на асфальте.

Никто не знал о моих играх с Пари. Даже отец. Она была моей тайной.

Иногда, если рядом никого не было, мы ели виноград и болтали обо всем на свете — об игрушках, о том, какие хлопья вкуснее, о любимых мультиках, о нелюбимых одноклассниках, о злых учителях. У нас был один и тот же любимый цвет (желтый), мороженое

375

(темная вишня), телепрограмма («Альф»), и мы обе хотели стать художниками, когда вырастем.

Ясное дело, мы выглядели одинаково — мы же близнецы, в конце концов. Иногда я ее почти видела воочию — буквально, краем глаза. Я пыталась ее рисовать, и каждый раз получались такие же, как у меня, чуть несимметричные зеленые глаза, такие же темные кучерявые волосы, такие же длинные, изогнутые, почти сросшиеся брови. Если бы кто-нибудь спросил, я бы сказала, что рисую себя.

История о том, как мой отец потерял сестру, была мне знакома — как те, что мама рассказывала мне о Пророке: их я потом выучила заново, когда родители отдали меня в воскресную школу при мечети в Хейуорде. И все же, пусть я ее и знала, все равно просила отца рассказать историю Пари еще и еще раз — так она меня зачаровывала. Может, оттого, что у нас с ней одно имя. Может, поэтому я чувствовала между нами связь — смутную, облеченную тайной и тем не менее реальную. Но все же было и что-то большее. Я чувствовала, что *тронута* ею, той Пари, будто и меня коснулось происшедшее с ней. Я ощущала, что мы замкнуты друг на друга неким незримым порядком вещей, какого я не могла толком понять, связаны больше, нежели одним лишь именем или семейными узами, — будто для полноты мозаики нужны были именно мы.

Я не сомневалась, что, если буду слушать ее историю внимательно, открою что-то о себе самой.

Думаешь, твой отец печалился? Что продал ее?

Некоторые люди хорошо умеют скрывать свою печаль, Пари. Он был из таких. По нему не скажешь. Суровый был человек. Но, думаю, да, думаю, внутри он печалился.

А ты?

Отец улыбался и говорил: *Что ж мне печалиться, у меня есть ты.* И все же даже тогда, маленькой, я все примечала. Будто родимое пятно у него на лице.

Пока мы вот так разговаривали, у меня в голове разыгрывалась фантазия. Я прилежно буду собирать деньги, не потрачу ни доллара на конфеты или наклейки, и когда моя свинья-копилка набьется, — хотя это была вовсе не свинья, а русалочка на камне, — я ее разобью, сложу все деньги в карман и отправлюсь искать сестричку моего отца, где бы та ни была, а когда найду ее, выкуплю и привезу к бабе. Осчастливлю его. Ничего на свете не хотела я так сильно, как стать тем, кто утолит его печаль.

Так что же мне будет за сон? — спрашивает баба.

Ты же сам знаешь.

Улыбка.

Да, знаю.

Баба?

М-м?

Она была тебе хорошей сестрой?

Лучше не бывает.

Он целовал меня в щеку и подтыкал одеяло. В дверях, собираясь выключить свет, замирал.

Лучше не бывает, — говорил он. — *Как ты.*

Я всегда дожидалась, пока он закроет дверь, после чего слезала с кровати, доставала еще одну подушку и клала рядом со своей. И каждую ночь засыпала, слыша, как два сердца бьются в моей груди.

Выкатываюсь на Олд-Оукленд-роуд, поглядываю на часы. Уже перевалило за полдень. До аэропорта Сан-Франциско не меньше сорока минут — и это если на трассе 101 без аварий или ремонтов. Хорошо еще, что рейс международный, таможня, а значит, это добавит мне чуточку времени. Перестраиваюсь влево и выжимаю из «лексуса» под восемьдесят.

Вспоминаю маленький чудо-разговор, что получился у нас с бабой примерно месяц назад. Мимолетный всплеск нормальности — крошечный карман воздуха в холодной тьме океанского дна. Я опоздала с обедом, и он повернулся ко мне в кресле и отметил с легчайшим налетом недовольства, что я генетически запрограммирована не успевать вовремя. *Как твоя мать, упокой Господь ее душу.*

Но с другой стороны, — продолжил он улыбаясь, словно утешая меня, — *должен же быть у человека хоть один недостаток.*

Так, значит, это и есть мой образцово-показательный недостаток, что Господь мне подал, да? — спросила я, опуская тарелку с рисом и фасолью к нему на колени. — *Я вечная копуша?*

Но сделал Он это с большой неохотой, рискну добавить. — Баба потянулся к моим рукам. — *Уж так близко, так близко к совершенству Он тебя сотворил.*

Ну, если хочешь, я тебе покажу еще несколько. Ты их припрятала, да?

Целые кучи. Всегда наготове. Когда будешь стар и немощен.

Так я уже стар и немощен.

То есть ты хочешь, чтоб я тебя пожалела.

Вожусь с радио, переключаюсь с болтовни на кантри, потом на джаз, снова на болтовню. Выключаю. Нервно мне, беспокойно. Берусь за телефон, лежащий на пассажирском сиденье. Звоню домой, оставляю аппарат на коленях.

— Алло?

— Салаам, баба. Это я.

— Пари?

— Да, баба. У вас с Гектором все в порядке?

— Да. Он прекрасный молодой человек. Сделал мне яичницу. На тосте. А ты где?

— Я веду машину, — отвечаю.

— В ресторан? У тебя же нет сегодня смены, верно?

— Нету, я в аэропорт, баба. Забираю кое-кого.

— Хорошо. Я попрошу твою мать сделать нам обед, — говорит он. — Она что-нибудь принесет из ресторана.

— Хорошо, баба.

К моему облегчению, он второй раз ее не поминает. Но иногда его не унять. *Почему ты не говоришь мне, где она, Пари? У нее операция? Не ври мне! Почему мне все врут? Она уехала? В Афганистан? Я тогда тоже еду! Я еду в Кабул, и ты меня не удержишь.* И снова-здорово, баба носится взад-вперед, весь на нервах, я что-то сочиняю, потом пытаюсь отвлечь его коллекцией каталогов по ремонту дома или чем-нибудь по телевизору. Иногда помогает, но бывает и так, что его не пробить никакими моими уловками. Волнуется до слез, до истерики. Бьет себя по голове, раскачивается в кресле, плачет, ноги дергаются, и тогда приходится скармливать ему ативан. Жду, пока глаза у него помутнеют, падаю на диван без сил, едва перевожу дух, сама чуть не плачу. Тоскуя, смотрю на входную дверь, на приволье за ней и хочу выйти наружу — и шагать себе дальше. И тут баба стонет во сне, я возвращаюсь в себя, бурля раскаянием.

— Позови, пожалуйста, Гектора к телефону, баба.

Слышу, как передают трубку с рук на руки. Доносятся звуки телепрограммы, зрители гудят, потом аплодируют.

— Эй, подруга.

Гектор Хуарес живет через дорогу от нас. Мы соседи уже много лет, а за несколько последних сдружились. Он приходит пару раз в неделю, мы едим всякую дрянь, смотрим барахло по телевизору до глубокой ночи — обычно реалити-шоу. Жуем холодную пиццу, с нездоровым восторгом качаем головами, наблюдая выкрутасы и кривлянья на экране. Гектор был десантником, служил на юге Афганистана. Там его сильно ранило самодельным взрывным устройством. Когда он наконец вернулся со службы, весь квартал собрался его встречать. Родители вывесили во дворе плакат «Добро пожаловать домой, Гектор» — с шариками и кучей цветов. Все аплодировали, когда машина его родителей подкатилась к дому. Кое-кто из соседей напек пирогов. Люди благодарили Гектора за службу. Говорили «Мужайся» и «Храни тебя бог». Отец Гектора Сезар пришел к нам в дом через несколько дней, и мы установили такой же пандус для инвалидной коляски, какой Сезар построил у крыльца своего дома, — с американским флагом над ним. Помню, как мы вдвоем устраивали этот пандус и мне хотелось извиниться перед Сезаром за то, что стряслось с Гектором на родине моего отца.

— Привет, — говорю. — Решила проверить, как вы.

— У нас тут все хорошо, — говорит Гектор. — Мы поели. Посмотрели «Честную цену». Догоняемся «Колесом». Дальше — «Вражда».

— Ой. Сочувствую.

— Чему, *mija*?* Нам отлично. Правда, Эйб?

— Спасибо за яичницу, — говорю.

Гектор говорит чуть тише:

— Оладьи, вообще-то. И знаешь что? Ему понравилось. Съел четыре штуки.

— С меня причтется.

— Слушай, мне понравилась твоя новая картина, подруга. Которая с мальчишкой в смешной шляпе. Эйб мне показал. Гордится сил нет как. И я такой фигассе! Да ты *должен* гордиться, чувак.

Улыбаюсь, перестраиваюсь, пропуская страдающего позади меня.

— Похоже, я теперь знаю, что тебе подарить на Рождество.

— Напомни-ка, почему мы *не* можем пожениться? — говорит Гектор. Слышу, как что-то протестное вопит баба, и Гектор смеется не в трубку: — Шучу, Эйб. Ты полегче со мной. Я калека. — А теперь мне: — Кажется, твой отец засветил мне своего внутреннего пуштуна.

Напоминаю ему, что надо дать бабе утреннюю порцию лекарств, вешаю трубку.

Все равно что увидеть фото радиоведущего — никогда не выглядят они так, как себе их представляешь, слушая голоса в машине. Она во всяком случае старая. Ну или староватая. Ясное дело, это я понимала. Прикинула, что ей сейчас должно быть слегка за шестьдесят. Но как тут сложишь воедино эту худощавую седую женщину с маленькой девочкой, которую я всегда рисовала в воображении, трехлетку в темных кудрях, с долгими бровями, что почти смыкаются на переноси-

---

* *Сокр.* от mi hija (*мекс., исп.*) — моя подруга.

це, как у меня. И она выше, чем я думала. Сразу видно, даже когда она сидит на скамейке рядом с бутербродным киоском — оглядывается по сторонам робко, словно потерялась. У нее узкие плечи, сама она хрупкая, приятное лицо, волосы стянуты назад, забраны под вязаный ободок. На ней нефритовые сережки, линялые джинсы, длинный оранжево-розовый свитер-платье, желтый шарф намотан на шею с небрежной европейской элегантностью. Она сообщила в своем последнем электронном письме, что наденет этот шарф, чтобы я легко ее по нему нашла.

Она меня еще не заметила, и я медлю среди путешественников, волокущих чемоданы по терминалу, и таксистов с табличками, встречающих клиентов. Сердце заходится у меня под ребрами, и я думаю про себя: *Вот она. Вот она. Вот взаправду она.* И тут мы встречаемся взглядами, ее лицо пропитывается узнаванием. Она машет мне.

Встречаемся у скамейки. Она улыбается, а у меня колени ходуном ходят. У нее улыбка в точности как у отца, если не считать зазора между передними зубами в рисовое зернышко шириной, чуть скошенная влево, от этого лицо у нее сминается, и она почти закрывает глаза, а еще — так же слегка склоняет голову набок. Она встает, и я замечаю ее руки: узловатые суставы, первые фаланги пальцев отвернуты вовне, на запястьях припухлости размером с фасолину. Чувствую, как скручивает живот, — как же ей, должно быть, больно.

Обнимаемся, она расцеловывает меня в щеки. Кожа у нее мягкая, как войлок. Прервав объятие, она отстраняется, держа меня за плечи, всматривается в мое лицо, словно любуется картиной. На глазах у нее влага. Они наполнены счастьем.

— Простите за опоздание.

— Ничего страшного, — говорит она. — Наконец-то мы вместе! Я так рада, — *Ничьего стращного. Наконьец-то ми вмьесте!* Французский акцент кажется еще гуще, чем по телефону.

— Я тоже рада, — говорю. — Как долетели?

— Я приняла таблетку, иначе, знаю, не усну. Все время буду не спать. Потому что я слишком счастлива и слишком волнуюсь.

Она удерживает меня взглядом, сияет мне, словно боится, что волшебство растает, стоит ей только отвести глаза, — пока громкоговоритель над нами не начинает советовать пассажирам докладывать о любом бесхозном багаже, и лишь тогда немного расслабляет лицо.

— Абдулла знает, что я приезжаю?

— Я ему сказала, что везу в дом гостя, — отвечаю.

Потом мы устраиваемся в машине, и я украдкой гляжу на нее. Невероятное дело. Есть что-то странно призрачное в Пари Вахдати — в том, что она сидит в моей машине, в нескольких дюймах от меня. Я то вижу ее совершенно ясно — желтый шарф вокруг шеи, короткие капризные волоски вдоль края стрижки, родинка цвета кофе под левым ухом, — то вдруг черты ее будто обертывает дымка, словно я смотрю на нее сквозь мутные очки. Накатывает головокружение.

— Все хорошо? — спрашивает она и, пристегиваясь, вглядывается в меня.

— Я все жду, что вы исчезнете.

— То есть?

— Просто это... немножко невероятно, — говорю я, нервно посмеиваясь. — Что вы есть на свете. Что вы здесь.

Она кивает, улыбается:

— А, мне тоже. Для меня тоже странно. Знаете, за всю жизнь я не встречала человека с именем, как у меня.

— Я тоже. — Поворачиваю ключ в зажигании. — Расскажите мне о своих детях.

Выезжаем с парковки, а она рассказывает мне о них, называя по именам, будто мы с ее детьми вместе росли, ходили в лес и ездили на семейные пикники, летом вместе бывали на морских курортах, где нанизывали ожерелья из ракушек и закапывали друг друга в песок.

Вот бы и впрямь.

Она рассказывает мне про своего сына — «и вашего двоюродного брата», добавляет она — Алена и его жену Ану: у них родился пятый ребенок, дочка, и они переехали в Валенсию, где купили дом.

— *Finalement** они уехали из той мерзкой квартиры в Мадриде!

Ее первенцу, Изабель, которая пишет музыку для телевидения, впервые заказали дорожку к большому фильму. Муж Изабель Альбер — теперь шеф-повар в одном уважаемом парижском ресторане.

— У вас же был ресторан, нет? — спрашивает она. — Кажется, вы сообщали в электронном письме.

— Ну, у моих родителей был. Папа всегда мечтал владеть рестораном. Я ему помогала. Но пришлось его продать несколько лет назад. После того как умерла мама, а баба перестал... мочь.

— Ой, сочувствую.

---

* Наконец-то (*фр.*).

— Да не стоит. Не заточена я под ресторанное дело.

— Надо думать. Вы же художник.

Я рассказала ей мимоходом, когда мы впервые говорили по телефону и она спросила, чем я занимаюсь, что мечтаю поступить в художественную школу.

— На самом деле я, что называется, «оператор набора данных».

Она внимательно слушает мои объяснения — я работаю в фирме, которая обрабатывает данные крупных компаний из списка «Форчен-500».

— Я составляю для них бланки. Брошюры, чеки, потребительские списки, списки электронных адресов — всякое такое. Нужно уметь только печатать. А платят прилично.

— Понятно, — говорит она. Обдумывает, затем спрашивает: — А интересная это работа?

Движемся на юг, проезжаем мимо Редвуд-Сити. Перегибаюсь над ней, тыкаю пальцем в пассажирское окно.

— Видите вон то здание? Высокое, с синей вывеской?

— Да?

— Я там родилась.

— *Ah, bon?*

Она продолжает поворачивать голову, следит глазами за тем зданием.

— Повезло.

— В каком смысле?

— Знаете, откуда взялись.

— Никогда об этом не задумывалась.

— *Bah*, ну разумеется. Но это важно — знать такое, знать свои корни. Знать, где начался как человек. А нет — вся жизнь кажется ненастоящей. Как головоломка. *Vous comprenez?** Как будто пропустил начало истории и теперь на середине пытаешься разобраться.

Баба, вероятно, так себя теперь и чувствует. Жизнь его — сплошные дыры. Каждый день — путаная история, головоломка, через которую приходится продираться.

Пару миль едем в тишине.

— Интересная ли у меня работа? — говорю. — Однажды я пришла домой и обнаружила, что над кухонной мойкой не выключен кран. На полу битое стекло, газовая конфорка не выключена. Тогда-то я и поняла, что одного его оставлять больше нельзя. А поскольку нанять сиделку мне было не по карману, я нашла надомную работу. «Интересность» в это уравнение не вписывается.

— А художественная школа подождет.

— Ей придется.

Я с тревогой жду, что дальше она скажет, как повезло моему отцу с дочерью, но, к моему облегчению и признательности, она лишь кивает, провожает глазами дорожные знаки. Другие же — особенно афганцы — постоянно подчеркивают, как отцу повезло, какое я ему благословение. Говорят обо мне с восхищением. Делают из меня святую, дочь, которая героически отказалась от блестящей жизни в беспечности и обеспеченности ради дома и ухода за отцом. *А ведь еще же и мать,* — говорят они, а голоса у них прямо умасливаются от сочувствия. — *Столько лет нянчилась с ней. Тогда был ужас. А теперь вот отец. Красоткой она, конечно, никогда не слыла, но ухажер у нее был. Американец, ну тот, у которого*

---

* Понимаете? (*фр.*)

солнечные батареи. Могла за него выйти. Но нет.
Из-за них. Стольким пожертвовала. Эх, всякому
родителю бы такую дочь. Хвалят меня за боевой
настрой. Восторгаются моим мужеством и благород-
ством, будто я сама преодолела какое-нибудь физическое уродство или, может, адский дефект речи.

Но я себя в этих разговорах не узнаю. Например,
бывает, когда я вижу, как баба утром сидит на кровати, высматривает меня слезящимися глазами, ждет
нетерпеливо, когда я натяну носки на его высохшие,
рябые ноги, бурчит мое имя и корчит инфантильное
лицо. Морщит нос так, что становится похож на
мокрого трусливого грызуна, и он мне противен с
таким лицом. Мне противно от того, каким он стал.
Мне противно то, как он сузил границы моего существования, что из-за него утекают мои лучшие годы.
Бывают дни, когда я хочу лишь одного — освобо-
диться от него, от его капризов и беспомощности.
Никакая я не святая.

Съезжаю на Тринадцатой улице. Еще несколько
миль — и я вкатываюсь к нам на Бивер-Крик-Корт,
выключаю двигатель.

Пари смотрит в окно — там наш одноэтажный
дом, на гаражных воротах шелушится краска, оливковые оконные рамы, пара пошлых каменных львов
по обеим сторонам входной двери — не соберусь
с духом их выкинуть, баба их обожает, но сомневаюсь, что заметит пропажу. Мы живем здесь с
1989 года, с моих семи лет: сначала снимали, а потом баба в 1993-м выкупил дом. Мать умерла в этом
доме солнечным рождественским утром, на больничной койке, которую я поставила для нее в гостевой
спальне, где она и провела три последних месяца
жизни. Она попросила меня переселить ее в ту ком-

нату из-за вида в окне. Сказала, что это улучшает ей настроение. Ноги у нее распухли и посерели, и она целыми днями смотрела из постели на тупик перед домом, на двор с японскими кленами, что она посадила много лет назад, на клумбу в виде звезды, на полосу газона, рассеченную узкой каменистой дорожкой, на склоны холмов вдали и глубокий богатый золотой, в какой они одевались к полудню, когда солнце заливало их целиком.

— Я очень волнуюсь, — говорит Пари тихонько.

— Понимаю, — говорю. — Пятьдесят восемь лет.

Она смотрит на руки, сложенные на коленях.

— Почти ничего о нем не помню. Помню не лицо, не голос. А только то, что в жизни у меня все время чего-то не хватало. Чего-то хорошего. Чего-то... Ах, не знаю, как и сказать. Вот и все.

Киваю. Сдерживаюсь, чтоб не ляпнуть, как же хорошо ее понимаю. Едва не спрашиваю, не было ли у нее догадок о моем существовании.

Она теребит потрепанные концы шарфа.

— Как думаете, может ли статься, что он признает меня?

— Хотите по правде?

Она вглядывается мне в лицо.

— Конечно, да.

— Лучше бы нет.

Вспоминаю слова доктора Башири, нашего давнего семейного врача. Он сказал, что отцу нужен режим, порядок. Минимум неожиданностей. *Предсказуемость.*

Открываю свою дверцу:

— Можете минутку побыть в машине? Я отправлю домой друга, а потом вы с отцом сможете увидеться.

Она прикрывает глаза рукой, а я не хочу дожидаться, пока она заплачет.

Когда мне было одиннадцать, все шестиклассники из моей школы отправились в Монтерейский аквариум с ночевкой. Целую неделю перед пятничным походом в библиотеке и за игрой в «квадрат» на переменках мои одноклассники говорили исключительно о том, как это будет здорово, когда аквариум закроют, а они смогут носиться в пижамах среди экспонатов — рыб-молотов, скатов, пегасов и кальмаров. Наша учительница миссис Гиллеспи сообщила, что для нас по всему аквариуму устроят буфеты и все получат на выбор бутерброды с арахисовым маслом и вареньем или макароны с сыром. *А на десерт будет печенье или ванильное мороженое*, — сказала она. Ученики разлягутся по спальным мешкам, а учителя почитают им на ночь, и все заснут среди морских коньков, сардин, тигровых акул, что будут скользить меж длинных листьев колышущихся водорослей. К четвергу предвкушение уже сыпало электрическими искрами. Даже обычно шкодливые ученики вели себя лучше всех, опасаясь поплатиться за проделки отставкой от похода в аквариум.

Я же наблюдала за всем этим, словно смотрела захватывающее кино с отключенным звуком. Меня будто изъяли из всей этой веселой кутерьмы, отрезали от праздничного настроения — как это бывало каждый декабрь, когда одноклассники разъезжались по домам к своим елкам, к носкам, свисающим с каминных полок, к пирамидам подарков. Я сказала миссис Гиллеспи, что на экскурсию не поеду. Когда она спросила почему, я объяснила, что поход совпадает с исламским праздником. Уж не знаю, поверила ли она мне.

В тот вечер, когда все уехали, я осталась дома с родителями и мы смотрели «Она написала убийство». Я пыталась сосредоточиться на сериале и не думать об экскурсии, но мысли все равно убегали. Я представляла, как мои одноклассники в эту минуту бродят в пижамах с фонариками в руках, прижимаются лбами к гигантскому аквариуму с угрями. Что-то сжалось у меня в груди, я завозилась на диване. Баба, устроившийся на другом, закинул себе в рот жареный арахис и хихикнул над чем-то, что сказала Энджела Лэнсбери. Рядом с ним сидела мама и задумчиво наблюдала за мной, лицо у нее затуманилось, но, когда мы встретились взглядами, черты ее прояснились и она мне улыбнулась — украдкой, по секрету, — я зарылась внутрь себя и насильно улыбнулась в ответ. В ту ночь мне снилось, что я на пляже, стою по пояс в океане, вода вокруг — миллион оттенков зеленого, синего, бирюзового, сапфирового, изумрудного, лазурного — мягко покачивается вокруг моих бедер. У ног скользили легионы рыбок, словно весь океан был моим личным аквариумом. Они терлись о мои пальцы, щекотали мне икры — тысячи снующих, блестящих вспышек цвета на белом песке.

В то воскресенье баба приготовил мне сюрприз. Закрыл ресторан на весь день — чего он почти никогда не делал, — и мы вдвоем поехали в Монтерейский аквариум. Баба всю дорогу оживленно болтал. Как нам там будет здорово. Как ему нестерпимо хочется посмотреть на всех этих акул. Что будем есть на обед? Он говорил, а я вспоминала, как он возил меня в живой уголок в парк Келли и в японские сады по соседству — посмотреть на карпов кои, как мы дали всем рыбам имена и как я висла у него на руке и думала, что никто мне больше не нужен, на всю жизнь.

В аквариуме я прилежно бродила меж экспонатов и старательно отвечала бабе, какие виды рыб я распознаю. Но слишком там было ярко и шумно, а вокруг хороших экспонатов толпились люди. Совсем не так, как я представляла себе ночную вылазку. Все давалось с трудом. Я страшно устала делать вид, как мне здорово. Уже через час толкотни у меня начал болеть живот и мы ушли. По пути домой баба поглядывал на меня уязвленно, того и гляди что-нибудь скажет. Я чувствовала его настойчивый взгляд. Сделала вид, что сплю.

На следующий год, в старших классах, девчонки моего возраста уже красили глаза и мазали блеском губы. Ходили на концерты «Бойз-ту-Мен», школьные дискотеки и групповые свиданки в «Великую Америку» — повизжать на виражах и в штопорах скоростных горок. Одноклассники примеривались к баскетболу и танцевальной команде поддержки. Бледнокожая веснушчатая девочка, сидевшая позади меня на испанском, собиралась в команду по плаванию и как-то раз невзначай, когда мы складывали свои вещи после звонка, предложила и мне попробовать. Ей не понять. Мои родители обмерли бы от ужаса, появись я в купальнике на людях. Да я и не рвалась. Я страшно стеснялась своего тела. Выше талии оно стройное, а ниже — непропорционально, поразительно толстое, будто сила тяжести притянула весь мой вес книзу. Будто меня собрал ребенок — в той игре, где смешиваешь и подбираешь друг к другу по порядку разные части тела или, вернее, подбираешь без всякого порядка, чтоб всем смешнее было. Мама говорила, что у меня «мощные кости». Что у ее матери было такое же телосложение. Но в конце концов бросила это рассказывать, поняв, наверное, что мощнокостная — не совсем то, что девушке хотелось бы о себе слышать.

Я лоббировала отца, чтоб он пустил меня в волейбольную команду, но он обнял меня и нежно сгреб мое лицо в ладони. Кто будет возить меня на тренировки? А на матчи? *Ох, Пари, желал бы я такой роскоши, как у родителей твоих друзей, но мы с твоей матерью должны зарабатывать на жизнь. Я не позволю нам скатиться на пособие по безработице. Ты же понимаешь, родная. Я уверен, что понимаешь.*

Однако, несмотря на необходимость зарабатывать на жизнь, баба находил время возить меня в Кэмбл на занятия по фарси. Каждый вечер вторника, после обычной школы, я отсиживала урок и, словно рыба, вынужденная плыть против течения, пыталась наперекор естеству водить ручкой справа налево. Я умоляла бабу прекратить эти занятия, но он не внял. Сказал, что я когда-нибудь оценю его подарок. Если культура — это дом, говорил он, то язык — ключ и к входной двери, и ко всем комнатам внутри. Без языка, говорил, заплутаешь, останешься бездомной, без полноценной самоидентичности.

А еще были воскресенья, когда я надевала белый хлопковый платок и отец привозил меня в мечеть в Хейуорде — на уроки Корана. Комната, в которой учились десять афганских девочек и я, была крошечной, без кондиционера и воняла нестираным бельем. Окна узкие, под потолком, — как в киношных тюрьмах. Обучавшая нас дама была женой бакалейщика из Фримонта. Больше всего мне нравились ее истории о жизни Пророка, вот это было интересно — как он провел детство в пустыне, как ангел Гавриил явился ему в пещере и велел читать священные тексты, как все, кого он встречал, поражались доброте и свету его лица. Увы, бо́льшую часть времени она перебирала длинный список всего на свете, что нам, добродетельным мусульманкам, следует избегать любой ценой, а не то нас испортит западная культура: во-первых и главных, естественно, следует держаться подальше от мальчиков, а во-вторых — от рэпа, Мадонны, «Мелроуз-Плейс», шортов, танцев, купания на публике, участия в танцевальных группах поддержки, алкоголя, бекона, пепперони, нехаляльных бургеров и еще целой кучи всего остального. Я сидела на полу, потея от жары, ноги затекали, мне хотелось стащить с головы платок, но, понятно, в мечети нельзя. Я поглядывала в окна, однако видно в них было лишь узкие щели неба. Я мечтала о том миге, когда выйду из мечети, свежий воздух ударит в лицо, а в груди что-то расслабится — словно развязали неудобный узел.

Но до той минуты единственный способ удрать — отпустить поводья ума. Время от времени я начинала размышлять о Джереми Уорике из маткласса. Лаконичные голубые глаза, «афро» белого мальчишки. Джереми был скрытным и задумчивым. Играл на гитаре в одной гаражной группе; на ежегодном школьном конкурсе талантов они выступили с бурной версией «Дома восходящего солнца». На уроках я сидела позади Джереми и на четыре места левее. Иногда я представляла, как мы целуемся, он держит меня рукой за загривок, а лицо его так близко от моего, что затмевает весь мир. По животу, по рукам и ногам при этом разливалось ощущение, будто дрожит внутри теплое перышко. Ясное дело, никогда этому не бывать. *Нам* с Джереми не бывать. Если у него и было хотя бы смутное подозрение о моем существовании, он никогда этого не показывал. Что и к лучшему, вообще-то. Я в таком случае могла воображать, что мы не можем быть вместе просто потому, что я ему не нравлюсь.

Летом я работала в родительском ресторане. Когда была помладше, любила вытирать столы, помогать расставлять тарелки и приборы, складывать бумажные салфетки, втыкать красные герберы в круглые вазочки на столиках. Представляла, что незаменима в нашем семейном деле, что ресторан, если я не проверю, заполнены ли перечницы и солонки, пойдет прахом.

Когда училась уже в старших классах, дни в «Кебаб-хаусе Эйба» стали долгими и жаркими. Тот блеск, что я находила в ресторане в детстве, по большей части померк. Старый гудящий автомат с газировкой в углу, виниловые скатерти, пластиковые кружки, которые уже не отмоешь, жалкие названия блюд в ламинированном меню: кебаб «Караван», плов «Хайберский перевал», курица «Шелковый путь», — постер афганской девочки из «Нэшнл джиогрэфик» в плохонькой рамке, тот самый, с глазами, — все это будто подчинялось указу: со стен каждого афганского ресторана обязательно должны пялиться эти глаза. А рядом баба повесил картину маслом, которую я написала в седьмом классе, — здоровенные минареты Герата. Помню прилив гордости, когда он только повесил ее, — смотрела, как гости едят бараньи кебабы под моим художеством.

В обеденные часы, когда мы с матерью сновали между перченым дымом кухни и столами, где обслуживали конторских и городских служащих и полицейских, баба стоял на кассе — в своей заляпанной жиром белой рубашке, руки толстые, волосатые. Баба сиял, радостно махал каждому входящему. *Здравствуйте, сэр! Здравствуйте, мадам! Добро пожаловать в «Кебаб-хаус Эйба». Я Эйб. Могу я принять у вас заказ?* Я морщилась: он не понимал, что смотрится как ближневосточный клоун из скверной комедии. А еще баба устраивал дополнительное представление: каждый доставленный мною заказ сопровождался звонком в старый медный колокольчик. Видимо, родилась эта традиция из шутки, когда баба подвесил колокольчик на стену за кассой. А теперь каждый обслуженный стол приветствовался гулким медным бряком. Завсегдатаи привыкли и почти не замечали, а новые посетители в основном списывали на затейливое обаяние места, хотя иногда поступали и жалобы.

Тебе больше не нравится звонить в колокольчик, — сказал как-то вечером баба. Дело было в весенней четверти последнего класса старшей школы. Мы сидели в машине у ресторана, после закрытия, ждали мать — она забыла свои антацидные таблетки, побежала их забирать. Лицо у бабы — мрачнее тучи. Весь день у него было плохое настроение. На торговый центр падала морось. Было поздно, парковка опустела, если не считать пары машин у автокафе «KFC» и пикапа, стоявшего у химчистки, в нем два парня пускали из окон штопоры дыма.

Когда мне это не поручали, было веселее, — сказала я.

Так во всем, думаю. Он тяжко вздохнул.

Я вспомнила, с каким восторгом я, маленькая, звонила, когда баба хватал меня на руки и поднимал к колокольчику. Когда ставил на пол, лицо у меня светилось счастьем и гордостью.

Баба включил печку, скрестил руки на груди.

До Балтимора далеко.

Я воодушевленно ответила: *Ты же можешь прилетать в гости, когда захочешь.*

Прилетать когда захочешь, — повторил он с легкой насмешкой. — *Я выживаю на кебабах, Пари.*

Ну, значит, я буду приезжать.

Баба с тоской покосился на меня. Его меланхолия была как та тьма снаружи, что давила на окна машины.

Уже месяц я каждый день проверяла почтовый ящик, и сердце у меня разгонялось в приливе надежды, стоило почтовому грузовику подкатиться к бровке. Я притаскивала почту в дом, зажмуривалась, думая: *Может, в этот раз.* Потом открывала глаза и перебирала счета, купоны и лотерейные предложения. И вот во вторник на прошлой неделе я вскрыла конверт и обнаружила в нем долгожданные слова: *Рады сообщить вам, что...*

Я вскочила. Я завопила — по-честному, раздирая глотку, аж слезы навернулись. Почти сразу в голове возник образ: вернисаж в галерее, я — в чем-то простом, черном, элегантном, вокруг ценители и насупленные критики, я улыбаюсь, отвечаю на вопросы, а группки поклонников замирают у моих картин, по галерее плавают официанты в белых перчатках, разливают вино, предлагают квадратные ломтики лосося с укропом или шпажки со спаржей на воздушных хлебцах. На меня накатил один из тех внезапных припадков эйфории, когда хочется обнимать прохожих и плясать, сгребя их в охапку.

Я за мать беспокоюсь, — сказал баба.

Я буду звонить каждый вечер. Честно. Ты меня знаешь.

Баба кивнул. Листья кленов у входа на парковку затрепыхались от внезапного порыва ветра.

Ты подумала, — спросил он, — *о чем мы говорили?*

В смысле, про колледж?

На год, ну, может, на два. Дай ей время привыкнуть к мысли. А потом можешь подать документы заново.

Я содрогнулась в приступе нежданного гнева. *Баба, эти люди рассмотрели мои оценки и характеристики, мой портфолио и настолько высоко оценили мои работы, что не просто приняли меня, но и предложили стипендию. Это одно из лучших образовательных учреждений по искусству в стране. Таким школам не отказывают. Второго шанса не будет.*

Верно, — сказал он, выпрямляясь на сиденье. Сложил ладони лодочкой, подышал в них. *Конечно, я понимаю. Конечно, я за тебя рад.* По его лицу было видно, как он старается. И как боится. Не *за меня* — не за то, что может со мной стрястись в трех тысячах миль от дома. Боится *меня* — потерять меня. Боится моей власти над ним, власти моего отсутствия, способности сделать его несчастным, разбить его открытое, уязвимое сердце, если пожелаю, как доберман, что добрался до котенка.

Я вновь задумалась о его сестре. К тому времени моя связь с Пари, чье присутствие я когда-то ощущала глубже всего на свете, уже давно увяла. Я нечасто вспоминала о ней. С годами я из нее выросла — как из любимых пижам и плюшевых зверей, от которых когда-то не отлипала. Но теперь снова подумала о ней и о связи меж нами. Та волна, что когда-то унесла ее, разбилась вдали от берега, и та же волна докатилась до моих щиколоток и теперь отбегала от стоп.

Баба откашлялся и вгляделся в окно, в темное небо и луну за тучами, в глазах у него плескалась тоска.

Мне все будет напоминать о тебе.

Из этих его нежных, чуть испуганных слов я поняла, что отец мой — раненый человек, а любовь его ко мне — истинна, безбрежна и вечна, как это небо, и всегда будет меня тяготить. Такая любовь рано или поздно загоняет в угол и ставит перед выбором: вырывайся на свободу или оставайся и выдержи все ее давление, даже если она втиснет тебя в нечто меньшее, чем ты сам.

Я потянулась к нему из темноты заднего сиденья, коснулась его лица. Он прижал щеку к моей ладони.

Что она там так долго? — пробормотал он.

Запирает, — сказала я. Меня накрыло усталостью. Мать уже бежала к машине. Морось перешла в ливень.

Через месяц, за пару недель до моего отлета на восток, на экскурсию по университетскому городку, мама сходила к доктору Башири — доложить, что антацид никак не помогает ее желудочным болям. Он отправил ее на ультразвук. В левом яичнике у нее обнаружили опухоль размером с грецкий орех.

— Баба?

Он сидит в кресле, неподвижен, сгорблен. На нем тренировочные штаны, голени и стопы укрыты клетчатым шерстяным пледом. Коричневая кофта, что я купила ему год назад, фланелевая рубашка, застегнутая на все пуговицы. Он теперь желает только так — застегивать воротник, и от этого смотрится одновременно и по-мальчишески, и хрупко: смирился со старостью. Лицо у него сегодня немного припухшее, пряди седых непричесанных волос нависают надо лбом. Он смотрит «Кто хочет стать миллионером?» — серьезно, задумчиво. Когда я зову его, он не отводит взгляда от экрана, будто не услышал, но потом все же с неудовольствием смотрит на меня. У него на нижнем левом веке небольшой ячмень. И ему надо бы побриться.

— Баба, можно я приглушу телевизор на секундочку?

— Я смотрю, — говорит.

— Я знаю. Но у нас гости.

Я уже рассказывала ему вчера про визит Пари Вахдати и еще раз — сегодня утром. Но не спрашиваю, помнит ли он. Это я поняла довольно быстро — не подставлять его, потому что это ужасно смущает, а иногда и выводит его из себя, почти до ругани.

Утаскиваю телевизионный пульт с подлокотника его кресла, выключаю звук, готовлюсь к истерике. Когда он закатил первую, я была уверена, что он дурачится, ломает комедию. К моему облегчению, баба не протестует — лишь выдает долгий вздох носом.

Делаю знак Пари — она ждет в прихожей, рядом с гостиной. Она медленно подходит к нам, я подтягиваю стул поближе к отцову креслу. Она вся — сплошной комок нервного возбуждения, это видно. Усаживается на край стула, прямая, бледная, склоняется к нему, колени сжаты, руки сцеплены, улыбка такая тугая, что побелели губы. Не сводит глаз с отца, словно ей выпало лишь несколько мгновений и надо запомнить его лицо.

— Баба, это друг, о котором я тебе говорила.

Он вглядывается в седую женщину перед собой. У него появилась эта неприятная манера смотреть на людей так, что даже его пристальный взгляд ничего не выдает. Смотрит безучастно, закрыто, будто собирался смотреть совсем не туда, но случайно уперся взглядом в человека.

Пари откашливается. Но голос у нее все равно дрожит.

— Здравствуй, Абдулла. Меня зовут Пари. Какое чудо тебя видеть.

Он медленно кивает. Я почти *различаю* нерешительность и растерянность у него на лице — будто волны мышечного спазма. Взгляд его скачет между моим лицом и Пари. Он с усилием приоткрывает рот в полуулыбке, которая возникает, когда ему кажется, что его разыгрывают.

— У тебя акцент, — говорит он наконец.

— Она живет во Франции, — говорю. — И, баба, говори по-английски. Она не понимает фарси.

Баба кивает.

— Так ты живешь в Лондоне? — обращается он к Пари.

— Баба!

— Ну что? — Он резко поворачивается ко мне. Потом понимает и смущенно хихикает, после чего переключается с фарси на английский: — Ты живешь в Лондоне?

— В Париже, — говорит Пари. — Я живу в маленькой квартире в Париже.

Она не сводит с него глаз.

— Я всегда собирался отвезти жену в Париж. Султана ее звали, Господи упокой ее душу. Она все время говорила: *Абдулла, свози меня в Париж. Ты свозишь меня в Париж?*

Вообще-то мама не любила путешествовать. Никогда не понимала, зачем покидать уют и привычность родного дома ради мук перелетов и таскания чемоданов. Не было у нее и тяги к кулинарным приключениям — пищевая экзотика в ее представлениях ограничивалась курицей с апельсинами из китайской забегаловки на Тейлор-стрит. Есть что-то невероятное в том, как баба временами призывает память о ней с такой жуткой точностью, — он помнит, к примеру, что она солила еду, подбрасывая кристаллики соли на ладони, или ее привычку перебивать людей в разговорах по телефону, чего она никогда не делала очно, — или как бывает поразительно неточен в воспоминаниях. Кажется, образ ее блекнет в нем, лицо удаляется в тень, память о ней растворяется с каждым прожитым днем, утекает, как песок из кулака. Она превращается в призрачный контур, полую раковину, и он, похоже, вынужден наполнять ее подложными деталями и придуманными чертами характера, будто фальшивые воспоминания лучше, чем совсем никаких.

— Это милый город, — говорит Пари.

— Может, я ее все-таки еще свожу. Но у нее сейчас рак. Какой-то женский... Как это называется?..

— Яичники, — говорю я.

Пари кивает, ее взгляд переключается на меня, а потом сразу на бабу.

— Больше всего ей хочется влезть на Эйфелеву башню. Ты ее видела? — спрашивает баба.

— Эйфелеву башню? — Пари смеется. — Ой, да. Каждый день. Никуда от нее не деться, вообще-то.

— А ты на нее лазила? На самый верх?

— Да, лазила. Там очень красиво. Но я боюсь высоты, поэтому мне там не всегда уютно. Но наверху в солнечный день вид на шестьдесят километров вокруг или даже больше. Хотя, конечно, бывает в Париже много дней, когда все не так хорошо и солнечно.

Баба хмыкает. Пари, воодушевившись, продолжает рассказывать о башне: сколько лет ее строили, что ее не собирались оставлять в Париже после Всемирной выставки 1889 года, — но она не умеет читать по глазам бабы, как это удается мне. Лицо у него уплощилось. Она не осознает, что он уже не с ней, мысли его уже сменили курс, как сдутые ветром листья. Пари придвигается ближе.

— Знаешь, Абдулла, — говорит она, — что каждые семь лет им приходится ее красить?

— Как, ты сказала, тебя зовут? — спрашивает баба.

— Пари.

— Это имя моей дочери.

— Да, я знаю.

— У тебя такое же имя, — говорит баба. — У вас двоих одинаковое имя. Вот те на.

Он кашляет, рассеянно ковыряет царапину на коже подлокотника.

— Абдулла, можно задать тебе вопрос?

Баба пожимает плечами.

Пари смотрит на меня, словно прося разрешения. Я киваю ей — дескать, вперед. Она склоняется к его креслу:

— Почему ты решил так назвать свою дочь?

402

Баба смотрит в окно, его палец по-прежнему ко-выряет царапину.

— Помнишь, Абдулла? Почему такое имя?

Он качает головой. Сгребает ворот кофты в ку-лак, стягивает ее на горле. Губы его почти не двига-ются, но он поет еле слышно — это ритмичное бормотание возникает, когда его терзает волнение, когда он не знает, что ответить, когда все вдруг сливается и расплывается, когда накрывает шквалом бессвязных мыслей, а он отчаянно ждет, скоро ли эта муть рассеется.

— Абдулла? Что это? — спрашивает Пари.

— Ничего, — бормочет он.

— Нет, вот эта песенка, ты ее поешь — это что?

Он беспомощно поворачивается ко мне. Не знает.

— Колыбельная вроде, — говорю я. — Помнишь, баба? Ты говорил, что выучил ее, когда был малень-кий. Тебе ее пела мама.

— Хорошо.

— Можешь мне спеть? — просит Пари взволно-ванно, голос срывается. — Пожалуйста, Абдулла, спой.

Он опускает голову, медленно ею качает.

— Давай, баба, — говорю я тихо. Опускаю ладонь на его костлявое плечо. — Все хорошо.

Нерешительно, высоким, дрожащим голосом, не поднимая взгляда, баба поет несколько раз одни и те же две строчки:

> Нашла я грустную феечку,
> Под тенью шелковиц нашла.

— Он говорил, что есть еще один куплет, — го-ворю я Пари, — но он его забыл.

Пари Вахдати вдруг смеется — смех этот похож на низкий, гортанный крик, и она прикрывает ладонью рот.

403

— *Ah, mon Dieu**, — шепчет она. Поднимает руку. Поет на фарси:

> Я знаю грустную феечку,
> Ее ветром ночь унесла.

На лбу у бабы возникают складки. На краткий миг мне кажется, что в глазах у него пробился свет. Но тот сразу же мигает, и лицо бабы вновь спокойно. Он качает головой:

— Нет. Нет, мне кажется, там совсем не так.

— Ох, Абдулла... — говорит Пари.

Она улыбается, глаза в слезах, берет бабу за руки. Целует их тыльную сторону, прижимает ладонями к своим щекам. Баба улыбается, у него из глаз тоже теперь льется влага. Пари взглядывает на меня, смаргивает счастливые слезы, и я вижу, что она думает, будто пробилась к нему, что ей удалось вызвать своего потерянного брата этой волшебной песенкой — словно джинна в сказке. Она думает, что он ее видит. Но сейчас осозна́ет, что он лишь реагирует, отвечает на теплоту ее прикосновений, на нежность. Это звериный инстинкт, не более. Я понимаю это с мучительной ясностью.

За несколько месяцев до того, как доктор Башири передал мне номер телефона хосписа, мы с мамой поехали в горы Санта-Крус на выходные. Сняли номер в гостинице. Мама не любила дальних странствий, но короткие вылазки мы время от времени устраивали — еще когда она не совсем разболелась. Баба оставался работать в ресторане, а я возила маму в бухту Бодега, в Сосалито или в Сан-Францис-

---

* О господи (*фр.*).

ко, где мы всегда останавливались в гостинице рядом с Юнион-сквер. Обустраивались в номере, заказывали поесть, смотрели кино по заказу. Потом шли на Рыбацкий Причал — мама обожала всякие туристские приманки, — покупали мороженое, смотрели, как морские львы прыгают в волнах у пирса. Бросали монетки в открытые чехлы уличных гитаристов и в рюкзаки мимов и раскрашенных людей-роботов. Всегда навещали Музей современного искусства — бродили под ручку, и я показывала ей Риверу, Кало, Матисса, Поллока. Или же шли на утренние сеансы в кино — мама так их любила — и смотрели по два-три фильма подряд, а потом выбирались на свет, в глазах резь, в ушах звон, пальцы пропахли попкорном.

С мамой всегда было проще — не так запутанно, не так опасно. Не приходилось все время быть начеку. Не требовалось постоянно следить за тем, что я говорю, страшась ранить. Уезжать с ней на выходные — все равно что забраться в пушистое облако, и на пару дней все мои тревоги отпадали сами собой, на тысячи миль вниз.

Мы праздновали очередной круг химиотерапии — как оказалось, последний. Гостиница располагалась в прекрасном уединенном месте. Там были спа, фитнес-центр, комната отдыха с большим телеэкраном и бильярдом. Мы разместились в домике с деревянным крыльцом, с которого открывался вид на бассейн, ресторан и сосновую рощу, возносившуюся прямо к облакам. Несколько деревьев росло так близко, что можно было различить оттенки меха у белок, скакавших по стволам. В первое наше с ней утро мама разбудила меня словами: *Пари, смотри скорей*. Прямо за окном олень щипал кусты.

Я катила ее в кресле по садам. *Вот я зрелище-то*, — проговорила мама. Я поставила ее у фонтана, уселась рядом на скамейку, солнце грело нам лица, и мы смотрели, как колибри мечутся меж цветами, покуда мама не заснула, и тогда я отвезла ее к нам в домик.

В воскресенье вечером мы выпили чаю с круассанами на террасе перед рестораном — громадной комнатой с потолком, как в соборе, с книжными полками, с ловушкой для снов на стене и с настоящим каменным очагом. На нижней террасе мужчина с лицом дервиша и девушка с прямыми светлыми волосами летаргично играли в пинг-понг.

Что-то надо делать с этими бровями, — сказала мама. На ней было зимнее пальто поверх свитера и бордовая шерстяная шапочка, которую она связала себе сама полтора года назад, когда, по ее словам, началась вся эта свистопляска.

Я их тебе подрисую, — сказала я.

Подраматичнее, пожалуйста, раз так.

Типа Элизабет-Тейлоровой Клеопатры?

Она слабо ухмыльнулась.

Чего бы и нет? — Отхлебнула немного чая. Улыбка обозначила все новые линии ее лица. — *Когда мы познакомились с Абдуллой, я торговала одеждой на улице в Пешаваре. Он сказал, что у меня красивые брови.*

Парочка, что перебрасывалась в пинг-понг, сложила ракетки. Они оперлись на деревянные перила, курили, смотрели в небо, а оно сияло чистотой, если не считать нескольких потрепанных облаков. У девушки были длинные тощие руки.

Я прочла в газете, что сегодня в Капитоле ярмарка рукоделия, — сказала я. — *Хочешь — можем*

*сгонять, поглядим. А может, там же и поужинаем,
если проголодаешься.*

Пари?

А?

Я тебе хочу кое-что сказать.

Давай.

У Абдуллы есть брат в Пакистане, — сказала
мама. — *Сводный.*

Я резко обернулась к ней.

*Его зовут Икбал. У него сыновья. Он живет в
лагере беженцев под Пешаваром.*

Я ставлю чашку, принимаюсь было говорить, но
она меня обрывает.

*Ну вот же я тебе рассказываю, ну? Это самое
главное. У твоего отца были свои резоны. Не сомневаюсь, ты и сама их поймешь, погоди недолго. Важно вот что: у него есть сводный брат, и отец слал
ему деньги, помогал.*

Она рассказала мне, как баба уже много лет шлет
этому Икбалу — моему сводному дяде, подумала я
неуверенно — тысячу долларов каждые три месяца,
через «Вестерн Юнион», в банк в Пешаваре.

Зачем ты мне это сейчас говоришь? — спросила я.

*Потому что я считаю, что ты должна знать,
даже если он и не согласен. К тому же тебе скоро
браться за финансы, и ты это все равно обнару-
жишь.*

Я отвернулась и уставилась на кота — хвост тру-
бой, он подлизывался к пинг-понговой парочке. Девушка потянулась к зверю, тот поначалу напрягся. Но
потом свернулся на перилах и позволил девушке че-
сать себя за ушами, по спине. У меня голова шла
кругом. У меня есть родственники за пределами США.

407

*Ты, мама, еще долго будешь вести бухгалте-
рию*, — сказала я. Изо всех сил постаралась скрыть
дрожь в голосе.

Повисла плотная пауза. А потом мама опять заговорила, вполголоса, медленнее, как бывало со мной
маленькой: нам надо в мечеть на похороны, и она
предварительно присаживалась рядом со мной и терпеливо объясняла, что мне надо будет снять туфель-
ки перед входом, во время молитвы вести себя тихо,
не возиться, не ныть и что надо прямо сейчас сходить
в туалет, чтоб потом не пришлось.

Нет, не буду, — сказала она. — *И не думай даже.
Время пришло, тебе пора приготовиться.*

Я выдохнула. В горле застряло жесткое. Где-то
вдалеке ожила бензопила — крещендо визгов в ди-
ком противоречии с неподвижностью леса.

*Твой отец — он как дитя. Ужасно боишься, что
его бросят. Он без тебя потеряется, Пари, и никогда не найдется.*

Я заставила себя смотреть на деревья, на поток
солнечного света, лившийся на пушистые листья,
шершавую кору стволов. Засунула язык между рез-
цов и сильно прикусила. Глаза намокли, рот затопил
медный привкус крови.

Брат, — сказала я.

Да.

У меня масса вопросов.

*Поспрашивай меня вечером. Когда я буду не та-
кая уставшая. Расскажу все, что знаю.*

Я кивнула. Выхлебала остатки чая, он уже остыл.
За соседним столиком пара средних лет обменива-
лась газетными страницами. Женщина — рыжая, с
открытым лицом — тихонько наблюдала за нами из-
за газетного разворота, взгляд ее скользил между

мной и моей серолицей матерью, ее шапочкой, руками в синяках, запавшими глазами, ухмылкой скелета. Когда наши взгляды встретились, она чуть улыбнулась мне, словно было у нас с ней общее тайное знание, и я поняла, что она тоже через это прошла.

Так что скажешь, мам? Поедем на ярмарку?

Мама посмотрела на меня. Глаза у нее теперь казались не по размеру велики для ее головы, а голова — несоразмерна плечам.

Мне бы новую шапку, — сказала она.

Я бросила салфетку на стол, отодвинула кресло, обошла стол. Спустила тормоз на коляске, выкатила ее из-за стола.

Пари? — подала голос мама.

Да?

Она до упора запрокинула голову, посмотрела на меня. Солнце протолкалось сквозь листья, пронзило ей лицо.

Ты вообще знаешь, какой сильной Господь создал тебя? — спросила она. — *Какой сильной и хорошей Он тебя сделал?*

Никто не знает, как работает ум. В такие мгновенья, к примеру. Из тысяч тысяч мигов, что были у нас с мамой за все годы, именно этот сияет ярче прочих, гудит сильнее всех у меня в подсознании: моя мать смотрит на меня снизу вверх через плечо, лицо перевернуто, на нем ослепительные точки света, спрашивает, знаю ли я, какой хорошей и сильной Господь меня сотворил.

Баба засыпает в кресле, Пари тихонько застегивает на нем кофту, подтягивает плед повыше, укрывает ему торс. Заправляет выбившуюся прядь волос ему за ухо, стоит над ним, смотрит недолго, как он спит. Я тоже люблю смотреть на него спящего: тогда не видно, что что-то с ним не так. Когда глаза у него закрыты, уходит пустота, тусклость, нездешний взгляд и баба выглядит привычнее. Во сне он кажется более осознанным, присутствующим, словно в него просачивается он прежний. Может ли Пари представить его тогдашним, глядя в его лицо на подушке, — таким, какой он был когда-то, когда еще смеялся?

Перебираемся из гостиной в кухню. Достаю из шкафчика чайник, наливаю воду.

— Хочу кое-что вам показать, — говорит Пари, в голосе — оживление. Садится за стол, увлеченно листает фотоальбом, что достала из чемодана.

— Увы, кофе до парижских стандартов не дотянет, — говорю я через плечо, наливая воду из чайника в кофеварку.

— Клянусь, я не кофейный сноб.

Она сняла желтый шарф, нацепила очки для чтения, смотрит сквозь них на фотографии.

Когда кофеварка принимается булькать, я сажусь рядом с Пари за кухонный стол.

— *Ah oui. Voilà.* Вот оно, — говорит она. Перелистывает альбом, пододвигает ко мне. Похлопывает по фотографии. — Вот это место. Где мы с вашим отцом родились. И наш брат Икбал.

Когда впервые звонила мне из Парижа, она помянула имя Икбала, — наверное, чтобы доказать, убедить меня, что она взаправду та, кем себя называет. Но я уже знала, что она не лжет. Знала это в тот миг, когда сняла трубку, и она произнесла имя моего отца и спросила, туда ли она попала. И я сказала ей: *Да, а кто это?* — и она ответила: *Я его сестра*. Сердце у меня бешено забилось. Я поискала стул — присесть, и все вокруг внезапно затихло, хоть булавку роняй. Да, это потрясение, театральное, третий акт, какие редко случаются в реальной жизни. Но на другом плане, где логика проигрывает, на плане более хрупком — настолько хрупком, что суть его расколется, расщепится, стоит лишь назвать его, — я даже не удивилась ее звонку. Словно ждала всю свою жизнь, что по какому-то головокружительному припадку божьего промысла — или обстоятельств, или случайности, или судьбы, налепите любое другое имя этому, — мы с ней найдем друг друга.

Я утащила трубку на задний двор и села там на стул у грядки, где растила перцы и здоровенные тыквы, посаженные еще мамой. Солнце грело мне загривок, я дрожащими пальцами прикурила сигарету.

Я знаю, кто вы, — сказала я. — *Всю жизнь знала.*

На том конце провода воцарилось молчание, но мне показалось, что она беззвучно плачет, отведя трубку от лица.

Мы проговорили почти час. Я рассказала ей, что знала об их истории — как мне ее рассказывал на ночь отец. Пари сообщила, что сама всего этого не знала и, быть может, так и померла бы в неведении, если бы не письмо, что оставил ей сводный дядя, Наби, перед своей смертью в Кабуле, и в этом письме он, среди прочего, описал события ее детства. Письмо он оставил на хранение некоему Маркосу Варварису, хирургу, работающему в Кабуле, тот и разыскал Пари во Франции. Летом Пари слетала в Кабул, встретилась с Маркосом Варварисом, а тот устроил ей поездку в Шадбаг.

Ближе к финалу разговора я почувствовала, что она собирается с духом, — и вот она спрашивает: *Кажется, я готова. Можно мне поговорить с ним?*

411

И вот тут-то мне и пришлось ей сообщить.

Я подтягиваю альбом к себе, изучаю снимок, на который указала Пари. Вижу особняк за высоким сияюще-белым забором, увенчанным колючей проволокой. Или, вернее, чье-то трагическое заблуждение в представлениях об особняках — трехэтажное, розовое, зеленое, желтое, белое, с перилами, башнями, остроконечными коньками, мозаиками и зеркальными оконными стеклами. Прискорбно неудачный памятник китчу.

— О господи! — выдыхаю я.

— *C'est affreux, non?** — говорит Пари. — Чудовищно. Афганцы называют такие имения «наркодворцами». Этот — дом одного известного военного преступника.

— Это все, что осталось от Шадбага?

— От старой деревни — да. Вот это, а еще много акров фруктовых деревьев... как это называется? *Des vergers.*

— Сады.

— Точно. — Она проводит пальцем по фото особняка. — Эх, знать бы, где именно был наш старый дом, — в смысле, по отношению к этому наркодворцу. Я бы рада была знать точное место.

Она рассказывает мне о новом Шадбаге — настоящем городке со школами, больницей, торговым кварталом, даже с маленькой гостиницей, его построили в двух милях от старой деревни. В городке они с переводчиком и искали ее сводного брата. Я узнала все это из нашего первого длинного разговора по телефону — что никто в городе, похоже, не слыхал об Икбале, пока Пари не наткнулась на одного ста-

---

* Отвратительно, правда? (*фр.*)

412

рика, который был Икбалу другом детства, и этот старик видел, что Икбал с семьей расположился в заброшенном поле рядом со старой мельницей. Икбал сказал этому своему другу, что пока был в Пакистане, получал деньги от старшего брата из Северной Калифорнии. *Я спросила, — сказала Пари по телефону, — я спросила, не назвал ли Икбал имени этого брата? И тогда старик сказал, да, назвал, Абдулла. И тут уж, alors, остальное было не трудно. Найти вас с отцом, то есть... Я спросила у друга Икбала, где он теперь, Икбал, — продолжила Пари. — Спросила, что с ним случилось, но старик сказал, что не знает. Мне показалось, он занервничал — не смотрел на меня, когда это сказал. Я думаю, Пари, я опасаюсь, что с Икбалом стряслось что-то нехорошее.*

Она перелистывает страницы альбома, показывает фотографии детей — Ален, Изабель, Тьери, снимки внуков — с дней рождений, они позируют у бассейнов в купальниках. Ее квартиру в Париже — светло-голубые стены, белые ставни опущены до подоконников, книжные шкафы. Ее заваленный всякой всячиной кабинет в университете, где она преподавала математику, пока артрит не вынудил уйти на пенсию.

Я все листаю страницы этого альбома, а она комментирует снимки: старая подруга Коллетт, муж Изабель Ален, муж самой Пари Эрик, он писал пьесы, умер от инфаркта в 1997-м. Я останавливаюсь на фото их двоих, невозможно юных: они сидят рядом на оранжевых подушках в каком-то ресторане, она — в белой рубашке, он — в футболке, волосы у него длинные, прямые, стянуты в хвост.

— В тот вечер мы познакомились, — говорит Пари. — Нас подставили.

— У него доброе лицо.

Пари кивает:

— Да, когда мы женились, я думала, ой, мы проживем вместе долго. Я думала про себя, что лет тридцать, не меньше, или даже сорок. А повезет — и все пятьдесят. Почему нет? — Она смотрит на фото, на миг потерявшись в нем, потом легко улыбается. — Но время — такой морок. Никогда не бывает столько, сколько кажется. — Она убирает альбом в сторону, потягивает кофе. — А вы? Не были замужем?

Я пожимаю плечами, переворачиваю еще одну страницу.

— Один раз почти попала.

— Прошу прощения, «почти попала»?

— В смысле, почти вышла замуж. Но до стадии колец мы не добрались.

Неправда. Все было больно и муторно. Даже сейчас от этой памяти чуть ломит за грудиной.

Она склоняет голову:

— Простите. Это неуместно с моей стороны.

— Нет. Все в порядке. Он нашел себе и красивее, и менее... обремененную, видимо. Кстати, о красивых — кто это?

Показываю на ослепительную женщину с длинными темными волосами и огромными глазами. На фотографии она с сигаретой, вид у нее скучающий, локоть прижат к телу, голова беззаботно склонена — но взгляд пронзительный, вызывающий.

— Это маман. Моя мать, Нила Вахдати. Вернее сказать, она была моя мать. Вы понимаете.

— Роскошная, — говорю.

— Была. Совершила самоубийство. В 1974-м.

— Простите.

414

— *Non, non*. Все нормально. — Она рассеянно проводит по фото большим пальцем. — Маман была элегантна и талантлива. Она читала книги, обо всем имела свое мнение и всегда выкладывала его людям. Но еще в ней была глубокая грусть. Всю мою жизнь она давала мне лопату и говорила: *Зарой ямы во мне, Пари.*

Киваю. Кажется, что-то понимаю в этом.

— Но я не могла. А потом и не хотела. Поступала бездумно. Бесшабашно.

Она откидывается на стуле, сутулится, опускает тонкие белые руки на колени. Раздумывает минуту, а потом говорит:

— *J'aurais du être plus gentille...* Мне следовало быть добрее. Об этом никогда не жалеешь. Никогда себе не скажешь, когда состаришься: *Ах, не надо было так хорошо с тем человеком обходиться.* Так никогда не будешь думать. — На мгновение лицо ее словно ранено. Словно она беспомощная школьница. — Это не так трудно, — говорит она устало. — Надо было мне быть добрее. Быть как вы. — Она тяжко вздыхает, захлопывает альбом. Помолчав, говорит, оживляясь: — *Ah, bon.* Теперь я хочу спросить вас.

— Разумеется.

— Покажете ваши работы?

Мы улыбаемся друг другу.

Пари остается у нас на месяц. По утрам мы готовим в кухне завтрак. Черный кофе и тост для Пари, йогурт для меня, яичница на хлебе для бабы — он за последний год пристрастился к этому блюду. Я забеспокоилась, что у него подскочит холестерин — столько яиц есть, — и в один из визитов с бабой посоветовалась с доктором Башири. Он улыбнулся

415

мне тугими губами и сказал: *Ой, я бы об этом не волновался.* Меня успокоило — вплоть до того, как взялась пристегивать бабу в машине, когда до меня дошло, что, быть может, доктор Башири имел в виду «это все уже не имеет значения».

После завтрака я ухожу к себе в кабинет — также известный как «моя спальня», — а Пари не дает скучать отцу, пока я работаю. По ее просьбе я составила для нее программу телепередач, которые ему нравится смотреть, записала, во сколько давать ему дневную порцию таблеток, чем и когда ему нравится перекусывать. На такой памятке Пари настояла сама.

Да вы просто заглядывайте и спрашивайте, — сказала я.

Не хочу вас отвлекать, — ответила Пари. — *И я хочу знать. Хочу узнать его.*

Я не говорю ей, что она никогда его не узнает так, как хотела бы. И все же выкладываю ей кое-какие секреты ремесла. Например, чтобы успокоить бабу, если он вдруг перевозбуждается, помогает — обычно, но не всегда, и по причинам, которые по-прежнему меня бегут, — подсунуть ему бесплатный каталог покупок на дому или буклет мебельной распродажи. И того и другого у меня всегда под рукой вдосталь.

Хотите, чтобы он подремал, — *переключите на «Канал погоды» или что-нибудь про гольф. И никогда не позволяйте ему смотреть кулинарные программы.*

Почему?

Они его по какой-то причине распаляют.

После обеда мы втроем идем гулять. Ради них обоих — ненадолго: баба довольно быстро устает, а

416

у Пари артрит. У бабы в глазах осмотрительность, семенит он по тротуару между мной и Пари сторожко, на нем старая кепка-восьмиклинка, кофта, туфли на шерстяной подкладке. В квартале от нас есть школа с неухоженным футбольным полем, а за ним — маленькая детская площадка, туда я часто и вожу бабу. Там всегда прохлаждается одна-другая молодая мамаша с коляской, какой-нибудь ребенок возится в песочнице, время от времени прогуливает уроки парочка юнцов — качаются на качелях или курят. Они редко смотрят на бабу — подростки, — а если и взглядывают, то с холодным безразличием или даже с легким презрением, будто мой отец лучше бы не позволял себе старение и умирание.

Однажды я прерываю расшифровку, прихожу на кухню долить себе кофе и вижу, как они вдвоем смотрят кино. Баба в кресле, туфли торчат из-под пледа, голова склонена вперед, рот чуть приоткрыт, свел брови — то ли от сосредоточенности, то ли от растерянности. Пари сидит рядом, скрестив щиколотки, руки сложены на коленях.

— Это кто? — спрашивает баба.

— Это Латика.

— Кто?

— Латика, малышка из трущоб. Которая не смогла забраться в поезд.

— Какая-то она не маленькая.

— Да, но уже много лет прошло, — говорит Пари. — Она теперь старше, понимаешь?

За неделю до этого, на детской площадке, где мы втроем устроились на парковой скамейке, Пари сказала: *Абдулла, а помнишь, когда ты был маленький, у тебя была сестричка?*

Она едва успела договорить, как баба заплакал. Пари прижала его голову к своей груди и все приговаривала: *Прости, прости*, — испуганно, утирая ему щеки, но отец все рыдал, да так сильно, что начал задыхаться.

— А это кто, ты знаешь, Абдулла?

Баба хмыкает.

— Это Джамал. Мальчишка из телевикторины.

— А вот и нет, — возражает баба грубо.

— Разве нет?

— Он чай подает!

— Да, но это было — как это сказать? — в прошлом. До этого. Это...

Воспоминание, — говорю я одними губами себе в чашку.

— Телевикторина — это сейчас, Абдулла. А когда он чай подавал, то было давно.

Баба смаргивает без всякого выражения. На экране Джамал и Салим сидят на небоскребе в Мумбаи, болтают ногами.

Пари смотрит на него, будто ожидая, что вот сейчас что-то откроется его глазам.

— Можно я спрошу, Абдулла, — говорит она. — Если ты однажды выиграешь миллион долларов, что будешь делать?

Баба гримасничает, возится в кресле, потягивается.

— Вот *я* знаю, что буду делать, — говорит Пари.

Баба смотрит на нее пустыми глазами.

— Если выиграю миллион долларов, куплю дом на этой улице. И тогда мы с тобой будем соседями, и я каждый день стану приходить сюда, и мы будем вместе смотреть телевизор.

Баба улыбается.

Но проходит несколько минут после того, как я возвращаюсь к себе, надеваю наушники и начинаю печатать, как раздается какой-то грохот, что-то бьется, баба вопит на фарси. Вырываю наушники из ушей, несусь в кухню. Вижу у стены рядом с микроволновкой сжавшуюся Пари, руками прикрывает шею, а баба с бешеными глазами тыкает ей в плечо тростью. Осколки стекла от разбитого стакана блестят под ногами.

— Выгони ее! — орет баба, завидев меня. — Прогони эту женщину из моего дома!

— Баба!

Пари вся побледнела. В глазах слезы.

— Опусти трость, баба, ради Господа! И ни шагу. Порежешься.

Я выдираю у него трость, но без боя он ее не сдал.

— Выгони эту женщину! Она воровка!

— Что он говорит? — спрашивает Пари с отчаянием.

— Она украла мои таблетки!

— Это ее таблетки, баба, — говорю я. Опускаю ему руку на плечо, вывожу из кухни. Он дрожит под моей ладонью. Мы проходим мимо Пари, и он чуть не кидается на нее вновь, приходится его держать.

— Ладно, хватит уже, баба. Это ее таблетки, а не твои. Она принимает лекарство от болезни рук.

По пути к креслу хватаю какой-то каталог с кофейного столика.

— Я не доверяю этой женщине, — говорит баба, падая в кресло. — Ты-то не знаешь. А я знаю. Я сразу вора вижу! — Он отдувается, вырывает каталог у меня из рук, начинает остервенело листать его. Потом шлепает им по коленям и взглядывает на

419

меня, вскинув брови. — И чертова врушка к тому же. Ты знаешь, что она мне сказала, эта женщина? Знаешь что? Что она была моей сестрой! *Моей сестрой!* Вот погоди, еще Султана узнает.

— Хорошо, баба. Вместе ей расскажем.

— Сумасшедшая.

— Мы скажем маме, а потом все втроем засмеем эту сумасшедшую, прогоним прочь. А теперь давай-ка отдохни, баба. Все в порядке. Давай.

Я включаю «Канал погоды», сажусь рядом, глажу по плечу, пока он не перестает дрожать и дыхание у него не замедляется. Через пять минут, не больше, он уже спит.

В кухне Пари сидит на полу, опершись спиной о посудомойку. Потрясенная. Промокает глаза бумажной салфеткой.

— Как же я виновата, — говорит она. — Как неосмотрительно.

— Все нормально, — говорю, доставая из-под раковины веник и совок. Нахожу маленькие оранжевые и розовые таблетки, рассыпанные по полу вперемешку с битым стеклом. Поднимаю их по одной, а стекло сметаю с линолеума.

— *Je suis une imbécile**. Я так хотела ему сказать. Показалось, может, если правду... Не знаю, о чем я вообще думала.

Высыпаю битое стекло в мусорное ведро. Встаю на колени, поправляю воротник ее рубашки, проверяю плечо, куда баба ее ударил.

— Тут будет синяк. Точно вам говорю.

Сажусь на пол рядом с ней. Она раскрывает ладонь, я высыпаю таблетки.

---

* Я идиотка (*фр.*).

420

— Часто он такой?

— Бывают у него кислые дни.

— Может, надо поискать профессиональную помощь, нет?

Вздыхаю, киваю. Я немало думала о том, что настанет то неизбежное утро, когда я проснусь в пустом доме, а баба, свернувшись калачиком на чужой кровати, увидит поднос с завтраком, поданный чужим человеком. Баба задремывает, ссутулившись над столом в какой-нибудь игровой комнате.

— Знаю, — говорю, — но пока рано. Хочу ходить за ним, пока могу.

Пари улыбается, сморкается.

— Понимаю.

Не уверена. Других причин я ей не сообщаю. Я и сама-то едва могу себе в них признаться. А именно — как страшно мне оказаться свободной, невзирая на мое постоянное желание. Страшно, что же будет со мной дальше, что я буду делать с собой, когда бабы не станет. Всю свою жизнь я жила, как рыбка в аквариуме, в безопасности стеклянных стен, за барьером столь же непроницаемым, сколь прозрачным. Я вольна была глядеть на сверкающий мир по ту сторону стекла, представлять себя в нем, если хочется. Но всегда оставалась взаперти, окруженная жесткими неподатливыми границами существования, которое баба для меня создал, — сначала, пока я была юна, создавал сознательно, а теперь, когда он ото дня ко дню угасал, — невольно. Думаю, я выросла в привычке к этому стеклу и теперь в ужасе от того, что, когда оно разобьется, когда я останусь одна, меня вынесет в открытое неизвестное и буду я беспомощно, потерянно трепыхаться, хватая ртом воздух.

Есть правда, которую я редко признаю: мне всегда нужна была ноша — баба у меня на спине.

Иначе с чего я так легко отказалась от мечты о художественной школе, почти не воспротивилась, когда баба попросил меня не уезжать в Балтимор? С чего я бросила Нила, человека, с которым была помолвлена несколько лет назад? Он владел небольшой компанией по установке солнечных батарей. У него было квадратное, иссеченное лицо, которое я полюбила в ту же минуту, как увидела в «Кебаб-хаусе Эйба», когда спросила его, что он желает, и он поднял взгляд от меню и ухмыльнулся. Он был терпелив, дружелюбен, выдержан. Я наврала Пари о нем. Нил не бросал меня ради кого-то там красивее. Я сама все разрушила. Даже после того, как он пообещал принять ислам и выучить фарси, я искала в нем недостатки. А под конец запаниковала и удрала к знакомым углам, морщинам и трещинам моей домашней жизни.

Пари начинает подыматься на ноги. Я смотрю, как она разглаживает складки на одежде, и меня вновь прошибает это чудо — она здесь, в паре дюймов от меня.

— Я хочу вам кое-что показать, — говорю.

Встаю, иду к себе в комнату. Если никогда не уезжать из дома, никто не выгребет у тебя из комнаты твои игрушки и не выложит их на гаражную распродажу, не раздаст твою одежду, из которой ты вырос. Я знаю, что для женщины, которой почти тридцать, вокруг меня слишком много сувениров детства — по большей части они все лежат в громадном сундуке у изножья моей кровати. Вот в него-то я и залезаю. Внутри — старые куклы, розовый пони с гривой, я ее расчесывала, а еще книжки с картинками, все открытки «С днем рождения», все валентинки, что я наделала моим родителям в садике, с раскрашенными фасолинами, блестками и звездочками. Когда мы с Нилом говорили в последний раз, когда я нас отменила, он сказал: *Я не смогу ждать тебя, Пари. Я не буду ждать, пока ты вырастешь.*

Захлопываю крышку, возвращаюсь в гостиную, где Пари уже устроилась на диване напротив бабы. Сажусь рядом.

— Вот, — говорю я и передаю ей пачку открыток.

Она тянется за очками для чтения на приставном столике, сдергивает с пачки резинку. Смотрит на первую, хмурится. На ней — Лас-Вегас, ночной «Дворец Цезаря», блеск и огни. Она переворачивает ее, читает вслух.

21 июля 1992 г.
Дорогая Пари,
Ты не представляешь, как тут бывает жарко. Сегодня у бабы получился ожог, когда он оперся рукой на капот нашей прокатной машины! Маме пришлось мазать его зубной пастой. Во «Дворце Цезаря» есть римские солдаты с мечами, шлемами и красными плащами. Баба все пытался снять маму с ними, но она ни в какую. Зато я снялась! Я тебе покажу, когда мы приедем домой. Пока все. Скучаю по тебе. Вот бы тебя сюда.

Пари.

P. S. Пока пишу тебе, ем самый обалденный в мире сливочный сандэ с мороженым.

Она берет следующую открытку. Замок Хёрста. Читает надпись — теперь про себя. У *него был свой собственный зоопарк! Круто, да? Кенгуру, зебры, антилопы, бактрианы — это которые двугорбые верблюды!* А вот открытка из «Диснейленда», Микки-Маус в шляпе чародея, машет волшебной палочкой. *Мама вопила, когда из потолка выпал повешенный человек! Ты бы слышала!* Бухта Ла-Хойя. Биг-Сур. 17-мильная дорога. Мьюир-Вудз. Озеро Тахо. *Скучаю. Тебе бы тут наверняка понравилось. Вот бы тебя сюда.*

Вот бы тебя сюда.

Вот бы тебя сюда.

Пари снимает очки.

— Это ты себе писала?

Качаю головой:

— Вам. — Смеюсь. — Стыдобища.

Пари кладет открытки на столик, придвигается ближе:

— Расскажи.

Смотрю себе на руки, кручу часы на запястье.

— Я воображала, что мы с вами сестры-близнецы. Никто вас не видел, только я. Все вам рассказывала. Все тайны. Вы были для меня настоящей, всегда близко. Мне с вами было не так одиноко. Как доппельгангеры. Знаете такое слово?

Улыбается глазами.

— Да.

Я представляла нас двумя листочками, мы трепетали на ветру в милях друг от друга, но оставались связаны перепутанными корнями дерева, с которого нас обеих сорвало.

— Для меня все было наоборот, — говорит Пари. — Ты говоришь, что чувствовала присутствие, а я — одно лишь отсутствие. Смутная боль без причины. Я была как тот пациент, который не может объяснить врачу,

424

где болит, а вот болит, и все тут. — Она кладет руку поверх моей, и мы обе с минуту молчим.

Баба стонет и ворочается в кресле.

— Простите меня, — говорю.

— За что?

— Что вы так поздно нашлись.

— Но мы же *нашлись*, нет? — говорит она, и голос у нее дрожит. — Теперь он вот такой. Все хорошо. Я счастлива. Я нашла часть себя, которую потеряла. — Она сжимает мне руку. — И я нашла тебя, Пари.

Ее слова бередят мою детскую тоску. Помню, когда было одиноко, я шептала ее имя — *наше* имя — и задерживала дыхание, ожидая эха, не сомневаясь, что однажды услышу его. И вот сейчас она произносит мое имя в этой гостиной, и будто все эти годы, что разделяли нас, складываются один на другой, время сжимается гармошкой почти в ничто — в одну фотографию, в открытку, — доставляя самую сияющую реликвию моего детства ко мне, она держит меня за руку, произносит мое имя. Наше имя. Я чувствую, как что-то поворачивается, встает на свое место. Что-то разодранное давным-давно склеивается заново. Я чувствую, как что-то мягко покачивается в груди, слышу приглушенный стук второго сердца — оно заводится рядом с моим.

Баба в кресле приподнимается на локтях. Трет глаза, смотрит на нас.

— Что это вы там замышляете, девушки?

Улыбается.

А вот еще один детский стишок. Про мост в Авиньоне.

Пари напевает мотив, потом проговаривает слова:

Sur le pont d'Avignon
L'on y danse, l'on y danse
Sur le pont d'Avignon
*L'on y danse tous en rond**.

— Маман научила меня, когда я была маленькая, — говорит она, затягивая шарф под ударами холодного ветра. День ледяной, но небо синее, а солнце могучее. Оно бьет в серо-металлические борта на Роне и рассыпается брызгами яркости. — Любой французский ребенок знает эту песенку.

Мы сидим на деревянной скамейке в парке у воды. Она переводит слова, а я любуюсь городом за рекой. Недавно открыв для себя собственную историю, я с благоговением нахожусь в месте, столь полном этой самой историей, и вся она записана, сохранена. Чудо. Все в этом городе чудо. Чудна ясность этого воздуха, ветра над рекой, что шлепает водой по каменным берегам, чуден густой богатый свет, как он сияет будто бы отовсюду сразу. С нашей скамейки я вижу старые укрепления, окольцовывающие древнюю сердцевину города с путаницей узких кривых улочек, западную башню Авиньонского собора и позолоченную статую Девы Марии — сияющее навершие башни.

Пари выкладывает мне историю моста: в XII веке молодой пастух заявил, что ангелы ему велели построить мост через реку, и он доказал правдивость своих речей, подняв громадный валун и метнув его в воду. Она рассказывает, как лодочники на Роне забирались на мост, дабы восславить своего покровите-

---

* На мосту Авиньон
Пляшут все, пляшут все.
На мосту Авиньон
Пляшут все, все кругом (*фр.*).

ля — святого Николая. И о наводнениях, которые за века разъели арки моста, и он обрушился. Она говорит с той же стремительной, нервной энергией, с какой и утром, когда водила меня по готическому Папскому дворцу. Приподнимая наушники аудиогида и показывая мне фреску, трогая меня за локоть, обращая мое внимание на интересную резьбу, витраж, пересечение нервюр над нами.

Рядом с Папским дворцом она говорила почти не прерываясь, мы шагали по соборной площади сквозь голубиные стаи, мимо туристов, ярко одетых африканских торговцев браслетами и поддельными часами, мимо очкастого музыканта на ящике из-под яблок, игравшего «Богемскую рапсодию» на акустической гитаре, и имена святых, пап и кардиналов так и сыпались из нее. Не помню, чтобы она была такой словоохотливой, когда приезжала к нам в Штаты: кажется, так она тянет время, ходит кругами вокруг чего-то, что на самом деле хочет сделать — и что мы сделаем, — и все эти ее слова есть мост.

— Но ты еще увидишь настоящий мост, — говорит она. — Когда все приедут. Вместе поедем к Пон-дю-Гар. Знаешь такой? Нет? *Oh là là. C'est vraiment merveilleux*. Его построили римляне в первом веке, чтобы доставлять воду из Эра в Ним. Пятьдесят километров! Это шедевр инженерного искусства, Пари.

Я пробыла во Франции четыре дня, два из них — в Авиньоне. Мы с Пари приехали сюда на «Тэ-жэ-вэ» из сумрачного холодного Парижа, сошли под чистые небеса, к теплому ветру, под хор цикад, тарахтевших с каждого дерева. На станции мы лихорадочно вытаскивали мой багаж, и я едва успела выскочить из поезда — двери со свистом захлопнулись у меня за спиной. Взяла себе на заметку рассказать бабе, что всего три секунды — и я бы оказалась в Марселе.

Как он? — спросила Пари в такси по дороге из «Шарль-де-Голля» к ней домой.

Все дальше, — ответила я.

Баба живет теперь в доме престарелых. Когда я впервые пришла туда на разведку, директриса заведения Пенни, высокая, хрупкая женщина с кудрявыми рыжими волосами, провела меня по своим владениям, и я подумала, что все не так плохо.

И сказала. *Все не так плохо.*

Чистенько, окна в сад, где, по словам Пенни, каждую среду в половине пятого они устраивают чаепитие. В вестибюле еле заметно пахло корицей и хвоей. Персонал, с которым я вскоре перезнакомилась по имени, показался мне деликатным, терпеливым, знающим. Я представляла себе старух с разрухой на лицах, с волосатыми подбородками, слюнявых, болтающих с самими собой, приклеенных к телеэкранам. Но большинство местных обитателей оказались не такими уж старыми. Многие — даже не на колясках.

Кажется, я ожидала худшего, — сказала я.

Правда? — спросила Пенни с приятным профессиональным смехом.

Я сказала обидное. Простите.

Вовсе нет. Мы прекрасно представляем, что люди думают о подобных местах. Разумеется, — добавила она через плечо с предостерегающей серьезностью, — *это у нас отделение проживания с уходом. Судя по тому, что вы мне рассказали о своем отце, не уверена, что ему тут будет хорошо. Подозреваю, ему больше подойдет блок ухода за памятью. Вот здесь.*

Внутрь мы проникли при помощи ее ключа-карточки. Закрытая палата не пахла ни корицей, ни хвоей. У меня внутри все стиснулось, и первым возникло желание развернуться и уйти. Пенни взяла меня за руку, сжала ее. Посмотрела на меня с великой нежностью. Я вытерпела остаток экскурсии, выбитая из колеи мощной волной виноватости.

Утром перед отъездом в Европу я приехала навестить бабу. Прошла через вестибюль отделения проживания с уходом, помахала Кармен — она из Гватемалы, отвечает на звонки. Прошагала через общую залу, где пожилые люди слушали струнный квартет старшеклассников в торжественных нарядах, мимо многоцелевой залы с компьютерами, книжными шкафами и наборами домино, мимо доски объявлений с множеством афиш и полезных советов: «А вы знали, что соя уменьшает холестерин?», «Не забудьте про Час пазлов и созерцания, с 11.00!»

Прохожу в закрытые покои. По эту сторону дверей нет чаепитий, нет бинго. Никто здесь не начинает день с тай-цзы. Я прошла в комнату к бабе, но его там не было. Кровать застелена, телевизор выключен, полстакана воды на тумбочке. Мне слегка полегчало. Терпеть не могу находить бабу на больничной койке, когда он лежит на боку, рука под подушкой, запавшие глаза пусто глядят на меня.

Баба нашелся в комнате отдыха, в кресле-каталке, у окна в сад. Одет во фланелевую пижаму и всегдашнюю кепку. Колени прикрыты тем, что Пенни называет «фартуком для возни». На нем есть веревочки, которые можно заплетать, и пуговицы, которые ему нравится застегивать и расстегивать. Пенни говорит, что это поддерживает живость пальцев.

Я поцеловала его в щеку, подтянула себе стул. Кто-то его выбрил, смочил и причесал волосы. От лица у него пахло мылом.

Завтра большой день, — сказала я. — *Лечу навестить Пари во Франции. Помнишь, я тебе говорила?*

Баба сморгнул. Еще до инсульта он начал отдаляться, впадать в долгое молчание, выглядел безутешным. А после его лицо превратилось в маску, рот застыл в перекошенной вежливой улыбке, которая никогда не добирается до его глаз. Со дня инсульта он не произнес ни слова. Иногда он размыкает губы и слышен хриплый выдох — *А-а-а-ах!* — с легким подъемом в конце: он смахивает на удивление или будто я сказала такое, из-за чего на него снизошло небольшое озарение.

Мы встречаемся в Париже, а потом поедем на поезде в Авиньон. Это город на юге Франции. Там папы жили в XIV веке. Погуляем, всё посмотрим. Но главное — Пари сказала своим детям, что я приезжаю, и они собираются все вместе.

Баба улыбался — так же, как и Гектору, когда тот пришел повидать его неделю назад, так же, как и мне, когда я показала ему свои документы для Колледжа искусств и гуманитарных наук Сан-Францисского университета.

У твоей племянницы Изабель и ее мужа Альбера есть дача в Провансе, рядом с городом под названием Ле-Бо. Я посмотрела в интернете, баба. Это поразительно красивый город. Построен на вершинах меловых гор Альпий. Можно будет съездить на развалины старинного средневекового замка, посмотреть на равнины и сады. Я много нафотографирую и покажу тебе, когда вернусь.

430

Рядом старуха в халате благодушно возилась с кусочками пазла. За соседним столиком еще одна женщина с пушистыми седыми волосами пыталась разложить вилки, ложки и ножи в ящик с посудой. На большом телеэкране в углу ссорились Рики и Люси, скованные наручниками.

Баба сказал: *А-а-а-ах!*

Ален, твой племянник, и его жена Ана приедут из Испании со всеми пятерыми детьми. Я не знаю всех по именам, но, уверена, выучу. А еще — и от этого Пари совершенно счастлива — приедет третий твой племянник, Тьери. Пари его не видела много лет. Они не разговаривали. Но он взял отпуск в Африке и тоже прилетит. Предстоит большое воссоединение семьи.

Собравшись уходить, я еще раз поцеловала его в щеку. Помедлила у его лица, вспоминая, как он забирал меня из детсада и мы ехали в «Денниз», за мамой. Усаживались за столик, ждали, когда мама закончит смену, а я ела шарик мороженого, которым меня всегда угощал управляющий, и показывала бабе рисунки, которые в тот день нарисовала. Он терпеливо разглядывал, пристально изучал, кивал.

Баба улыбался своей теперешней улыбкой.

Ой. Чуть не забыла.

Я склонилась к нему и совершила наш традиционный прощальный ритуал — пробежала кончиками пальцев по его щекам, морщинистому лбу, по вискам, по седым, редеющим волосам, по бляшкам сухой шершавой кожи на черепе, за ушами, по пути ощипывая у него с головы дурные сны. Открыла незримый мешок, бросила туда кошмары, туго затянула тесемки.

Вот.

431

Баба издал гортанный звук.

Счастливых снов, баба. Увидимся через две неде-ли. Кажется, мы никогда еще не расставались так надолго.

Выходя, я отчетливо почувствовала, что баба на-блюдает за мной. Но когда обернулась посмотреть, голова у него нависала над фартуком для возни, он игрался с пуговицей.

А сейчас Пари говорит о доме Изабель и Альбе-ра. Она мне показывала фотографии. Это прекрасная старинная прованская ферма, каменная постройка на холмах Люберон, перед ней — фруктовые деревья и беседка, а внутри — терракотовые плитки и старин-ные открытые балки.

— По фотокарточкам непонятно, однако там по-трясающий вид на горы Воклюз.

— А мы все поместимся? Для фермы нас как-то многовато.

— *Plus on est de fous, plus on rit*, — говорит она. — Как это по-английски? В тесноте, зато обедаем?

— Но не в обиде.

— *Ah voilà. C'est ça**.

— А как же дети? Они где будут...

— Пари?

Я взглядываю на нее.

— Да?

Она выпускает из груди долгий выдох.

— Можешь отдать сейчас.

Киваю. Лезу в сумку, стоящую у ног.

Наверное, могла бы это найти и много месяцев назад, еще когда не перевезла бабу в дом престаре-лых. Но, пакуя его вещи, я достала из чулана в

---

* Ну вот. Точно так (*фр.*).

прихожей самый верхний чемодан в стопке из трех, и в него аккурат все влезло. И лишь тогда я наконец собрала волю в кулак и решила расчистить родительскую комнату. Оборвала старые обои, перекрасила стены. Вынесла их двуспальную кровать, мамино трюмо с овальным зеркалом, вынула из шкафов папины костюмы, мамины блузки и платья, зачехленные в пакеты. Навалила целую гору в гараже — на пару поездок в «Добрую волю». Перенесла свой стол к ним в спальню, где теперь мой кабинет; здесь же я буду учиться, когда начнется осенний семестр. Я опорожнила и тот сундук, что стоял в изножье моей кровати. В мусорный мешок полетели все мои старые игрушки, детские платья, стоптанные сандалики и чешки. Не могла я больше смотреть на открытки «С днем рождения», «С днем отца» и «С днем матери», что я когда-то мастерила для родителей. Не заснула бы, зная, что вот они, у моих ног. Слишком больно.

И вот, возясь с чуланом в прихожей, я достала два оставшихся чемодана, собралась уже оттащить их в гараж, но тут в одном что-то стукнуло. Я расстегнула молнию и обнаружила внутри сверток в толстой бурой бумаге. К свертку скотчем был приклеен конверт. На нем по-английски значилось: «Моей сестре Пари». Я тут же признала почерк бабы — еще с дней моей работы в «Кебаб-хаусе Эйба», когда собирала со столов заказы, которые он строчил в кассовую книгу.

Передаю этот сверток Пари. Не вскрытый.

Пакет лежит у нее на коленях, она смотрит на него, гладит пальцами слова на конверте. За рекой начинает звонить церковный колокол. На камне, торчащем у кромки воды, птица дерет внутренности дохлой рыбы.

Пари роется в сумочке, перебирает все подряд.

— *J'ai oublié mes lunettes*, — говорит она. — Забыла очки для чтения.

— Хотите, я прочту?

Она пытается оторвать конверт от свертка, но сегодня руки слушаются ее хуже обычного, и она в конце концов сдается и вручает сверток мне. Я высвобождаю конверт, открываю его. Разворачиваю вложенную записку.

— Он написал на фарси.

— Но ты же можешь прочесть, да? — спрашивает Пари, и брови у нее сходятся от беспокойства. — Можешь перевести?

— Да, — отвечаю, чувствуя внутри крошечную улыбку: я благодарна — хоть и запоздало — за те вторничные вечера, что баба возил меня в Кэмбл на уроки фарси. Думаю о нем, разбитом, потерянном, бредущем по пустыне, а его след заметает крохотными блестящими осколками, что жизнь из него вырвала.

Вцепляюсь в записку, чтобы ее не отнял налетающий ветер. Читаю Пари три фразы.

Они говорят, мне пора войти в воды, в которых я скоро утону. Но прежде я оставлю тебе на берегу вот это. Молюсь, чтоб ты нашла это, сестра, чтобы знала ты, что было в моем сердце, когда я ушел на дно.

Есть и дата. Август, 2007 г.

— Август 2007-го, — читаю я. — Тогда ему поставили диагноз. — За три года до того, как я впервые поговорила с Пари.

Она кивает, утирает глаза ладонью. Мимо на тандеме катится юная пара, девушка впереди — светловолосая, розоволицая, стройная, за ней юноша в дре-

434

дах, с кофейной кожей. На траве в нескольких шагах от нас девочка-подросток в короткой черной кожаной юбке разговаривает по мобильному телефону, а на поводке у нее крошечный угольно-черный терьер.

Пари передает мне сверток. Я обрываю с него бумагу. Внутри старая жестяная коробка из-под чая, на крышке — выцветшая картинка: бородатый индиец в длинной красной рубахе. В руках у него дымящаяся чашка чая, как подношение. Пар из чашки почти весь стерся, а красная рубаха полиняла до розовой. Отстегиваю защелку, поднимаю крышку. Коробка битком набита перьями — всех цветов, всех форм. Короткие и плотные зеленые; длинные имбирного цвета с черными остями; персиковое перо, быть может утиное, со светло-пурпурным отливом; бурые перья с темными крапинками ближе к ости; зеленое павлинье перо с огромным глазом на кончике.

Поворачиваюсь к Пари:

— Вы знаете, что это?

У Пари дрожит подбородок, она медленно качает головой. Берет у меня из рук коробку, смотрит внутрь.

— Нет, — говорит. — Я лишь знаю, что, когда мы друг друга потеряли, ему было гораздо больнее. А мне повезло, меня защитило детство. *Je pouvais oublier.* У меня все еще была роскошь забвения. А у него нет. — Она берет перо, гладит себя по запястью, вглядывается в него, словно оно может ожить и полететь. — Я не знаю, что означает это перо, не знаю его истории, но я знаю: он думал обо мне. Все эти годы. Помнил.

Я обнимаю ее за плечи, она тихо плачет. Я смотрю на омытые солнцем деревья, на реку, текущую мимо нас под мостом Сен-Бенезе, про который детская песенка. Это на самом деле полмоста — до наших дней сохранились всего четыре его пролета. Он обрывается посреди реки. Будто старался, силился соединиться с другим берегом — но не дотянул.

Ночью в гостинице я лежу в постели без сна, смотрю, как толкаются облака вокруг громадной разбухшей луны за окном. Внизу слышен цокот каблуков по булыжникам. Смех, болтовня. Тарахтят мопеды. Из ресторана через дорогу доносится звон стекла о подносы. В окно забредает треньканье пианино, добирается до моих ушей.

Я поворачиваюсь и смотрю на Пари — она беззвучно спит рядом со мной. Лицо ее бледно. Я вижу в этом лице бабу — юного, полного надежд, счастливого, такого, каким он был, — и я знаю, что всегда увижу его, стоит лишь взглянуть на Пари. Она моя плоть и кровь. А скоро я увижу ее детей и детей их детей — в них тоже течет моя кровь. Я не одинока. Внезапное счастье застает меня врасплох. Я чувствую, как оно просачивается в меня, и глаза плавятся благодарностью и надеждой.

Пари спит, я смотрю на нее и вспоминаю нашу с бабой вечернюю игру. Очищение от дурных снов, подношение счастливых. Помню сон, который всегда ему дарила. Стараясь не разбудить ее, осторожно кладу руку Пари на лоб. Закрываю глаза.

Солнечный день. Они снова дети, брат и сестра, юные, ясноглазые, шустрые. Лежат в высокой траве под тенистой яблоней в полном цвету. Трава под их спинами мягка, сквозь бурю яблоневого цвета мерцает на их лицах солнце. Они дремлют, довольные, рядышком, он уложил голову в развилку толстого корня, а ее голова — на пальтишке, которое он для нее свернул. Из-под полуприкрытых век она смотрит

436

на дрозда, присевшего на ветку. С листвы стекают потоки прохладного воздуха.

Она поворачивает голову и глядит на него, на своего старшего брата, ее союзника во всех делах, но лицо его слишком близко, и никак не увидеть его целиком. Лишь взлет лба, контур носа, изгиб ресниц. Но это не имеет значения. Она счастлива просто быть рядом с ним, со своим братом, и дремота постепенно уносит ее прочь, ее обволакивает волна полного покоя. Она закрывает глаза. Уплывает безмятежно, и все — ясно, все — лучезарно, все — разом.

Благодарности

Несколько технических уточнений, а потом — собственно благодарности. Деревня Шадбаг — выдуманная, хотя, быть может, такая в Афганистане и есть. Если так, я там никогда не был. Колыбельная Абдуллы и Пари, точнее, отсылка к «грустной феечке», вдохновлена стихотворением великой иранской поэтессы Форуг Фаррохзад. И наконец, название этой книги отчасти вдохновлено прекрасным стихотворением Уильяма Блейка «Песня няни»*.

Выражаю признательность Бобу Барнетту и Динин Хауэлл за их чудесное водительство и покровительство этой книге. Спасибо вам, Хелен Хеллер, Давид Гроссман, Джоди Хочкисс. Спасибо Чэндлер Кроуфорд за энтузиазм, терпение и советы. Огромное спасибо друзьям в «Риверхед Букс»: Джинн Мартин, Кейт Старк, Саре Стайн, Лесли Шварц, Крейгу Д. Бёрку, Хелен Йентас и многим другим, кого я не поименовал, но кому глубоко признателен за помощь в донесении этой книги до читателя.

---

* Мы воспользовались переводом С. Степанова.

438

Спасибо моему корректору Тони Дэйвису, который предан своему труду гораздо больше, чем того требует его профессиональный долг.

Особая благодарность — моему редактору, невероятно талантливой Саре Макгрэт, за мудрость и зоркость, за деликатные рекомендации, за столь многостороннюю помощь в придании формы этой книге, — всего и не упомнить. Никогда я не получал столько удовольствия от редактуры, Сара.

И наконец, благодарю Сьюзен Петерсен Кеннеди и Джеффри Клоски — за их доверие и несгибаемую уверенность во мне и моем писательстве.

Спасибо вам и *ташакор* — всем моим друзьям и всем членам моей семьи за то, что вы всегда за меня, за ваши терпение, стойкость и доброту, с которыми вы со мной миритесь. Как всегда, спасибо Ройе, моей красавице жене, — не только за чтение и редактирование многочисленных инкарнаций этой книги, но и за нашу повседневную жизнь без единого слова протеста, лишь бы я писал. Без тебя, Ройя, эта книга умерла бы примерно на первом абзаце первой страницы. Люблю тебя.

Глоссарий

Составитель Шаши Мартынова
Консультант Адли Даана

Абдулла (*араб.*) — слуга Бога, имя отца Пророка Мухаммеда.

Адиль (*араб.*) — справедливый.

Азмарай (*пушт.*) — лев.

Аманулла-хан (1892—1960) — король (с 1926 — падишах) Афганистана (1919—1929).

Амра (*араб.*) — принцесса, корона.

Ария (*перс., урду*) — из ариев, благородная.

Ахмад Шах Масуд (1953—2001) — афганский полевой командир, министр обороны Афганистана (1992—1996). По национальности — таджик. Известен также под прозвищем *Панджшерский лев*. Масуд — прозвище (*араб.* счастливый), которое он получил в 1975 г., во время мятежа в долине Панджшера — первого вооруженного выступления исламской оппозиции в Афганистане.

Аюб — арабское имя библейского пророка, эквивалент Иова.

Баба (*перс., урду, пушт., санскр. и др.*) — отец, мудрец, господин.

Бабур, Захир ад-дин Мухаммад (*араб.* лев, полководец, барс, от *перс.* бабр — тигр, 1483—1530) — тимуридский правитель Индии и Афганистана, полководец, основатель империи Великих Моголов. Известен также как поэт и писатель. Сады Бабура — обширный парк, заложен для отдыха и увеселений в начале XVI в. правителем и полководцем Бабуром; там же располагается его усыпальница.

440

Баг-и-Балла — мечеть XIX в. в Кабуле, архитектурная доминанта города.

Байтулла (*араб.*) — дом Бога.

Бала Хиссар — древняя цитадель, расположенная в Кабуле; примерное время постройки — V в. н. э. Впоследствии крепость многократно перестраивалась. Много столетий служила укрытием для правителей Афганистана. В 1880 г., во время Второй англо-афганской войны, была частично разрушена по приказу английского генерала Робертса.

Бамианские статуи Будды — две гигантские статуи Будды, 37 и 55 м, высечены в скале в 507 и в 559 гг. н. э. соотв., входили в комплекс буддийских монастырей в Бамианской долине. В 2001 г., вопреки протестам мировой общественности и других исламских стран, статуи были варварски разрушены талибами, считавшими, что они являются языческими идолами и подлежат уничтожению.

Банде-Амир — цепочка из шести озер с водой ярко-бирюзового цвета, расположенных на высоте 3000 метров в горах Гиндукуш, в центральной части Афганистана.

Башири — от *араб.* башир, добрый вестник.

Биби (*урду*) — юная госпожа, мисс.

Бирьяни (*урду*) — второе блюдо из риса (обычно сорта басмати) и специй с добавлением мяса, рыбы, яиц или овощей.

Бисмиллах (*араб.*) — исламский термин для обозначения фразы, с которой начинается каждая сура Корана, кроме девятой: «во имя Аллаха, Милостивого, Милосердного» (*би-сми-Лляхи-р-рахмани-р-рахим*). Ее произносят в каждой молитве, перед началом любого важного дела, с нее обычно начинаются многие другие документы, составляемые мусульманами (письма, договоры, обращения, завещания и т.п.).

Болани (*афг.*) — плоский хлеб с овощной начинкой.

Бузкаши — конная игра, популярная в Центральной Азии; похожая на поло, но вместо мяча используется обезглавленная туша козы.

Вазир Акбар-хан — район на севере Кабула, где традиционно проживают иностранные работники. Больница и район названы в честь Акбар-хана (известного также как Вазир Акбар-хан, 1813—1845), афганского военного и политического деятеля, активного участника Первой англо-афганской войны.

Вахдати (*араб.*) — единство; смысл фамилии происходит, видимо, от названия суфийской философской концепции «вахдат аль-вуджуд», «единство бытия».

Герат — город на северо-западе Афганистана, в древности — важный центр караванной торговли на Великом шелковом пути. Строительство мечети Джума-Масджид там началось в 1200 г.

Гильменд — провинция на юге Афганистана, у границы с Пакистаном; является крупнейшим мировым производителем опия.

Голям или **Гулям** (*араб.*) — мальчик, подмастерье, слуга.

Гуль (*араб.*) — цветок.

Дар уль-Аман, дворец — «Ворота в спокойствие» (*араб.*), построен в 1920-х гг. на юго-западной окраине Кабула.

Джан (*араб.*) — дорогой.

Дохол — большой двухсторонний цилиндрический барабан. Звук обычно извлекают при помощи двух деревянных палочек: одной, потоньше, бьют по одной мембране, а другой, потолще, — по второй, хотя встречается и игра просто руками.

Дэвы — сверхъестественные существа, встречающиеся в иранской, славянской, армянской, тюркской (башкирской, татарской, азербайджанской и др.) мифологиях, в зороастризме — злые духи.

Захид (*араб.*) — благочестивый.

Захир-шах, Мухаммед (1914—2007) — король (падишах) Афганистана с 1933 по 1973 г. Реформатор, правивший страной 40 лет, до июля 1973 года, когда был свергнут своим двоюродным братом Мухаммедом Даудом. Захир-Шах смог вернуться из эмиграции на родину только в 2002 г.

Идрис (*араб.*) — имя древнего мусульманского пророка в Коране. По некоторым версиям может означать «толкователь».

Икбал (*араб.*) — верящий в лучшее, стремящийся.

Иншалла (*араб.*) — если Аллаху будет угодно, если Бог пожелает; ритуальное молитвенное восклицание, междометное выражение, используемое в арабских и других мусульманских странах как знак смирения мусульманина перед волей Аллаха.

Ифтар (*араб.*) — разговение, вечерний прием пищи во время месяца Рамадан. Проводится после вечерней молитвы по местному времени.

Кабир (*араб.*) — великий, одно из 99 имен Бога в исламе.

Кайал — контурный мягкий косметический карандаш для подводки глаз, в традиционный состав которого входят натуральная сажа или измельченные минералы; один из древнейших видов декоративной косметики, в некоторых культурах имел также и функцию охранения от сглаза.

Кайс — вероятно, от *араб.* твердь.

Кака (*перс., урду*) — дядя.

Карзай, Хамид (р. 1957) — афганский государственный деятель, премьер-министр Афганистана (2001—2002), президент Афганистана (с 2004).

Кочи, куши (пушт.) — пуштунское кочевое племя.

Кускус (араб.) — блюдо, изготавливаемое из крупы, магрибского или берберского происхождения; также кускусом называют саму крупу.

Куфия — мужской головной платок, популярный в арабских странах; наиболее распространенные расцветки — белая, белая с красным или черным орнаментом.

Малида — десерт, изготавливаемый из муки, манки, топленого масла и молока, обычно с добавлением кешью, фисташек или миндаля.

Малик (араб.) — вождь.

Манаар (араб.) — путеводный свет, маяк.

Масума (араб.) — невинная, безгрешная.

Моголы, империя Великих Моголов — государство, возникшее на территории современных Индии, Пакистана и Южного Афганистана, просуществовало с 1526 по 1858 г.; название «Великие Моголы» появилось уже при английских колонизаторах. Термин «могол» применялся в Индии для обозначения мусульман Северной Индии и Центральной Азии.

Мотреб (перс.) — артист, музыкант.

Мулла (Мухаммед) Омар, (Саид Мухаммад Ахунзаде, р. между 1959 и 1962) — основатель движения Талибан, «Эмир Исламского Эмирата Афганистан», признанный в этом качестве только тремя государствами.

Наан — характерный для Ближнего Востока, Средней и Южной Азии дрожжевой плоский хлеб из пшеничной муки.

Наби (араб.) — возвышенный перед лицом Аллаха, благородный; другая интерпретация — тот, кто пророчествует, пророк.

Надир-шах, Мухаммед (1883—1933) — король Афганистана с 1929 по 1933 г. После Третьей англо-афганской войны был министром обороны и послом Афганистана во Франции. Погиб в результате покушения.

Нахиль (араб.) — та, которая хочет иметь многое или всё.

Наржис (араб.) — цветок, нарцисс.

Насвай — вид некурительного табачного изделия, смесь табака, золы, растительного масла и приправ для улучшения вкуса.

Нила (санскр.) — синий.

Нур (араб., перс., урду) — свет; в суфизме — Свет Бога.

Омар (араб.) — долгоживущий (от араб. умр — жизнь).

443

Пагман — городок в предместьях Кабула.

Парвана (*урду*) — мотылек.

Пари, пери (*перс.*) — фея, эльф.

Рабия Балхи, Рабиа ибн Кааб (X в.) — полулегендарная персидская поэтесса.

Роат — десерт с похожим на малиду рецептом, но с добавлением особого творожного продукта коа, характерного для индийской и пакистанской кухни.

Рошана (*санскр.*) — сияющий свет, также *пушт.* рошанак — огонек.

Руми, Мавлана Джалаладдин Мухаммад (известный обычно как Руми или Мевляна, 1207—1273) — выдающийся персидский поэт-суфий.

Саади Ширази, Абу Мухаммад Муслих ад-Дин ибн Абд Аллах (ок. 1181—1291) — персидский поэт-моралист, представитель практического, житейского суфизма.

Сабур (*араб.*) — долготерпящий.

Сахиб (*араб.*, а также *урду, хинди, пушт.* и нек. др.) — господин, хозяин.

Северный альянс (Объединенный исламский фронт спасения Афганистана) — объединение ряда полевых командиров Афганистана, сформировавшееся в конце 1991 г.

Сулейман (*араб.*) — мирный человек; аналог имени Соломон.

Тандыр — цилиндрическая глиняная печь для приготовления пищи и выпекания хлеба. Традиционно разогрев тандыра производится дровами или углем, размещаемыми на дне самого тандыра. Применяется народами Южной, Средней Азии, Ближнего Востока, а также в Северной Индии и на Кавказе.

Тапа Мараджан — холм в центре Кабула.

Тарзи, Сорайя (Королева Сорайя, 1899—1968) — королева Афганистана в 1919—1929 гг., жена короля Амануллы-хана.

Ташакор (*дари*) — спасибо, на современном афганском диалекте фарси.

Тимур (*тюрк.*) — железный.

Фаррохзад, Форуг (1935—1967) — иранская поэтесса и журналистка.

Фарук (*араб.*) — человек, который может отличить правильное от неправильного.

Хазара (*перс.*) — из племени хазарейцев (ираноязычные шииты, ныне проживающие на территории Центрального Афганистана).

Хайберский перевал — проход в горном хребте Сефид-Кух, расположен рядом с границей между Афганистаном и Пакистаном.

аль-Хайям, Гиясаддин Абу-ль-Фатх Омар ибн Ибрахим Нишапури (1048—1131) — персидский поэт, философ, математик, астроном, астролог.

Хафиз Ширази, Ходжа Шамс ад-Дин Мухаммад (также иногда упоминается в источниках как Шамсиддин Мухаммад Хафиз Ширази, ок. 1325—1389/1390) — знаменитый персидский поэт и суфийский мастер, один из величайших лириков мировой литературы.

Хекматияр, Гульбеддин (р. между 1944 и 1948) — афганский полевой командир, премьер-министр Афганистана (в 1993—1994 и 1996), лидер Исламской партии Афганистана. Происходит из пуштунского племени хароти, входящего в крупную группу племен гильзаи. Бывший студент-инженер. Карьеру в политике начал просоветским коммунистом.

Хумайра, Хомайра (урду) — красивая, прекрасная. Хумайра Бегум, королева (1918—2002) — жена короля (падишаха) Афганистана Мухаммеда Захир шаха.

Чапан — халат, который мужчины и женщины носят поверх одежды, как правило, в холодные зимние месяцы.

Чапли-кебаб (афг., пак.) — кебаб в виде жареной котлеты, изготовленной из говяжьего или куриного фарша с добавлением лука, помидоров, зеленого перца-чили, зерен кинзы, тмина, соли, черного перца, лимонного сока или зерен граната, яиц и листьев кориандра.

Шадбаг — шад (араб.) + баг (перс.), счастливый сад.

Шахджахани, мечеть — построена в середине XVII в. по приказу Шах-Джахана I (1592—1666), 5-го падишаха империи Великих Моголов. Также по его приказу в Агре был возведен Тадж-Махал.

Шахнай — духовой музыкальный инструмент, представляет собой трубку длиной 30—50 см конической формы с отверстиями и двойной тростью (язычком). Инструмент сделан из дерева, в нижней части имеется развальцованный металлический раструб. Количество отверстий от 6 до 9, диапазон — около 2 октав.

Шекиб (урду) — терпеливый.

Шорва (урду) — букв. подлива; картофельный суп с овощами на бараньем или говяжьем мясе.

Шуджа (пушт.) — смелый.

Об авторе

Халед Хоссейни родился в 1965 году в Кабуле. Отец Хоссейни был дипломатом, а мать преподавала фарси в средней школе Кабула. В 1976 году Хоссейни-старший получил назначение в Париж. В 1980 году семья собиралась возвращаться домой, но в этот момент в стране произошел коммунистический переворот и в Афганистан вошли советские войска. Семья Хоссейни запросила политическое убежище в США, и вскоре они перебрались в Калифорнию. В 1984 году после окончания школы Халед Хоссейни поступает в Университет Санта-Клары, где в 1988-м получает степень бакалавра по биологии, а на следующий год поступает в Медицинскую школу Университета Калифорнии в Сан-Диего, где получает степень по медицине в 1993-м. С 1996 до 2004 года Халед Хоссейни занимается медициной, практикует как терапевт. В марте 2001 года он начинает писать свой первый роман, который был закончен и издан в 2003-м. Дебютная книга «Бегущий за ветром» стала большим мировым бестселлером и огромным событием. Только в США роман провел во главе списка бестселлеров 103 недели, издан он был в 70 странах на 57 языках. В мае 2007 года вышел второй роман — «Тысяча сияющих солнц», также ставший мировым бестселлером. Два романа были проданы общим тиражом под 50 000 000 экземпляров. Халед Хоссейни — один из самых читаемых сегодня современных романистов.

В 2006 году Халед Хоссейни был назначен послом доброй воли ООН при Комиссариате по делам беженцев. Чуть позднее он учредил благотворительный фонд, оказывающий гуманитарную помощь жителям Афганистана. Живет Халед Хоссейни в Северной Калифорнии.

Литературно-художественное издание

Халед Хоссейни
И ЭХО ЛЕТИТ ПО ГОРАМ
Роман

Перевод	*Шаши Мартынова*
Редактор	*Максим Немцов*
Корректоры	*Ольга Андрюхина,*
	Виктория Рябцева
Художник	*Елена Сергеева*
Компьютерная верстка	*Евгений Данилов*
Директор издательства	*Алла Штейнман*

Подписано в печать 12.08.15 г. Формат 84×108/32.
Печать офсетная. Усл. изд. л. 23,52. Заказ № 5937.
Тираж 5500 экз. Гарнитура типа «Таймс».

Издательство «Фантом Пресс»:
Лицензия на издательскую деятельность код 221
серия ИД № 00378 от 01.11.99 г.
127015 Москва, ул. Новодмитровская, д. 5А, 1700
Тел.: (495) 787-34-63
Электронная почта: phantom@phantom-press.ru
Сайт: www.phantom-press.ru

Отпечатано с готовых файлов заказчика
в АО «Первая Образцовая типография»,
филиал «УЛЬЯНОВСКИЙ ДОМ ПЕЧАТИ»
432980, г. Ульяновск, ул. Гончарова, 14

*По вопросам реализации книг
обращаться по тел./факсу (495) 787-36-41.*

ISBN 978-5-86471-672-4

9 785864 716724